서 문

미래 항공 모빌리티, 인공위성 등 항공우주전자 분야는 블루오션으로 많은 글로벌 리더 기업들과 시장조사 기관들의 관심의 대상이 되었습니다. 항공우주 시스템의 특징은 가격이 높고, 제품 수명주기가 30 년 이상이어서 한번 판매가 되면 오랜 세월 유지보수 사업으로 수익이 계속 발생하는 장점이 있습니다. 그렇지만 항공우주 시스템은 안전성 고신뢰성 고가용성 안전성 등을 보장해야 하기 때문에 일반 하드웨어 소프트웨어 설계기술과는 다른 안전설계기술을 사용해야 합니다.

항공우주 시스템에 탑재할 수 있는 항공소프트웨어 안전설계기술은 일반적인 소프트웨어 기술과는 다른 여러가지 기술들을 종합적으로 이해해야 하기 때문에 쉽게 접근이 어려웠습니다. 안전인증 (Safety Certifiable) 소프트웨어를 개발하려면, 개발자는 임베디드 소프트웨어 기술은 기본이고, 시스템 신뢰성, 결함감내 시스템, 시스템 안전설계, 소프트웨어 안전인증에 관련된 여러 규격서, 표준, 지침, 전문 기술도서들을 이해해야 하는 긴 여정을 거쳐야만 했습니다. 항공소프트웨어에 개발에 이렇게 복잡한 안전인증 기술을 요구하는 이유는 항공 소프트웨어가 항공기에서 담당하는 기능이 매우 중요하고, 최신 항공기의 항공소프트웨어가 너무 복잡해서 이제는 일반적인 소프트웨어 테스트로는 승객의 안전을 보증할 수 없는 단계에 이르렀기 때문입니다. 이러한 이유로 국민의 안전을 책임지는 각국의 항공당국에서는 산업체에서 항공소프트웨어를 개발할 때 DO-178C 항공소프트웨어 안전인증 개발지침을 제대로 적용했는지 여부를 확인하도록 법제화하였습니다.

안전인증 항공소프트웨어 개발에 필요한 많은 노력을 줄이려는 목적으로 이 책을 출판합니다. 이 책에서는 DO-178C 항공 소프트웨어 개발 지침서, DO-248 지원문서, Job Aid, SAE ARP 4754A/4761 상용 항공기개발에 필수적인 지침들과 시스템신뢰성, 결함감내 시스템 등 많은 관련 기술문서들을 참고하여 항공우주 시스템에 탑재 가능한 소프트웨어의 인증개발 기술을 설명하였습니다.

이 책은 많은 연구원들의 도움이 있었기에 출판이 가능했습니다. 고신뢰성 시스템 연구실 여러분들께 감사의 말씀을 드립니다. 사천부터 서울, 인천, 고양까지 전국의 안전필수 산업 현장과 공공기관에서 핵심적인 역할을 담대하게 감당하는 여러분이 자랑스럽습니다. 독자 여러분들에게는 새로 시작되는 항공우주 시스템 및 자율 시스템에 탑재하는 소프트웨어 개발할 때 이 책이 도움이 되기를 기원합니다.

목 차

1. 항공 소프트웨어 인증 개발 개요

1.1. 배경 및 필요성

안전 필수 (Safety-critical) 시스템은 시스템의 여러가지 속성 (예를 들면, 전력소모, 크기, 수명, 가격, 속도) 들 중에서 안전을 가장 중요하게 고려해서 설계하는 시스템을 의미합니다. 항공, 우주, 철도, 조선, 자동차 등 교통 분야와 플랜트, 로봇 등의 산업분야, 그리고 국방, 의료 등 다양한 분야에서 사용되는 임베디드 시스템 (또는 IoT, 사이버 물리 시스템) 들이 해당됩니다. 안전 필수 시스템의 특징은 운용 환경이 열악하고, 운용 중에 고장이 발생하면 인적 및 물적 손실 (Harm)이 발생하기 때문에 시스템의 설계부터 운영 및 폐기까지 전 주기 동안 안전 (Safety)를 제일 먼저 고려합니다. 이런 시스템의 특징은 단순한 사업적인 목적만 있는 것이 아니고 국가의 안보, 개인의 건강 등과 같이 핵심 사항들과 연결됩니다.

최근 항공우주 기술의 발전과 고객 요구사항의 증가로 항공우주 소프트웨어 엔지니어는 더 많은 양의 코드를 개발하고 테스트하게 되어 고장이 발생할 가능성이 높기 때문에 안전이 위협받고 있습니다. 이 문제를 해결하기 위해 미국과 유럽 항공당국들은 항공우주 시스템의 소프트웨어 안전의 보증하는 방법으로서 RTCA DO-178C 지침의 준용을 채택했습니다.

항공우주 시스템에 탑재하는 항공소프트웨어 안전인증 기술은 여러 학문분야의 지식을 융합해서 만든 복잡한 기술입니다. 안전인증 기술을 이해하려면, 임베디드 소프트웨어 개발 및 검증 기술과 시스템 신뢰성 (System Reliability Theory), 결함 감내 시스템 (Fault tolerant systems), 시스템 안전설계 지침 (SAE ARP 4754A, SAE ARP 4761), 소프트웨어 인증 지침 (RTCA DO-178C, DO-248, Job Aid), 위험분석 (Risk Analysis Theory), 그리고 고장모드및영향분석 (Failure Modes and Effects Analysis) 와 결함수목분석 (Fault Tree Analysis) 기술 들을 융합해야 합니다. 항공소프트웨어 안전인증개발에 이렇게 복잡한 기술을 적용하는 이유는 항공 소프트웨어가 항공기에서 담당하는 기능이 매우 중요하고, 최신 항공기의 항공 소프트웨어가 너무 복잡해서 이제는 일반적인 소프트웨어 테스트로는 승객의 안전을 보증할 수 없는 단계를 넘어섰기 때문입니다. 구체적으로 국민을 위험에서 보호해야 하는 안전을 책임지는 각국의 항공당국 즉, FAA, EASA,

국토부에서는 산업체에서 항공소프트웨어를 개발할 때 DO-178C 소프트웨어 인증개발지침을 제대로 적용했는지 여부를 확인하도록 법제화하였습니다.

안전인증 항공소프트웨어 개발을 시작하려는 분들에게 요구되는 많은 노력을 줄이려는 목적으로 DO-178C 기반 항공 소프트웨어 개발 개론을 출판합니다. 이 책에서는 DO-178C 항공 소프트웨어 개발 지침서, DO-248 지원 문서, Job Aid, SAE ARP 4754A/4761 상용 항공기개발에 필수적인 지침들과 시스템신뢰성, 결함 감내 시스템 등 많은 관련 문헌들을 참고하여 항공우주 시스템에 탑재 가능한 소프트웨어의 인증 개발 기술을 설명하였습니다. 여러분이 항공우주 소프트웨어 개발할 때 이 책이 도움이 될 것을 확신합니다

1.2. 항공소프트웨어 안전 인증의 유래

1980 년대에 항공기 탑재 전자장비의 소프트웨어 사용이 증가함에 따라 항공기 안전을 보증하기 위하여 도입한 항공 소프트웨어의 감항 (Airworthiness) 지침이 DO-178 입니다. 항공기 역사를 보면, 1950 년 무렵 민간 부문의 여객운송 수요가 발생하기 시작했습니다. 항공사들은 2 차 세계대전에서 사용된 항공 기술을 이용하여 여객 운송용 항공기 (보잉 377, 367)들이 개발하여 운영하였습니다. 그렇지만 아직 안전 기술의 미성숙으로 항공사고가 빈번하게 발생했습니다. 이를 줄이기 위하여 항공당국은 1955 년에 Fail-safe 설계 개념을 항공기 제작에 도입하여 민항기 항공안전을 획기적으로 개선하게 되었습니다. 항공기에서 Fail-safe 설계는 비행 중에 단일 고장과 예측 가능한 고장의 조합이 발생하더라도 항공기의 안전한 비행과 착륙을 보장하도록 항공기 및 시스템을 설계하는 것을 의미합니다. 이 무렵에 Fail-Safe 설계가 적용된 항공기는 보잉 707 (1958)과 맥도널-더글러스 DC-8 (1959) 입니다.

이후 항공 여객 수요의 증가와 항공사간의 경쟁으로 더 많은 기능을 더 낮은 가격으로 구현할 수 있는 항공전자기술과 항공소프트웨어기술이 1975 년 무렵부터 함께 항공기 시스템 제작에 도입되기 시작하였습니다. 항공소프트웨어는 항공기 시스템에서 중요한 역할을 담당하고 있지만 기존의 기계 전기 전자 류의 시스템과는 달리 고장률을 계산할 수가 없어서 안전 설게를 입증할 수 있는 방법이 없던 상태였습니다. 항공전자기술의 도입은 기존의 기계식 항공 시스템의 비용대비 성능을 획기적으로 개선했기 때문에 항공기 제작사들은 항공 소프트웨어의 사용을 피할 수가 없었습니다.

항공 소프트웨어로 인한 안전문제를 해결하고자 FAA 와 산하기관 Radio Technical Commission for Aeronautics (RTCA)는 항공 관계자들을 모두 모아서 위원회 (SC-167)를 조직하고 수년간 회의를 거듭한 끝에 1980 년에 DO-178 (항공 시스템 및 장비 인증에 대한 소프트웨어 고려사항)을 공표하였습니다. 항공 업계 모든 관계자들은 이 지침이 항공 소프트웨어 안전 개발과 항공사고 감소에 크게 기여한 것으로 평가합니다. 현재는 DO-178B (1992)를 거쳐서 2010 년에 개정된 DO-178C 를 사용하고 있습니다.

최근에 발생한 보잉 737MAX 사고 사례는 DO-178C 를 규정대로 적용해야 함에도 불구하고 이를 위반한 제작사의 관리실패문제로 판명되었습니다. 보잉은 DO-178 지침을 개발한 SC-167 의 의장단 역할을 수행하면서 항공 소프트웨어 안전인증기술을 1980 년부터 선도적으로 만들었고 737MAX 사고 이전까지는 잘 시행해 오던 회사로서 보잉의 항공우주 분야의 기술력이 세계 최고 수준이란 것은 의심의 여지가 없습니다.

DO-178C 는 항공 소프트웨어의 안전을 보장하기위해 기능안전성의 목표수준 설정 및 기능 안전성 확보를 위한 활동과 실무 적용을 위한 지침서입니다. 항공 소프트웨어를 개발하려는 항공우주 산업분야 개발자들에게 안전 인증에 대한 기본적인 이해를 높이고, DO-178C 에서 요구하는 소프트웨어 인증 기술을 이해할 수 있습니다. UAM/AAM (Urban Air Mobility/Advanced Air Mobility) 시대로 접어들면서 DO-178C 는 이제 항공 모빌리티 분야는 물론 우주 시스템, 자동차, 철도, 선박의 자율시스템의 개발에 필수적인 핵심 지침이 될 것입니다.

1.3. 항공 소프트웨어와 항공법

DO-178C 는 문서의 종류는 지침이지만 실제로는 항공법 체계에서 법적 요건을 갖춘 권위있는 문서입니다. 우리나라 항공법에서는 항공기 설계, 제조 및 운용은 형식 증명, 생산 증명, 및 감항증 명의 인증을 명시하고 있습니다. 항공기 탑재용 항공전자 장비의 개발을 위한 형식 증명 (Type Certificate, TC)은 국토교통부장관이 고시하는 기술표준품 형식승인(Technical Standard Order Authorization, TSOA)이 필요합니다. 세부 사항은 항공인증기술원 (KIAST)의 항공기 인증 항목을 참고하시기 바랍니다.

기술표준품 TSO 는 항공기 부품에 소프트웨어가 탑재되는 경우, 즉 항공기 탑재용 소프트웨어가 개발에 포함된 경우 DO-178C 인증을 요구하며 그 내용은 다음과 같습니다.

소프트웨어는 국토교통부장관이 인정하는 방법으로 검증되어야 합니다. 소프트웨어의 검증을 위한 적합성 입증 방법은 RTCA DO-178, "Software Considerations in Airborne Systems and Equipment Certification" 을 따라야 하며, 이 경우 다음 요구조건에 적합해야 합니다.

가) RTCA DO-178 는 레벨 A~E 의 5 종류의 레벨을 규정하고 있습니다. 신청자는 적합성 입증 및 검증을 위한 소프트웨어의 레벨을 명시하여야 하며, 하나 이상의 레벨을 적용할 수 있습니다. 항행 기능을 위한 소프트웨어는 최소 레벨 C 이상으로 검증 받아야 합니다.

나) 기술표준품 형식승인 신청자는 국토교통부장관의 검토와 승인을 위한 소프트웨어 적합성 입증 및 검증계획서를 국토교통부장관에게 제출하여야 합니다.

1.4. 항공 소프트웨어 개발 체계

미국연방항공청 FAA 는 항공기에 탑재 전자장비 개발 활동에 다음 네 가지의 지침을 복합적으로 이용하는 체계를 구축하였습니다. 아래 그림 1 에는 가운데 위치한 시스템 개발 (SAE ARP 4754A), 안전성 평가(ARP4761), 하드웨어 인증 개발 (DO-254), 소프트웨어 인증 개발 (DO-178C)의 네 개의 지침의 연관성을 설명하였습니다. 항공 시스템 개발은 그림의 가운데 ARP 4754A 지침을 이용한 시스템 설계에서 시작합니다.

1.4.1. SAE ARP 4754A

SAE ARP 4754A (Guidelines for Development of Civil Aircraft and Systems)는 SAE International 에서 발행한 항공기 시스템의 개발 절차와 인증에 대한 가이드라인 문서입니다. 이 문서는 항공기 기능 및 운영 환경을 고려한 시스템의 개발 지침을 기술하며, 항공기 및 시스템 요구사항 검증 (validation) 및 인증 설계 및 보증을 위한 구현 내용의 확인 (verification) 방법을 설명합니다. 항공기 시스템의 핵심 속성인 시스템 안전에 대한 내용은 너무 복잡하기 때문에 상위 수준 관점에서의 내용만 설명하고 실제적으로 수행하는 상세한 설명은 ARP 4761 지침을 인용합니다.

1.4.2. SAE ARP 4761

ARP 4761 (민간항공기 시스템 및 장비의 안전성 평가 수행 지침 및 방법)은 다음 3 가지의 안전 평가 절차들과 이 절차에서 활용하는 안전 평가 기법의 적용 방법 및 사례를 설명합니다.

ARP 4761 안전 평가 절차는 다음과 같습니다.

- 기능 위험요소 평가 (Functional Hazard Assessment)

- 예비 시스템 안전 평가 (Preliminary System Safety Assessment)

- 시스템 안전 평가 (System Safety Assessment)

그림 1 항공전자 장비 개발 4 대 지침간 연관성

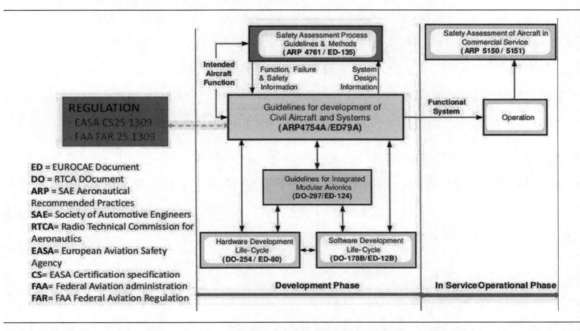

(참조: A Comparison of STPA and the ARP 4761 Safety Assessment Process, MIT Technical Report, 2014)

FHA 와 PSSA 는 시스템 설계에서 안전 요구사항을 반영하기 위한 목적으로 수행됩니다. 시스템 설계가 구현된 이후에는 SSA 를 이용하여 안전 요구사항이 구현된 시스템에 모두 다 반영되었는지 여부를 점검합니다. 만일 미흡한 요소가 발견되면, 설계를 수정하고 재검을 받아서 최종적으로 안전 요구사항이 반영되어야 다음 단계인 하드웨어 및 소프트웨어 인증 개발 단계로 전환할 수 있습니다. 이 과정에서 안전 판정을 위한 안전성 평가 도구가 필요합니다.

ARP 4761 안전 평가 기법들은 다음과 같습니다.

- 고장모드및영향분석 (Failure Mode and Effects analysis)

- 고장 수목 분석 (Fault Tree Analysis)

  - 의존성 다이어그램 (Dependence Diagram)

  - 마르코프 분석 (Markov Analysis)

1.4.3. RTCA DO-254

RTCA/DO-254 (Design Assurance Guidance for Airborne Electronic Hardware)는 전자 하드웨어에 대한 설계 보증 지침으로서 RTCA 가 2000 년 4 월에 제정하였으며, 위원회의 대부분은 미국, 유럽, 캐나다의 인증 당국 및 항공업계로 구성되었습니다. DO-254 는 규정된 환경에서 의도된 기능을 안전하게 수행할 수 있는 항공 전자 하드웨어의 개발에 대한 설계 보증 지침을 제공하기 위해 작성되었으며, 2005 년 FAA 가 발행한 AC 20-152 에 의해서 FAR 에 부합하기 위한 지침으로 채택되었습니다.

DO-178 와 마찬가지로 DO-254 는 하드웨어에 대한 단독 지침은 아니며, 하드웨어의 안전 수준을 결정하기 위해, 시스템 엔지니어링 업무의 일환으로써 안전성 평가가 요구됩니다. 또한 DO-254 는 프로젝트 기반 라이프사이클 활동과 관련된 목표와 그 산출물을 제시하도록 요구합니다.

DO-254 에서 요구하는 하드웨어 수명주기 프로세스는 계획 프로세스 (Planning process), 설계 프로세스 (Design process), 지원 프로세스 (Supporting process)로 구성됩니다. 계획 프로세스 이후 개발 프로세스는 요구조건 캡쳐 단계 (Requirement capture), 개념 설계 단계 (Conceptual design), 상세 설계 단계 (Detailed design), 구현 (Implementation), 및 생산 전환(Product transition)으로 구성되며, 지원 프로세스는 프로젝트 시작부터 끝까지 계속적으로 진행됩니다. 지원 프로세스는 확인 및 검증(Validation and verification), 형상관리(Configuration management), 프로세스 보증(Process assurance) 및 인증 지원 (Certification liaison) 프로세스를 포함합니다.

1.4.4. RTCA DO-178C

항공기에 탑재 전자장비의 소프트웨어는 DO-178C (Software Considerations in Airborne Systems and Equipment Certification) 지침에 따라 개발해야 합니다. 1980 년 초반에 항공기에 장착되는 장비와 시스템에서 소프트웨어의 사용이 급증함에 따라 관련 산업에서 감항성 요구사항을 만족시키는 표준을 필요로 하게 되었습니다.

DO-178 은 신청자와 인증기관 사이의 의사소통기반을 제공하기 위해서 개발되었으며, 이를 이용한 초기 인증 경험이 축적된 후 이에 대한 검토가 필요하다는 의견이 도출되었습니다. 1985 년에 DO-178 문서는 DO-178A 로 개정되었으며, 해당 문서에는 소프트웨어 프로세스, 개발, 문서화 등에 대한 엄격한 요구사항이 제시되었습니다.

그러나 제시된 인증 요소들을 신청자들이나 인증기관이 잘못 해석하는 경우가 발생하였으며, 이러한 문제를 해결하기 위해 1992 년 DO-178B 로 개정되었습니다. DO-178B 에서는 소프트웨어 개발보증수준 (Development Assurance Level, DAL)을 Level A~E 5 단계로 나누게 되었으며, 요구사항에 기반한 업무가 크게 강조되었습니다.

2012 년에는 DO-178B 의 일부 취약점인 요구사항 정의, 프로세스 시작 종료 조건을 보완한 DO-178C, 그리고 최근 소프트웨어 개발 기법을 반영한 보충자료 DO-330 (도구 검증), DO-331 (모델기반개발), DO-332 (객체지향), DO-333 (정형 기법)이 새롭게 제정되었습니다. DO-178C 는 계획 (Planning), 개발 (Development), 총괄 (Integral) 프로세스로 구성됩니다. 타겟 시스템의 개발 목표가 개발보증수준(DAL) 최상급 Level A 개발인 경우, 71 개의 개발 목표(Objectives)를 22 종의 개발 문서 (및 데이터)를 인증 입증 수단 (Means of Compliance)로 이용하여 인증 (Certification) 획득 여부를 판단합니다. 세부 내용은 다음 장에서 설명합니다.

1.5. 이 책의 구성

DO-178C 의 목적은 항공 시스템 및 전자장비의 신뢰할 수 있는 소프트웨어를 개발하기 위한 지침을 설명하는 것입니다. 하드웨어는 경험적 자료와 물리적 알고리즘을 이용하여 고장률을 계산할 수 있습니다. 그러므로 하드웨어 안전성은 개발목표 타겟 하드웨어 고장률이 지정된 값보다 낮게 설계 제조하면 됩니다. 그러나 소프트웨어는 하드웨어와 달리 고장률을 산정할 수 없습니다. 따라서 고신뢰성 소프트웨어는 개발과정을 철저하게 감리하는 방법을 사용하고 있습니다. 안전한 항공 소프트웨어 개발을 위한 DO-178C 지침에는 다음 내용이 포함됩니다.

- 소프트웨어 수명주기(software life-cycle) 프로세스의 목표.
- 프로세스 목표를 달성하기 위한 활동.
- 목표가 충족되었음을 나타내는 소프트웨어 수명주기 증거에 대한 설명.
- 소프트웨어 개발보증수준에 대한 설명

1.5.1. 범위

항공 소프트웨어 인증 개발 과정을 설명합니다. 항공기는 시스템 설계가 완료된 이후에 하드웨어 및 소프트웨어를 개발합니다. 따라서 시스템 수명주기 와 소프트웨어 수명주기와의 관계를 알아야 인증 프로세스를 이해할 수 있습니다. 시스템 개발과 항공 시스템 안전 평가 및 검증 프로세스는 다른 자료(SAE ARP 4754A/4761A)를 참조해야 합니다.

1.5.2. 구조

그림 2 는 각 장, 절과 상호간의 관계를 설명합니다.

그림 2 DO-178C 표준 문서 Overview

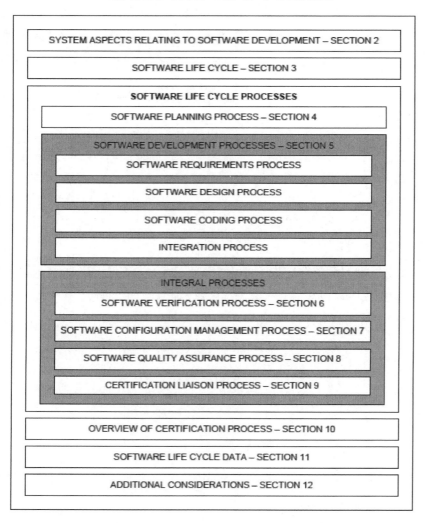

1.5.3. 활용

이 책은 항공우주 시스템의 인증 소프트웨어 개발 프로젝트에서 사용합니다.

- 항공분야 안전 인증의 실체적 표준인 DO-178C 를 기준으로 설명하였습니다.
- 이 책에서 제시한 수명 주기와 산출물은 소프트웨어 안전성 확보 및 인증 획득에 필요한 활동과 산출물입니다.
- 소프트웨어 개발 수명주기가 정의되어 있는 프로젝트의 경우, DO-178C 소프트웨어 수명주기를 참고하여 수행하는 프로젝트의 수명주기 활동 및 산출물을 식별할 수 있습니다.
- 소프트웨어 개발 수명주기의 단계별 산출물이 이미 확보된 프로젝트의 경우, 추가해야 할 산출물을 식별할 수 있습니다.

1.6. 참고 문헌

- 산업연구원, 『항공전자산업 연계형 거점부품단지 조성 기본계획 수립 및 타당성 조사 연구용역』, 2014
- 산업통상자원부, 『2018 년도 항공우주부품기술개발사업 수요조사 대상기술』, 2018
- 교육과학기술부, 『항공산업 발전 기본계획』, 2010
- 중소기업청, 『중소·중견기업 기술로드맵 - 항공우주』, 2016
- 국방기술품질원, 『항공용 소프트웨어 인증 절차 및 구성에 관한 연구』, 2010
- 과학기술정보통신부, 『10 대 항공핵심기술 선정 및 항공분야 R&D 추진 방향』, 2010
- 한국항공우주연구원, 『항공기 인증로드맵 개발 연구』, 2011
- KDB 산업은행, 『항공기 산업현황 및 기술동향』, 2013
- 산업통상자원부, 『항공산업 융합얼라이언스 - 보도자료』, 2017
- 한국수출입은행, 『국내 항공기산업의 성장가능성과 시사점』, 2017
- 정보통신연합회, 『드론의 기술개발 동향 및 기업의 대응 방안』, 2016
- 국회입법조사처, 『무인항공기 비행안전 제고를 위한 입법·정책 과제』, 2015
- 강자영,김무근,김영훈,임인규, 『안전필수항행시스템의 시험평가 프로세스』, 한국항공대학교, 2017
- 김소영, 『항공전자 경쟁환경 및 연구개발 동향 분석』, 한국과학기술정보연구원, 2013
- 김원준, 『항공용 소프트웨어 안전성 국제표준을 확장한 소프트웨어 신뢰도 측정 방안 사례 연구』, 숭실대학교, 2013

- 김희성, 『항공용 소프트웨어 인증을 위한 DO-178C 적용절차 개관』, KASS, 2015

- 문태석,이재민, 『우주발사체』, 한국과학기술기획평가원, 2018

- 박태형,김태호,진회승, 『소프트웨어 안전성 확보 체계에 관한 연구』, 소프트웨어정책연구소, 2016

- 송찬호, 『항공전자 기술 발전 동향』, 국방과학연구소, 2009

- 윤광준, 『국내·외 드론 산업 현황 및 활성화 방안』, 한국감정원, 2016

- 윤원근, 이백준, 『항공안전을 위한 소프트웨어 인증 기술 발전 동향. 항공우주산업기술동향』, 한국항공우주연구원, 2013

- 이귀연, 『국내외 항공안전관련 기준에 관한 비교 연구』, 한국항공대학교, 2014

- 이일환, 『비상하는 항공산업의 초석, 항공안전기술』, 한국과학기술기획평가원, 2012

- 이종희, 『항공기 형식증명의 의의, 현황 및 발전』, 세종대학교, 2001

- 이진섭, 정수영, 『항공전자 지침서 소프트웨어 인증(DO-178) 지침서』, 한국항공우주산업, 2016

- 이홍석,권구훈,고병각, 『안전필수 항공 산업용 소프트웨어 평가 방법 연구』, 한국산업기술시험원, 2015

- 장태진, 『세계 항공 산업 현황 및 전망』, 한국항공우주연구원, 2014

- 정인석, 『항공용 소프트웨어 인증 절차 및 구성에 관한 연구』, 서울대학교, 2010

- 조현명, 『DO-178C 에 따른 항공용 소프트웨어의 적합성 입증 방법에 관한 연구』, 항공진흥, 2016

- 한상호, 『항공기용 복합 전자소자의 인증방안』, 세종대학교, 2010

- 홍덕곤,이관중, 『국내 항공 인증과 미국 인증체계 비교』, 한국항공우주학회지, 2008

- RTCA DO-178C, 『Software Considerations in Airborne Systems and Equipment Certification』, RTCA, Inc., 2011

- FAA, 『Job Aid, AIRCRAFT CERTIFICATION SERVICE』, FAA, 2004

- ACG, 『DO-178C/ED-12C versus DO-178B/ED-12B Changes and Improvements』, ACG, 2012

2. 항공 소프트웨어 개발 개요

소프트웨어 개발 목표는 시스템 수명주기 과정의 결과물을 이용해서 제작하기 때문에 시스템 수명주기를 이해하는 것이 중요합니다. 여기서는 소프트웨어 수명주기 프로세스와 연관된 시스템 수명주기 프로세스만 부분적으로 설명합니다. 전체적인 시스템 수명주기 프로세스에 대한 설명은 SAE ARP4754A 에서 찾을 수 있습니다. 이 절에서 설명하는 내용은 다음과 같습니다:

- 시스템 요구사항
- 시스템 요구사항 소프트웨어 요구사항 할당
- 시스템과 소프트웨어 수명주기 프로세스 간의 정보 흐름
- 시스템 안전 평가 프로세스, 고장 조건, 소프트웨어 개발보증수준
- 소프트웨어 아키텍처 고려사항
- 시스템 수명주기 프로세스에서 소프트웨어 고려사항
- 소프트웨어 수명주기 프로세스에서 시스템 고려사항

2.1 시스템 요구사항 개요

2.1.1 시스템 요구사항 중요성

SAE ARP 4754A 시스템 개발 지침은 소프트웨어 개발의 근간이 되는 시스템을 정확하게 개발하여 소프트웨어에서 개발해야 하는 문제를 정의합니다. 시스템 개발의 중요성은 아무리 얘기해도 지나치지 않습니다. 왜냐하면 소프트웨어 개발에서 발생하는 많은 문제들이 잘못 정의된 시스템 요구사항과 시스템 아키텍처에서 시작되기 때문입니다. 많은 소프트웨어의 문제들은 미성숙하고 불완전하며 부정확하고 모호하며 잘못 정의된 시스템 요구사항 문제에서 시작됩니다. 현대사회가 발전함에 따라 시스템의 복잡성과 중요성이 증가하고 있습니다. 안전하고 신뢰할 수 있는 시스템을 개발하려면 시스템 요구사항을 정의하고 검증하는데 많은 노력을 기울여야 합니다. FAA 는 이러한 필요성을 인식하고 ARP 4754A 를 지정해서 항공 시스템 개발 프로세스, 특히 요구사항 정의, 검증 및 구현 검증에 적용하도록 하였습니다.

2.1.2 시스템 요구사항 유형

ARP4754A 는 다음 유형의 요구사항을 개발할 것을 권장합니다

• **안전 (Safety) 요구사항**: 항공기 안전에 기여하거나 직접 영향을 미치는 기능을 식별합니다. 안전 요구사항은 안전 평가 프로세스(safety assessment process)에 의해 식별되며 가용성 (기능의 연속성)과 무결성 (행동의 정확성)에 대한 최소한의 성능 제약사항을 포함합니다. 시스템 수명주기 동안 고유하게 식별되고 추적 되어야 합니다.

• **기능 (Functional) 요구사항:** 원하는 임무를 수행하기 위한 시스템 기능을 지정합니다. 기능 요구사항은 일반적으로 고객 요구사항, 운영 요구사항이 있습니다. 기능 요구사항이 정의되면 기능의 미작동 또는 오작동(loss of function or malfunction)에 따른 고장 영향을 평가하여 안전요구사항을 정의할 수 있습니다.

• **비기능 (Non-functional) 요구사항:** 성능 요구사항 (예: 타이밍, 속도, 범위, 정확도), 물리적 및 설치 요구사항, 유지관리 요구사항, 인터페이스 요구사항 등이 해당됩니다.

• **기타 요구사항**: 규제 요구사항 및 파생된 요구사항이 포함됩니다. 파생 요구사항은 일반적으로 시스템 아키텍처가 하위 단계로 상세화되면서 위 단계에서는 정의되지 않은 상황들이 발생하면 나타납니다. 상위 요구사항을 추적할 수 없기 때문에 시스템 안전 프로세스에 의해 검증되고 평가되어야 합니다.

2.1.3 좋은 요구사항 특성

좋은 요구사항을 개발하는 것은 어려운 일이며 많은 노력과 집중이 필요합니다. 좋은 요구사항을 작성하려면 요구사항의 특성을 이해하는 것이 중요합니다. 요구사항 작성자와 검토자는 다음과 같은 우수한 시스템 요구사항의 특성을 통합해야 합니다.

• **단일성**(atomic) - 각 요구사항은 단일 요구사항 이어야 합니다.

• **완전성**(complete) - 각 요구사항에는 원하는 시스템 기능을 정의하는데 필요한 모든 정보가 포함됩니다. 각 요구사항은 독립적으로 작동할 수 있어야 합니다.

• **간결성**(concise) - 각 요구사항은 무엇을 해야 하고 무엇을 완료해야 하는지를 간단하고 명확하게 명시해야 합니다. 일반 사용자도 쉽게 읽고 이해할 수 있어야 합니다.

일반적으로 텍스트 요구사항은 30-50 자를 초과해서는 안 됩니다. 그래픽을 사용하여 표현되는 요구사항도 간결해야 합니다.

- **일관성**(consistent) - 요구사항은 다른 요구사항과 모순되거나 중복해서는 안 됩니다. 일관된 요구사항도 사양 전반에 걸쳐 동일한 용어를 사용합니다.

- **정확성**(correct) - 각 요구사항은 정의되는 시스템에 적합한 요구사항 이어야 합니다. 정확한 정보를 전달해야 합니다. 이 속성은 요구사항의 유효성 검사로 보장됩니다.

- **구현 자유성**(implementation free) - 각 요구사항은 구현 방법을 식별하지 않고 필요한 내용을 기술해야 합니다. 요구사항은 설계 또는 구현을 지정해서는 안 됩니다.

- **필요성**(necessary) - 각 요구사항에는 필수 기능, 특성 또는 품질 요소가 명시되어야 합니다. 요구사항이 제거되면 결함이 존재해야 합니다.

- **추적성**(traceable) - 각 요구사항을 고유하게 식별하고 상세 요구사항, 설계 및 테스트를 통해 쉽게 추적할 수 있어야 합니다.

- **비모호성**(unambiguous) - 각 요구사항에는 해석이 하나만 있어야 합니다.

- **검증 가능성**(verifiable) - 각 요구사항의 구현을 확인할 수 있어야 합니다. 따라서 요구사항을 정량화하고 적절하게 허용 오차를 포함해야 합니다. 각 요구사항은 검토, 분석 또는 테스트로 확인할 수 있도록 작성해야 합니다. 드문 경우를 제외하고 검증 과정에서 동작을 관찰할 수 없는 경우 요구사항을 다시 작성해야 합니다. 예를 들어 부정적 요구사항은 일반적으로 검증할 수 없으며 재 작성이 필요합니다.

- **실행 가능성**(viable) - 각 요구사항은 구현할 수 있어야 하며 구현할 때 사용할 수 있어야 하며 전체 시스템 구축에 도움이 되어야 합니다.

요구사항 작성은 요구사항표준 (Software Requirement Standard)을 이용해야 합니다. 좋은 요구사항을 작성하는 것은 무엇을 만들고 싶은지를 확실히 알고 있더라도 쉽지 않습니다. 특정 도메인을 기반으로 하는 훌륭한 지침, 예제 및 교육은 중요합니다.

2.2. 소프트웨어에 대한 시스템 요구사항 할당

시스템 수명주기 프로세스에서는 시스템 기능 및 안전 요구사항이 개발됩니다. 항공기 시스템에서 안전 요구사항(Safety requirements)을 함께 개발해야 하는 것은 당연합니다.

왜냐하면 항공기 시스템의 기능은 고장 발생이 가능하므로 이러한 고장을 회피 및 감내하는 안전 메커니즘을 추가 개발해야 합니다. 이 안전 메커니즘의 개발을 위한 안전 요구사항이 포함됩니다.

시스템 안전 평가 프로세스는 시스템의 고장 조건을 식별하고 분류합니다. 안전성 평가 프로세스 내에서 안전 관련 요구사항은 이러한 고장 조건에서 원하는 감내 특성과 시스템 응답을 지정하여 시스템의 무결성을 보장하기 위해 정의됩니다. 이러한 요구사항은 하드웨어 및 소프트웨어에서 결함의 영향인 고장을 감내하거나 회피하기 위해 식별되며 결함 검출, 결함 허용, 결함 제거 및 결함 회피를 제공할 수 있습니다.

시스템 기능 및 안전 요구사항의 개발이 완료되면, 이들을 분류해서 실체적으로 구현할 하드웨어 및 소프트웨어로 각각 할당합니다.

시스템 요구사항들 중에서 소프트웨어에 할당된 요구사항들은 소프트웨어 요구사항으로 개발되고 개선됩니다. 소프트웨어에 할당된 시스템 요구사항은 다음과 같습니다.

a. 기능 및 운영 요구사항.

b. 인터페이스 요구사항.

c. 성능 요구사항.

d. 안전 요구사항.

e. 보안 요구사항.

f. 유지 보수 요구사항.

g. 적용 가능한 인증 기관 규정, 발행 서류 등을 포함한 인증 요구사항

h. 시스템 수명주기 프로세스를 지원하는데 필요한 추가 요구사항

2.3. 시스템 및 소프트웨어 수명주기 프로세스 간 정보 흐름

시스템 수명주기 프로세스와 소프트웨어 수명주기 프로세스 간의 정보 흐름이 그림 3 에 설명되어 있습니다. 이 정보 흐름은 시스템 안전 측면을 포함합니다. 시스템 프로세스와 소프트웨어 프로세스는 상호 연계된 프로세스입니다.

그림 3 시스템 및 소프트웨어 수명주기 프로세스 간의 정보 흐름

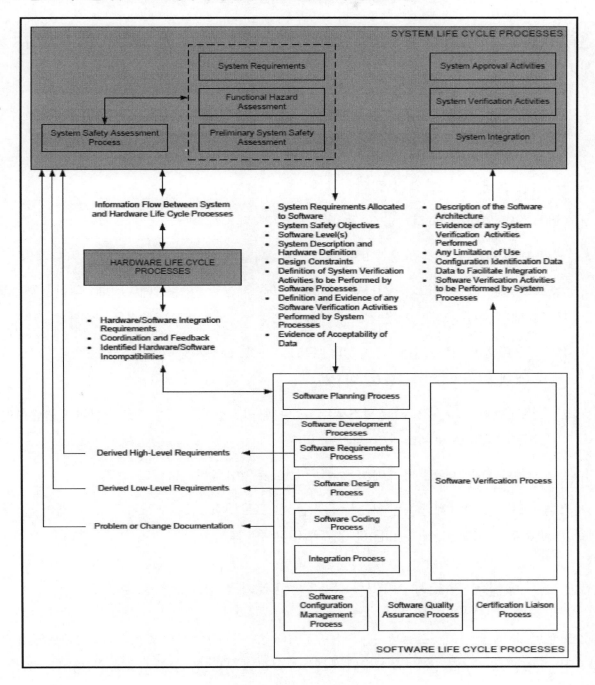

2.3.1. 시스템 프로세스에서 소프트웨어 프로세스로 정보 흐름

시스템 프로세스에 의해 소프트웨어 프로세스로 전달되는 데이터는 다음과 같습니다:

a.   소프트웨어에 할당된 시스템 요구사항.

b.   시스템 안전 목표.

c.   소프트웨어 컴포넌트의 소프트웨어 Level 및 관련 고장 조건에 대한 설명.

d.   시스템 설명 및 하드웨어 정의.

e.   외부 인터페이스, 파티셔닝 요구사항 등 설계 제약사항

f.   소프트웨어 수명주기의 일부로 수행되도록 제안된 모든 시스템 활동의 세부사항.

g.   소프트웨어 프로세스가 시스템 프로세스에 제공한 모든 데이터에 대한 증거와 이에 대한 수용가능성의 증거. 시스템 프로세스에서는 다음의 경우 평가를 수행함.

   1.   소프트웨어 프로세스 중에 파생된(derived) 요구사항이 시스템 안전 평가 및 시스템 요구사항에 영향을 미치는 지

   2.   소프트웨어에 할당된 시스템 요구사항의 설명 또는 완전성과 관련하여 소프트웨어 프로세스에서 제기된 이슈

h.   시스템 수명주기 프로세스에서 수행된 소프트웨어 검증 활동의 증거.

시스템 프로세스가 제공하는 모든 증거는 소프트웨어 프로세스가 소프트웨어 검증 결과 (Software Verification Results)로 간주되어야 합니다.

2.3.2. 소프트웨어 프로세스에서 시스템 프로세스로 정보 흐름

소프트웨어 수명주기 프로세스는 소프트웨어 요구사항 프로세스에서 소프트웨어에 할당된 시스템 요구사항을 분석합니다. 만일 부적절한 시스템 요구사항을 식별하는 경우, 소프트웨어 수명주기 프로세스는 문제해결을 위해 시스템 수명주기 프로세스에 관련자료를 전달해야 합니다. 소프트웨어 설계 및 구현이 진행됨에 따라 시스템 안전 평가 및 시스템 요구사항에 영향을 줄 수 있는 세부사항이 추가되고 수정됩니다.

개발된 설계자료와 필요한 설계 변경을 평가하기 위해 소프트웨어 수명주기 프로세스는 시스템 프로세스에 필요한 데이터를 제공해야 합니다. 이 데이터는 시스템 안전 평가 및 시스템 요구사항 분석 및 평가에 사용됩니다. 이러한 분석 및 평가는 시스템 프로세스와 소프트웨어 프로세스에 의해 공동으로 수행되는 것이 유리할 수 있습니다. 이러한 데이터에는 다음이 포함됩니다.

a. 소프트웨어 수명주기 프로세스 중에 생성된 파생 요구사항

b. 소프트웨어 파티셔닝을 포함한 소프트웨어 아키텍처에 대한 설명.

c. 소프트웨어 수명주기 프로세스에 의해 수행된 시스템 활동의 증거.

d. 소프트웨어에 할당된 시스템 요구사항에서 식별된 문제점 및 하드웨어와 소프트웨어 간의 비 호환성을 확인한 문서를 포함하는 문서의 문제점 또는 변경.

e. 모든 사용 제한사항.

f. 형상 식별 및 모든 구성 상태 제약 조건.

g. 성능, 타이밍 및 정확도 특성.

h. 시스템에 소프트웨어 통합을 용이하게 하기 위한 데이터.

i. 시스템 검증 중에 수행되도록 제안된 소프트웨어 검증 활동의 세부사항

2.4. 시스템 안전평가 프로세스 및 소프트웨어 Level

이 절에서는 소프트웨어 Level 을 결정하는 방법과 아키텍처 고려사항이 소프트웨어 Level 에 미치는 영향을 설명합니다. 소프트웨어 Level 이란 시스템 개발에서 식별된 개발보증수준 (Development Assurance Level, DAL)이 소프트웨어에 할당된 것을 의미합니다. DO-178C 에서 하드웨어와 소프트웨어는 아이템(item)이란 용어로 표현되므로 소프트웨어 Level 은 소프트웨어 IDAL (Item Development Assurance Level)이라고도 합니다. 소프트웨어 Level 은 시스템 안전 평가 프로세스와 유사하게 소프트웨어 컴포넌트의 고장이 시스템 고장 조건 및 심각도에 미치는 영향을 분석하여 결정합니다. 결정된 소프트웨어 Level 에 맞춰서 DO-178C 인증개발에서 요구되는 인증 과정 및 결과물을 개발해야 합니다.

소프트웨어 Level 은 소프트웨어 고장률(failure rate) 을 의미하지 않습니다. 그 이유는 잠시 후에 설명합니다. 즉, 소프트웨어 Level 을 기반으로 한 소프트웨어 신뢰율은 하드웨어 실패율과 동일한 방식으로 시스템 안전 평가 프로세스에서 사용할 수 없습니다.

파티션 소프트웨어 컴포넌트만 시스템 안전 평가 프로세스를 통해 개별 소프트웨어 Level 을 할당할 수 있습니다. 소프트웨어 컴포넌트 간의 파티션을 입증할 수 없는 경우에는 소프트웨어 Level 은 단일 컴포넌트로 할당됩니다. 이 경우, 소프트웨어의 여러 기능들에 할당된 Level 중에서 가장 높은 Level 이 전체 소프트웨어 Level 로 할당됩니다.

인증 신청자는 인증관리기관 지침에 따라서 시스템 안전 평가 프로세스를 수립해야 합니다. 그 다음에 시스템의 각 소프트웨어 컴포넌트에 DAL 을 할당하고 인증 기관의 동의를 받아야만 합니다.

보충 설명:

시스템 안전성 평가는 하드웨어 소프트웨어 개발 이전에 수행되는 시스템 개발주기에서 시스템 수준에서 고장이 발생한 경우에 이에 대응해서 시스템이 안전하게 운영될 수 있도록 시스템 요구사항을 개발하고 이를 검증 및 확인 하는 절차를 수행합니다. 이 과정은 SAE ARP 4754A (항공 시스템 개발 지침) 및 SAE ARP 4761 (항공 시스템 안전설계 지침) 두 지침을 이용하도록 법적으로 고시되어 있습니다. 두 지침에서 시스템 설계단계에서 Functional Hazard Assessments (FHA), Preliminary System Safety Assessment (PSSA)를 수행해서 안전 설계를 구현하고 System Safety Assessment (SSA)를 수행해서 안전설계 내용을 검증 및 확인합니다.

FHA, PSSA 과정에서는 시스템의 고장 조건 및 발생확률을 판정해서 필요한 개발보증수준 (Development Assurance Level, DAL)을 식별합니다. DAL 은 Failure Modes and Effects Analysis 를 이용하여 각 기능 및 시스템의 고장모드들을 식별하며, 식별된 고장모들들의 고장 발생 확률을 Fault Tree Analysis 를 이용하여 계산합니다. 모든 고장 모드의 고장률을 합산하여 계산된 고장률과 개발목표에서 설정한 DAL 의 고장률을 비교하여 시스템이 안전하게 설계되었는지 판단하는 것이 안전 설계의 핵심입니다.

시스템 안전 평가는 소프트웨어 개발 이전에 베이스라인 시스템개발을 완료해야만 합니다. 시스템 설계 완료 이전에는 하드웨어 소프트웨어 개발은 만가지 문제의 시작이 됩니다.

2.4.1. 소프트웨어 오류 및 고장 조건(failure condition) 관계

그림 4 에서 에러 (error), 결함 (fault), 고장 (failure)의 인과관계 및 범위 (boundary)에 주의하기 바랍니다. DO-178C 는 소프트웨어에서 발생한 오류에서 시작해서 항공기

수준의 고장 조건이 발생하는 일련의 과정들을 설명합니다. 소프트웨어 오류가 발생한다고 해서 즉시 시스템 또는 항공기의 고장이 발생하는 것은 아닙니다. 그림에서 소프트웨어 에러에서 시스템 결함 및 고장으로 연결되는 경로는 개념을 설명하는 목적에서 작성되었습니다. 실제로 소프트웨어 오류에서 시스템 고장으로 연결되는 경로는 매우 복잡합니다.

　소프트웨어 고장률은 하드웨어 고장률 경우처럼 정량적으로 평가할 수 없습니다. 일반적으로 하드웨어에서는 하드웨어 열화 고장(Aging failure) 및 환경조건에 의해 무작위 고장(Random failure)이 발생합니다. 그러나 소프트웨어는 무작위 고장이 존재하지 않습니다. 소프트웨어에는 설계 오류에 의한 시스템 고장 (Systematics failure)만 존재합니다. 따라서 하드웨어 인증개발과는 달리 소프트웨어 인증개발에서는 개발 과정만 점검하는 방법을 사용합니다.

그림 4 소프트웨어 에러가 시스템 고장 및 고장 조건으로 전개되는 과정

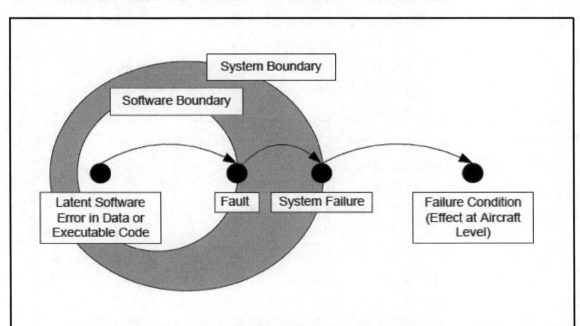

2.4.2. 고장 조건 분류

고장 조건 범주를 식별하고 각 소프트웨어 컴포넌트에 소프트웨어 Level 을 지정 작업은 시스템 개발 및 시스템 안전 평가 프로세스에서 수행합니다. 고장 조건 범주에 대한 정의는 인증 기관에서 발급한 관련 규정 및 지침 자료를 참조해야 합니다. 표 1 에 열거된 고장 조건 범주는 대형 여객기의 시스템 안전 평가 프로세스에서 사용하는 분류 기준입니다.

표 1 고장 조건 범주 설명

범주	기술	수준
Catastrophic	다수의 사망자가 발생할 수 있는 고장 조건 항공기의 손실을 동반	A
Hazardous	항공기의 성능 또는 운항 승무원의 능력을 많이 (large) 저하시키는 고장 조건 - 안전 마진(safety margin)이나 기능의 많은 감소 - 운항 승무원에게 과도한 작업 부하 발생 - 소수의 탑승자에게 심각하거나 치명적인 부상 (승무원 이외의)	B
Major	항공기의 성능 또는 승무원의 능력을 현저하게(significant) 저하시키는 고장 조건 - 안전 마진이나 기능의 현저한 감소, - 운항 승무원 작업 부하의 현저한 증가 - 승객 또는 운항 승무원의 신체적 스트레스 (부상).	C
Minor	항공기의 성능 또는 승무원의 능력을 **현저히 감소시키지 않는** 수준의 고장 조건 - 안전 마진이나 기능이 약간(slight) 감소, - 운항 승무원의 작업 부하가 약간 증가 (경로 변경 등) - 승객 또는 객실 승무원의 신체적 불편함	D
No safety effect	안전에 영향을 미치지 않는 고장 조건;	E

2.4.3. 소프트웨어 Level 정의

본 문서는 수준 A 에서 Level E 까지 다섯 가지 소프트웨어 Level 을 인식합니다. 2.3.2 절에 나열된 고장 상태 범주의 예를 보려면 이러한 소프트웨어 Level 과 고장 조건 간의 관계가 있습니다.

a. Level A (Catastrophic): 시스템 안전 평가 프로세스에서 나타난 바와 같이 비정상적인 동작이 시스템 기능의 장애를 야기하거나 기여하여 항공기에 치명적인 고장 조건을 초래하는 소프트웨어.

b. Level B (Hazardous): 시스템 안전 평가 프로세스에서 나타난 바와 같이 비정상적인 동작이 시스템 기능의 장애를 유발하거나 기여하여 항공기의 위험한 고장 조건을 초래하는 소프트웨어.

c. Level C (Major): 시스템 안전 평가 프로세스에서 나타난 바와 같이 비정상적인 동작이 시스템 기능의 장애를 유발하거나 기여하여 항공기의 주요 고장 조건을 초래하는 소프트웨어

d. Level D (Minor): 시스템 안전 평가 프로세스에서 나타난 바와 같이 비정상적인 동작이 시스템 기능의 실패를 유발하거나 기여하여 항공기의 사소한 고장 상태를 초래하는 소프트웨어.

e. Level E (No safety effect): 시스템 안전 평가 프로세스에서 나타난 바와 같이 비정상적인 동작이 항공기 운영 능력이나 파일럿 작업 부하에 영향을 미치지 않고 시스템 기능의 실패를 유발하거나 야기하는 소프트웨어. 소프트웨어 컴포넌트가 Level E 로 결정되고 이것이 인증 기관에 의해 확인되면 본 문서에 포함된 추가 지침이 적용되지 않습니다.

신청자는 고장 조건 심각도 및 소프트웨어 Level 범주에 맞는 적절한 인증 지침 및 시스템 개발 고려사항을 항상 고려해야 합니다.

2.4.4. 소프트웨어 Level 결정

시스템 안전 평가 프로세스는 소프트웨어의 비정상적인 작동으로 인해 발생할 수 있는 고장 조건을 기반으로 소프트웨어 컴포넌트에 적합한 소프트웨어 Level 을 결정합니다. 기능 상실(Loss of function)과 오작동(Malfunction)의 영향을 분석해야 합니다. 고장 조건 범주를 식별하고 소프트웨어 Level 을 결정할 때 불리한 환경 조건 및 아키텍처 전략 (2.4 절에서 설명)과 같은 외부 요인을 고려할 수 있습니다.

- 주 1: 신청자는 안전 평가 결과의 소프트웨어 Level 보다 더 높은 수준을 적용해서 소프트웨어를 개발하는 것을 고려할 수도 있습니다. 소프트웨어는 변경이 잦은데, 혹여 개발이 완료된 이후에 변경사항이 발생하여 더 높은 수준으로 개발해야 하는 상황이 발생하면, 다시 개발과정을 반복해야 하므로 총 개발비용 및 기간이 과다하게 증가되는 문제가 발생할 수 있습니다.

- 주 2: 운항 규정에 위임되어 있지만 항공기의 감항성에 영향을 미치지 않는 장비 (예: 비행 데이터 기록계)의 경우 소프트웨어 Level 은 기능에 비례해야 합니다. 어떤 경우에는, 소프트웨어 Level 은 장비에 적용되는 최소 성능 표준 (minimum performance standard) 에 명시될 수 있습니다.

소프트웨어 컴포넌트의 비정상적인 동작이 둘 이상의 고장 조건에 기여하는 경우 소프트웨어 컴포넌트에는 결합된 고장 조건을 포함하여 소프트웨어가 기여할 수 있는 가장 심각한 고장 조건으로 소프트웨어 Level 을 판정해야 합니다.

2.5. 아키텍처 고려사항

이 절에서는 고장의 영향을 제한하거나 고장을 검출하거나, 고장을 허용하는 시스템 아키텍처 구축 전략을 설명합니다. 이러한 아키텍처 기술은 일반적으로 시스템 설계 중에 식별되는데 이 아키텍처를 필수적으로 사용해야 하는 것으로 해석할 필요는 없습니다.

직렬 구현은 한 시스템을 구현하는데 여러 소프트웨어 컴포넌트를 사용하는데, 어떤 하나의 컴포넌트의 비정상적인 동작으로 인해 고장 조건이 발생할 수 있는 구조입니다. 이 구현에서 소프트웨어 컴포넌트의 소프트웨어 Level 은 가장 심각한 컴포넌트의 고장 조건이 할당됩니다.

고장 조건이 발생하려면 두 개 이상의 소프트웨어 파티션의 고장이 필요한 경우에는 시스템 안전 평가 프로세스가 할당한 소프트웨어 Level 을 고려해야 합니다.

관련된 소프트웨어 컴포넌트 간에 충분한 독립성이 존재함을 입증하려면, 시스템 안전 평가 프로세스는 기능 (즉, 상위 요구사항)과 설계 (예: 공통 설계 요소, 언어 및 도구)들이 독립적인 것을 증명해야 합니다.

소프트웨어 컴포넌트 간의 파티션 및 독립성을 증명할 수 없는 경우 소프트웨어 컴포넌트들을 하나의 소프트웨어 컴포넌트로 간주하고 소프트웨어 Level 을 할당해야 합니다 (즉, 모든 컴포넌트에는 소프트웨어가 제공할 수 있는 가장 심각한 고장 조건과 관련된 소프트웨어 Level 이 할당됩니다).

보충 설명

DO-178C 는 소프트웨어 아키텍처를 "소프트웨어 요구사항을 구현하기 위해 선택된 소프트웨어 구조"로 정의합니다. 아키텍처 (소프트웨어 구조)는 좁은 의미로는 프로그램 컴포넌트의 구조 및 컴포넌트에서 사용되는 데이터의 구조입니다. 그러나 넓은 의미에서 컴포넌트는 주요 시스템 요소와 이들의 상호작용을 대표하도록 일반화할 수 있습니다.

아키텍처는 설계 프로세스의 중요한 부분입니다. 아키텍처를 문서화하는 동안 명심해야 할 몇 가지 사항은 다음과 같습니다.

첫째, DO-178C 를 준수하려면 아키텍처가 요구사항과 호환되어야 합니다. 따라서 호환성을 확보하기 위한 몇 가지 방법이 필요합니다. 요구사항과 아키텍처 간의 추적성이 사용됩니다.

둘째, 아키텍처는 명확하고 일관된 형식으로 문서화되어야 합니다. 코드를 구현하기 위해 설계를 사용할 코더와 미래에 소프트웨어와 설계를 유지할 개발자를 고려하는 것이 중요합니다. 아키텍처는 정확하게 구현 및 유지관리하기 위해 명확하게 정의되어야 합니다.

셋째, 필요에 따라 업데이트되고 반복적으로 구현될 수 있는 방식으로 아키텍처를 문서화해야 합니다. 이것은 반복 또는 진화 개발 노력, 구성 옵션 또는 안전 접근법을 지원하는 것일 수 있습니다.

넷째, 서로 다른 아키텍처 스타일이 존재합니다. 대부분의 스타일에서 아키텍처에는 컴포넌트와 커넥터가 포함됩니다. 그러나 이러한 컴포넌트와 커넥터의 유형은 사용된 아키텍처 접근 방식에 따라 다릅니다. 대부분의 실시간 항공 소프트웨어는 기능적 구조를 사용합니다. 이 경우 컴포넌트는 기능 (데이터 형식 또는 제어 형식)을 나타내고 커넥터는 기능 간의 인터페이스를 나타냅니다.

2.5.1. 파티셔닝 (Partitioning)

파티셔닝은 소프트웨어 컴포넌트를 격리(isolation)해서 결함의 영향을 축소시키거나 소프트웨어 검증 프로세스의 업무를 줄이는 기술입니다. 각 컴포넌트에 고유한 하드웨어 자원을 할당하여 소프트웨어 컴포넌트를 파티셔닝 할 수 있습니다. 즉, 하나의 소프트웨어 컴포넌트만이 시스템의 각 하드웨어에서 실행됩니다. 또는, 여러 소프트웨어 컴포넌트가 동일한 하드웨어에서 파티셔닝 할 수도 있습니다. 방법에 관계없이 파티셔닝 된 소프트웨어 컴포넌트에 대해 다음 사항을 보장해야 합니다

a. 파티셔닝 된 소프트웨어 컴포넌트는 다른 파티셔닝 된 소프트웨어 컴포넌트의 코드, 입출력 (I / O) 또는 데이터 저장 영역을 오염시키지 않아야 합니다.

b. 파티셔닝 된 소프트웨어 컴포넌트는 예정된 실행 기간 동안에만 공유 프로세서 자원을 소비할 수 있어야 합니다.

c. 파티셔닝 된 소프트웨어 컴포넌트의 고유한 하드웨어 장애가 다른 파티셔닝 된 소프트웨어 컴포넌트에 부정적인 영향(adverse effect)를 초래하지 않아야 합니다.

d. 파티셔닝을 제공하는 모든 소프트웨어는 파티셔닝 된 소프트웨어 컴포넌트에 할당된 최상위 또는 동일하거나 높은 소프트웨어 Level 을 가져야 합니다.

e. 파티셔닝을 제공하는 모든 하드웨어는 시스템 안전 평가 프로세스에 의해 평가되어 안전성에 악영향을 미치지 않는지 확인해야 합니다.

소프트웨어 파티셔닝은 소프트웨어 Level 이 높은 컴포넌트를 가급적 축소하고, Level 이 낮은 컴포넌트를 늘리는 것이 목적입니다. 그러므로 서로 다른 소프트웨어 Level 이 혼재하므로 소프트웨어 수명주기 프로세스는 파티션 별로 다르게 되고 특히 검증(Verification) 업무가 많이 달라지므로 이러한 사항을 잘 고려해야 합니다.

파티셔닝은 항공전자 시스템에서 인증업무를 줄여주는 역할도 하지만 주의해야 할 점은 **소프트웨어에서 발생하는 오류의 대부분이 인터페이스 정합부분이라는 점입니다.** 파티션은 이러한 인터페이스를 동반하므로 주의가 필요합니다.

2.5.2. 다중-버전 이기종(multi-version dissimilar) 소프트웨어

소프트웨어 Level 이 높으면 소프트웨어 결함 감내 (Fault tolerance) 기능을 고려할 수 있습니다. 결함 감내 기술은 많은 다양한 종류의 기술들이 개발되었으며 사용되고 있지만 가장 보편적인 방법은 다중화 (Redundancy) 입니다.

일반적인 다중화 소프트웨어는 동일한 코드를 여러 번 실행시켜서 신뢰성을 높일 수 있습니다. 그러나 만약 고장 원인이 다중화 컴포넌트에서 동일하게 영향을 미친다면 다중화 효과는 사라집니다. 이러한 문제는 멀티 버전 다중화 소프트웨어 또는 N-버전 소프트웨어 기법으로 해결할 수 있습니다. 즉 프로그래밍 언어, 컴파일러, 알고리즘 중의 하나를 서로 다르게 소프트웨어를 구현하면 다중화 코드들이 공통 원인에 의하여 동시에 고장나는 상황을 피할 수 있습니다.

하드웨어의 경우 고장률 계산이 가능하므로 다중화 시스템은 단일 시스템 대비 고장 조건의 발생확률이 낮아지는 것을 입증할 수 있습니다. 그러나 소프트웨어에서는 고장률 계산이 불가능하므로 다중화 컴포넌트들 사이의 이기종 (Dissimilarity)의 효과는 측정이 어렵습니다. 따라서 소프트웨어 다중화는 지정된 소프트웨어 Level 에서 요구하는 인증 업무를 모두 수행한 후에 추가적인 보호를 제공하기 위한 목적으로 이기종 소프트웨어 버전이 일반적으로 사용됩니다.

2.5.3. 안전 모니터링

소프트웨어 안전 모니터링은 고장 조건을 초래하는 기능을 직접 모니터링 함으로서 특정 고장 조건으로부터 소프트웨어 컴포넌트를 보호하는 방법입니다. 모니터링 기능은 하드웨어, 소프트웨어 또는 하드웨어와 소프트웨어의 조합으로 구현될 수 있습니다. 모니터링을 사용하는 소프트웨어의 Level 은 모니터링하는 기능의 손실에 대응하는 고장 조건으로 판정합니다. 이 경우 모니터의 3 가지 속성을 결정해야 합니다.

a. 소프트웨어 Level: 안전 모니터링 소프트웨어에는 모니터링 되는 기능에 대한 가장 심각한 고장 조건 범주와 관련된 소프트웨어 Level 이 지정됩니다.

b. 시스템 결함 커버리지: 모니터가 검출하는 결함 범위는 모든 필요한 조건에서 검출할 결함을 찾을 수 있도록 모니터를 설계하고 구현해야 합니다.

c. 기능 및 모니터의 독립성: 보호되는 기능과 모니터는 동일한 고장으로 인하여 작동
    불능이 되지 않아야 합니다.

2.6. 시스템 수명주기 프로세스의 소프트웨어 고려사항

시스템 수명주기 프로세스에서 고려해야 하는 사항은 다음과 같습니다:

a. 매개변수 데이터 항목 (Parameter data items).

b. 사용자 수정 가능한 소프트웨어 (User-modifiable software).

c. 상용 소프트웨어(Commercial-Off-The-Shelf, COTS)

d. 선택사항 선택가능 소프트웨어 (Option-selectable software).

e. 현장 탑재형 소프트웨어 (Field-loadable software).

f. 시스템 검증 (Verification)에서 소프트웨어 고려사항.

2.6.1. 매개변수 데이터 항목 (Parameter Data Items, PDI)

소프트웨어는 Executable Object Code (EOC) 와 데이터로 구성되며, 하나 이상의 형상 항목을 포함합니다. EOC 를 수정하지 않고 소프트웨어의 동작에 영향을 미치면서 별도의 형상 항목으로 관리되는 데이터 집합을 매개변수 데이터 항목 (Parameter Data Items, PDI)라고 합니다. PDI 는 EOC 의 일부가 아닙니다.

PDI 는 값을 할당할 수 있는 개별 요소의 구조로 구성됩니다. 각 요소에는 유형, 범위 또는 허용되는 값의 집합과 같은 속성이 있습니다. PDI 에는 형상 테이블과 데이터베이스를 포함하여 다음의 데이터를 포함한다:

a. EOC 경로.

b. 소프트웨어 컴포넌트 및 기능의 활성화 또는 비활성화.

c. 시스템 형상에 소프트웨어 적용.

d. 계산된 데이터로 사용.

e. 시간 및 메모리 파티셔닝 슬롯

f. 소프트웨어 컴포넌트에 초기 값

PDI 가 항공 시스템에서 사용되는 방법에 따라 다음 사항을 처리해야 합니다:

- 사용자 수정 가능한 소프트웨어 지침.

- 옵션-선택가능 소프트웨어 지침. PDI 가 기능을 활성화 또는 비활성화하는 경우, 비활성화 코드에 대한 지침도 다루어야 합니다.

- 현장-탑재 가능 소프트웨어 지침. EOC 와 PDI 간 비호환성 및 손상된 PDI 검출에 대한 고려

PDI 의 소프트웨어 Level 은 소프트웨어 컴포넌트와 동일한 Level 을 할당합니다. PDI 검증은 6.6 을 참고합니다.

2.6.2. 사용자 수정가능 소프트웨어(User-Modifiable Software, UMS)

사용자 수정가능 컴포넌트(User-Modifiable Software, UMS)는 시스템 요구사항이 요구하는 경우에 인증 기관 검토 없이 수정 제한된 제약조건 이내에서 사용자가 변경할 수 있는 소프트웨어입니다. 수정불가능 컴포넌트는 사용자가 변경할 수 없는 소프트웨어입니다. 사용자 수정의 잠재적 영향은 시스템 안전 평가 프로세스에 의해 결정되고 소프트웨어 요구사항을 개발하고 소프트웨어 검증 프로세스 활동을 수행하는 데 사용됩니다.

사용자 수정가능 소프트웨어에 대한 설계는 5.2.3 절에서 더 자세히 논의됩니다. 수정 불가능 소프트웨어의 변경 및 보호 또는 수정 가능한 소프트웨어 경계에 영향을 미치는 변경은 2.1.1 절에서 설명합니다. 사용자 수정가능 소프트웨어의 지침은 다음과 같습니다.

a. 사용자 수정가능 소프트웨어는 안전, 작동 기능, 비행 승무원 작업량, 수정 불가능한 소프트웨어 컴포넌트 또는 사용된 소프트웨어 보호 메커니즘에 부정적인 영향을 주어서는 안 됩니다. 이것이 확립되지 않는 한, 소프트웨어는 사용자가 수정할 수 있는 것으로 분류되지 않을 수 있습니다. 사용자가 수정 가능한 소프트웨어를 기반으로 정보를 표시할 때 안전에 미치는 영향도 고려해야 합니다.

b. 시스템 요구사항이 사용자 수정을 제공하면 사용자는 인증 기관 검토 없이 수정 제한 조건 내에서 소프트웨어를 수정할 수 있습니다.

c. 시스템 요구사항은 사용자 수정이 올바르게 구현되었는지 여부에 관계없이 시스템 안전에 영향을 미치지 않도록 하는 메커니즘을 지정해야 합니다. 사용자 수정을 보호하는 소프트웨어는 수정 가능한 컴포넌트의 오류를 보호하는 기능과 동일한 소프트웨어 Level 이어야 합니다.

d. 시스템 요구사항에 사용자 수정 조항이 포함되어 있지 않은 경우, 사용자가 소프트웨어를 수정해서는 안 됩니다.

e. 사용자 수정 시 사용자는 소프트웨어 형상 관리, 소프트웨어 품질 보증 및 소프트웨어 검증과 같이 사용자가 수정 가능한 소프트웨어의 모든 측면에 대해 책임을 져야 합니다.

f. 신청자는 항공기의 안전이 손상되지 않도록 사용자가 소프트웨어를 관리할 수 있도록 필요한 정보를 제공해야 합니다.

2.6.3. 상용 소프트웨어 (Commercial-Off-The-Shelf Software)

항공기 시스템 또는 장비에 포함된 상용 소프트웨어는 본 문서의 목적을 준수해야 합니다. 상용 소프트웨어의 소프트웨어 수명주기 데이터에 결함이 있는 경우, 본 문서의 목적을 준수하기 위해 데이터를 보강해야 합니다. 이러한 경우, 12.1.4 절 개발 베이스라인 업그레이드와 12.3.4 절 제품 서비스 이력 섹션을 고려해야 합니다.

2.6.4. 옵션 선택가능 소프트웨어 (Option-Selectable Software)

일부 항공기 시스템 및 장비에는 하드웨어 커넥터 핀 대신에 소프트웨어로 선택하는 기능이 포함될 수 있습니다. 선택사항 선택 가능한 소프트웨어 기능은 대상 컴퓨터 내의 특정 구성을 선택하는데 사용됩니다.

소프트웨어 프로그램 옵션이 포함되어 있는 경우, 설치 환경 내의 대상 컴퓨터에 대해 승인되지 않은 구성과 관련된 부주의한 선택을 할 수 없도록 하는 수단을 제공해야 합니다.

2.6.5. 현장 탑재형 소프트웨어 (Field-Loadable Software)

현장 탑재형 항공기 소프트웨어란 시스템 또는 장비에 설치하지 않고도 로드 할 수 있는 소프트웨어를 의미합니다. 소프트웨어 로딩 기능과 관련된 안전 관련 요구사항은 시스템 요구사항의 일부입니다. 소프트웨어 로딩 기능의 부주의한 작동이 시스템 고장 조건을 유발할 수 있는 경우, 소프트웨어 로딩 기능에 대한 안전 관련 요구사항이 시스템 요구사항에 명시되어 있습니다.

소프트웨어 및 관련 시스템 안전 문제는 다음과 같습니다.

- 손상되거나 부분적으로 로드 된 소프트웨어 검출.
- 소프트웨어 로딩의 영향 결정.
- 하드웨어/소프트웨어 호환성.
- 소프트웨어/소프트웨어 호환성.
- 항공기/소프트웨어 호환성.
- 현장 탑재형 기능의 부주의한 작동(Inadvertent enabling).
- 소프트웨어 형상 식별 표시의 손실 또는 손상.

현장 탑재형 소프트웨어 지침은 다음과 같습니다.

a. 시스템 안전 평가 프로세스에 의해 타당화 되지 않는 한 부분적 또는 손상된 소프트웨어 로드에 대한 검출 메커니즘에는 소프트웨어 로드를 사용하는 기능과 관련된 동일한 고장 조건 또는 가장 심각한 고장 조건과 동일한 소프트웨어 Level 또는 가장 높은 소프트웨어 Level 을 할당해야 합니다.

b. 손상되거나 부적절한 소프트웨어 로드를 검출하여 시스템이 기본 모드 또는 안전 상태로 복구되면, 시스템의 각 파티셔닝 된 컴포넌트는 이 모드에서 복구 및 작동을 위해 지정된 안전 관련 요구사항을 가져야 합니다. 인터페이스 시스템은 기본 모드로 올바르게 작동하는지 검토해야 할 수도 있습니다.

c. 지원 시스템 및 절차를 포함하여 소프트웨어 로딩 기능은 부정확한 소프트웨어와 하드웨어 또는 항공기 조합을 검출하는 수단을 포함해야 하며 기능의 장애 상태에 적절한 보호를 제공해야 합니다. 소프트웨어가 여러 형상 항목으로 구성되어 있으면 호환성이 보장되어야 합니다.

d. 소프트웨어가 (항공기가 인증된 구성에 부합하는지 확인하는 수단인) 항공기 디스플레이 메커니즘의 일부인 경우, 로드 할 소프트웨어의 최고 소프트웨어 Level 으로 개발하거나 시스템 안전 평가 프로세스 수행하여 소프트웨어 형상 식별에 대한 종단 간 검사(end to end check)의 무결성을 타당화 합니다.

보충 설명:

DO-178C 는 FLS 를 "설치에서 시스템이나 장비를 제거하지 않고도 로드 할 수 있는 소프트웨어"라고 설명합니다. 장치를 열 필요 없이 일종의 데이터 포트를 사용하여 항공기 또는 엔진 장비에 로드 됩니다. FAA 는 또한 자격 있는 실험실 (예: 수리소 또는 서비스 센터)의 데이터 포트를 통해 로드 된 소프트웨어를 FLS 로 취급합니다. 기본적으로 FLS 는 LRU (Line Replaceable Unit) 또는 LRM (Line Replaceable Module)이 소프트웨어로드 (예: 깜박임)를 위해 장치 봉인을 끊어야 할 수도 있는 공장에서 로드 할 수 있는 소프트웨어와 호환됩니다.

적절한 안전 조치가 취해지고 소프트웨어가 인증 기관에 의해 승인되는 한 거의 모든 종류의 장비가 비행 제어 및 엔진 제어에서부터 항법 및 통신 시스템, 비행 관리 시스템 및 교통에 이르기까지 현장에서 로드가 가능합니다. 현장 설치가 가능한 프로세스를 개발하고 시스템을 개발하는 것은 쉬운 일이 아닙니다. 여러 수준 (예: 장비 수준, 항공기 수준, 운항 운영 수준)을 고려하기 위한 수많은 규정 (예: 부품 표시 및 수리소 규정)이 있습니다. 그러나 FLS 는 오늘날의 항공 산업에서 매우 보편적입니다.

항공 데이터베이스 (예: 탐색 데이터베이스 또는 지형 데이터베이스)는 현장에서 로드 할 수 있지만 FLS 와 동일하게 취급되지 않습니다. 일반적으로 항공 데이터베이스는 DO-200A 지침에 의해 다루어지며, DO-178C 지침은 FLS 에 적용됩니다.

2.6.6. 시스템 검증에서 소프트웨어 고려사항

시스템 검증에 대한 지침은 본 문서의 범위를 벗어납니다. 그러나 소프트웨어 수명주기 프로세스는 시스템 검증 프로세스를 지원하고 상호 작용하며 일부 시스템 검증 프로세스 목표를 준수할 수 있습니다. 시스템 기능과 관련된 소프트웨어 설계 세부사항을 시스템 검증에 사용할 수 있어야 합니다.

2.7. 소프트웨어 수명주기 프로세스에 대한 시스템 고려사항

본 문서에 정의된 소프트웨어 목표 만족(또는 부분 만족)에 대한 소프트웨어 수명주기 프로세스의 고려사항은 시스템 수명주기 프로세스에서 신용을 얻을 수 있습니다. 이러한 경우, 신용 정보가 요구되는 시스템 활동은 계획된 활동의 완료 증거 및 소프트웨어 수명주기 데이터의 일부로 식별된 결과와 함께 본 문서의 해당 목표를 준수하는 것으로 보여야 합니다.

2.7.1. 항공 소프트웨어 개발 수명주기

이 절에서는 소프트웨어 수명주기 프로세스, 소프트웨어 수명주기 정의 및 소프트웨어 수명주기 프로세스 간의 전환 기준에 대해 설명합니다. 본 문서는 선호하는 소프트웨어 수명주기 및 소프트웨어 수명주기 간의 상호작용을 규정하지 않습니다. 프로세스의 분리는 프로세스를 수행하는 조직의 구조를 암시하기 위한 것이 아닙니다. 각 소프트웨어 제품에 대해 이러한 프로세스가 포함된 소프트웨어 수명주기가 구성됩니다.

2.7.2. 소프트웨어 수명주기 프로세스

소프트웨어 수명주기 프로세스는 다음과 같습니다.

a. 소프트웨어 계획 프로세스: 프로젝트의 소프트웨어 개발 및 총괄 프로세스의 활동을 정의하고 조정하는 프로세스. 4 절에서는 소프트웨어 계획 프로세스에 대해 설명합니다.

b. 소프트웨어 개발 프로세스: 소프트웨어 제품을 생산하는 소프트웨어 개발 프로세스. 이러한 프로세스는 소프트웨어 요구사항 프로세스, 소프트웨어 설계 프로세스, 소프트웨어 코딩 프로세스 및 총괄 프로세스입니다. 5 절에서는 소프트웨어 개발 프로세스에 대해 설명합니다.

c. 소프트웨어 총괄 프로세스: 소프트웨어 수명주기 프로세스 및 출력에 대한 정확성, 통제, 신뢰성을 보장하는 필수 프로세스입니다. 총괄 프로세스는 소프트웨어 검증 프로세스, 소프트웨어 형상 관리 프로세스, 소프트웨어 품질 보증 프로세스 및 인증 연락(certification liaison) 프로세스입니다. 총괄 프로세스는 소프트웨어 수명주기 전반에 걸쳐 소프트웨어 계획 및 개발 프로세스와 동시에 수행된다는 것을 이해하는 것이 중요합니다. 6절에서 9절까지는 총괄 프로세스를 설명합니다.

2.7.3. 소프트웨어 수명주기 정의

프로젝트는 하나 이상의 소프트웨어 수명주기를 정의하고, 소프트웨어 수명주기는 각각의 프로세스 활동을 선택하고 활동 순서를 지정하며 활동에 대한 책임을 할당하여 정의합니다.

특정 프로젝트의 경우, 이러한 프로세스 순서는 시스템 기능 및 복잡성, 소프트웨어 크기 및 복잡성, 요구사항 안전성, 이전에 개발된 소프트웨어 사용, 개발 전략 및 하드웨어 가용성과 같은 프로젝트의 속성에 따라 결정됩니다. 소프트웨어 개발 프로세스의 일반적인 순서는 요구사항, 설계, 코딩 및 통합입니다.

그림 5는 소프트웨어 수명주기가 다른 단일 소프트웨어 제품의 여러 컴포넌트에 대한 소프트웨어 개발 프로세스 순서를 나타냅니다. 컴포넌트 W는 소프트웨어 요구사항을 개발하고, 소프트웨어 설계를 정의하고, 소스 코드에 해당 설계를 구현한 다음, 하드웨어에 컴포넌트를 통합하기 위한 요구사항을 사용하여 일련의 시스템 요구사항을 구현합니다. 컴포넌트 X는 인증 제품에 사용된 이전에 개발된 소프트웨어의 사용을 보여줍니다. 컴포넌트 Y는 소프트웨어 요구사항에서 직접 코딩 할 수 있는 단순한 파티셔닝 함수의 사용을 보여줍니다. 컴포넌트 Z는 프로토타이핑 전략의 사용을 보여줍니다. 일반적으로 프로토타이핑의 목표는 소프트웨어 요구사항을 더 잘 이해하고 개발 및 기술적 위험을 완화하는 것입니다. 초기 요구사항은 프로토타입을 구현하기 위한 기초로 사용됩니다. 이 프로토타입은 개발중인 시스템의 의도된 사용을 나타내는 환경에서 평가됩니다. 평가 결과는 요구사항을 수정하는 데 사용됩니다.

소프트웨어 수명주기의 프로세스는 반복적일 수 있습니다. 즉, 시작(enter) 및 재시작(re-enter) 할 수 있습니다. 타이밍 및 반복 정도는 시스템 기능, 복잡성, 요구사항 개발, 하드웨어 가용성, 이전 프로세스에 대한 피드백 및 프로젝트의 다른 속성의 점진적 개발로 인해 다양합니다.

선택한 소프트웨어 수명주기의 다양한 부분은 점증적 총괄 프로세스 및 소프트웨어 검증 프로세스 활동의 조합과 함께 묶여 있습니다.

2.7.4. 프로세스간 전환 기준

전환 기준(Transition Criteria)은 프로세스를 시작하거나 재 시작(enter or re-enter)할 수 있는지 여부를 결정하는데 사용됩니다. 각 소프트웨어 수명주기 프로세스는 출력물을 산출하기 위해 입력물을 사용하여 활동을 수행합니다. 프로세스는 다른 프로세스에 대한 피드백을 생성하고 다른 프로세스로부터 피드백을 받을 수 있습니다. 피드백의 정의는 수신 받은 프로세스에 의해 정보가 어떻게 인식되고 통제되고 해결되는지 포함됩니다. 피드백의 한 예로 문제 보고가 있습니다.

전환 기준은 소프트웨어 개발 프로세스 및 총괄 프로세스의 계획된 순서에 따라 달라지며, 소프트웨어 Level 의 영향을 받을 수 있습니다. 선택할 수 있는 전환 기준의 예는 소프트웨어 검증 프로세스 검토가 수행되고 입력물이 식별된 형상 항목이며 입력물에 대한 추적성 분석이 완료된 것입니다.

프로세스에 대해 설정된 전환 기준이 준수되는 경우 해당 프로세스를 시작하기 전에 프로세스의 모든 입력물을 완벽할 필요는 없습니다.

프로세스가 부분적인 입력물을 가지고 시작해야 하는 경우, 프로세스에 대한 입력물을 검토하여 전환 기준을 준수하는지 확인해야 합니다. 또한 소프트웨어 개발 및 소프트웨어 검증 프로세스의 이전 산출물이 여전히 유효한지 결정하기 위해 프로세스에 대한 연속적인 입력물을 검사해야 합니다.

그림 5 Example of a Software Project Using Four Different Development Sequences

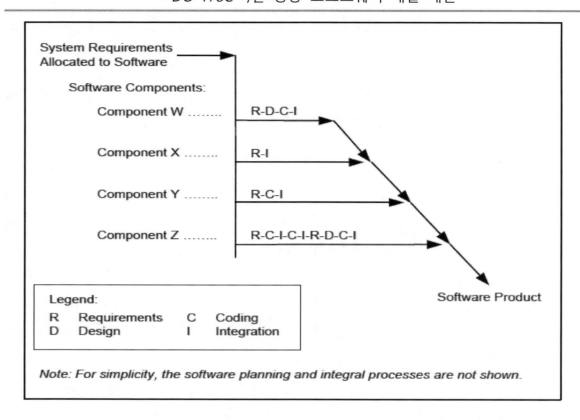

3. 소프트웨어 계획 프로세스

이 절에서는 소프트웨어 계획 프로세스의 목표 및 활동에 대해 설명합니다. 이 프로세스는 소프트웨어 개발 프로세스와 총괄 프로세스를 지시하는 소프트웨어 계획과 표준을 생성합니다. 부록 B 표 A-1 은 소프트웨어 Level 별 소프트웨어 계획 프로세스의 목표와 결과를 요약한 것입니다.

3.1 소프트웨어 계획 목표

소프트웨어 계획 프로세스의 목표는 요구사항을 준수하고 소프트웨어 Level 과 일치하는 신뢰 수준을 제공하는 소프트웨어를 만드는 방법을 정의하는 것입니다.

소프트웨어 계획 프로세스의 목표는 다음과 같습니다.

a. 시스템 요구사항과 소프트웨어 Level 을 다루는 소프트웨어 개발 프로세스 및 소프트웨어 수명주기의 총괄 프로세스에 대한 활동이 정의됩니다

b. 프로세스 간의 상호 관계, 순서, 피드백 메커니즘 및 전환 기준을 포함하여 소프트웨어 수명주기가 결정됩니다

c. 각 소프트웨어 수명주기 프로세스의 활동을 위해 사용되는 방법과 도구를 포함하는 소프트웨어 수명주기 환경이 선택되고 정의되어 있습니다

d. 개발될 소프트웨어에 대한 시스템 안전 목표와 부합하는 소프트웨어 개발 표준이 정의되어 있습니다

e. 소프트웨어 계획이 작성되었습니다.

f. 소프트웨어 계획의 개발과 수정은 조정됩니다

3.2 소프트웨어 계획 프로세스 활동

효과적인 계획은 본 문서의 지침을 준수하는 소프트웨어를 생산하는데 결정적인 요소입니다. 소프트웨어 계획 프로세스를 위한 활동은 다음과 같습니다.

a. 소프트웨어 수명주기 프로세스를 수행하는 개인별로 지침을 제공하는 소프트웨어 계획을 개발해야 합니다.

b. 프로젝트에 사용되는 소프트웨어 개발 표준을 정의하거나 선택해야 합니다.

c. 오류 예방을 돕고 소프트웨어 개발 프로세스에서 결함 검출을 제공하는 방법과 도구를 선택해야 합니다.

d. 소프트웨어 계획 프로세스는 소프트웨어 계획의 전략들 간에 일관성을 유지하기 위해 소프트웨어 개발과 총괄 프로세스 간의 조정을 제공해야 합니다.

e. 프로젝트가 진행됨에 따라 소프트웨어 계획을 수정하기 위한 수단을 명시해야 합니다.

f. 다중 버전 이기종 소프트웨어가 시스템에서 사용되는 경우, 소프트웨어 계획 프로세스는 시스템 안전 목표를 준수하는 데 필요한 비유사성을 달성할 수 있는 방법과 도구를 선택해야 합니다.

g. 소프트웨어 계획 프로세스가 완료되기 위해서는 소프트웨어 계획과 소프트웨어 개발 표준이 변경 통제 하에 있어야 하며 검토 계획이 완료되었는지 검토해야 합니다.

h. 비활성화 코드가 계획되면 소프트웨어 계획 프로세스는 시스템 안전 목표를 준수하기 위해 비활성화 메커니즘 및 비활성화 코드가 정의되고 검증되는 방법을 설명해야 합니다.

i. 사용자가 수정할 수 있는 소프트웨어가 계획된 경우 설계를 구체화하는 관련 프로세스, 도구, 환경 및 데이터 항목은 소프트웨어 계획 및 표준에 지정되어야 합니다.

j. 매개변수 데이터 항목을 계획할 때 다음 사항을 설명해야 합니다.

  1. 매개변수 데이터 항목이 사용되는 방식.

  2. 매개변수 데이터 항목의 소프트웨어 Level.

  3. 매개변수 데이터 항목 및 관련 도구 인정을 개발, 검증 및 수정하는 프로세스.

  4. 소프트웨어 로드 통제 및 호환성.

k. 소프트웨어 계획 프로세스는 적용 가능한 추가 고려사항을 다루어야 합니다.

l. 소프트웨어 개발 활동이 공급 업체에 의해 수행되는 경우, 계획은 공급 업체의 감독을 다루어야 합니다.

다른 소프트웨어 수명주기 프로세스는 특정 프로세스 활동에 대한 전환 기준이 준수되면 소프트웨어 계획 프로세스 완료 전에 시작할 수 있습니다.

3.3 소프트웨어 계획

소프트웨어 계획은 본 문서의 목표를 준수하는 방법을 정의합니다. 또한 이러한 활동을 수행할 조직을 지정합니다. 소프트웨어 계획은 다음과 같습니다.

- 소프트웨어 인증 측면 계획은 인증 기관과 제안된 개발 방법에 대한 합의의 주요 수단으로 사용하고 본 문서의 준수 방법을 정의합니다.

- 소프트웨어 개발 계획은 소프트웨어 수명주기, 소프트웨어 개발 환경 및 소프트웨어 개발 프로세스 목표를 준수하는 방법을 정의합니다.

- 소프트웨어 검증 계획은 소프트웨어 검증 프로세스 목표를 준수하는 방법을 정의합니다.

- 소프트웨어 형상 관리 계획은 소프트웨어 형상 관리 프로세스 목표를 준수하는 방법을 정의합니다.

- 소프트웨어 품질 보증 계획은 소프트웨어 품질 보증 프로세스 목표를 준수하는 방법을 정의합니다.

소프트웨어 계획에 대한 활동은 다음과 같습니다.

a. 소프트웨어 계획은 본 문서를 준수해야 합니다.

b. 소프트웨어 계획은 다음을 지정하여 소프트웨어 수명주기 프로세스의 전환 기준을 정의해야 합니다.

1. 다른 프로세스로부터의 피드백을 포함한 프로세스에 대한 입력물.

2. 이러한 입력물을 가지고 수행하는 일체의 프로세스 활동.

    3.   도구, 방법, 계획 및 절차의 가용성.

c.   소프트웨어 계획에는 인증 제품에 사용하기 전에 소프트웨어 변경을 구현하는데 사용되는 절차가 명시되어 있어야 합니다. 이러한 변경은 다른 프로세스의 피드백 결과일 수 있으며 소프트웨어 계획을 변경할 수 있습니다.

3.4 소프트웨어 수명주기 환경 계획

소프트웨어 수명주기 환경에 대한 계획은 소프트웨어 수명주기 데이터와 소프트웨어 제품을 개발, 검증, 통제 및 생산하는데 사용될 방법, 도구, 절차, 프로그래밍 언어 및 하드웨어를 정의합니다. 소프트웨어 환경을 선택하는 방법의 예로는 표준 적용, 오류 검출, 오류 방지 및 오류 허용 방법 구현 등이 있습니다. 소프트웨어 수명주기 환경은 고장 조건에 영향을 줄 수 있는 잠재적 오류 소스입니다. 이 소프트웨어 수명주기 환경의 구성은 시스템 안전 평가 프로세스에서 결정한 안전 관련 요구사항 (예: 유사하지 않은 중복 컴포넌트 사용)의 영향을 받을 수 있습니다.

오류 예방 방법의 목표는 소프트웨어 개발 프로세스 중 고장 조건에 영향을 줄 수 있는 오류를 방지하는 것입니다. 기본 원칙은 요구사항 개발 및 설계 방법, 도구 및 오류를 도입할 수 있는 기회를 제한하는 프로그래밍 언어를 선택하고 도입된 오류를 검출하는 검증 방법을 선택하는 것입니다. 결함 허용 방법의 목표는 소프트웨어가 입력 데이터 오류에 올바르게 응답하고 출력 및 통제 오류를 방지할 수 있도록 소프트웨어 설계 또는 소스 코드에 안전 기능을 포함시키는 것입니다. 오류 방지 또는 내결함성(fault tolerance) 방법의 필요성은 시스템 요구사항과 시스템 안전 평가 프로세스에 의해 결정됩니다.

위에 제시된 고려사항은 다음 사항에 영향을 줄 수 있습니다.

a.   소프트웨어 요구사항 프로세스 및 소프트웨어 설계 프로세스에 사용되는 방법

b.   소프트웨어 코딩 과정에서 사용되는 프로그래밍 언어 및 방법.

c.   소프트웨어 개발 환경 도구.

d.   소프트웨어 검증 및 소프트웨어 형상 관리 도구

3.4.1 소프트웨어 개발 환경

소프트웨어 개발 환경은 소프트웨어 제작에 중요한 요소입니다. 소프트웨어 개발 환경은 여러 가지 방법으로 소프트웨어 제작에 부정적인 영향을 줄 수 있습니다. 예를 들어 컴파일러가 손상된 출력을 생성하여 오류를 유발할 수 있거나 링커 (Linker)가 존재하는 메모리 할당 오류를 표시하지 못할 수 있습니다. 소프트웨어 개발 환경 및 도구 선택을 위한 활동은 다음과 같습니다.

a. 소프트웨어 계획 프로세스에서 소프트웨어 개발 환경은 개발중인 소프트웨어에 대한 잠재적 위험을 줄이기 위해 선택되어야 합니다.

b. 도구 또는 소프트웨어 개발 환경의 도구와 도구의 조합을 사용하여 한 부분에서 발생한 오류를 다른 부분에서 발견할 수 있는 Level 의 신뢰를 얻도록 선택해야 합니다. 두 부분이 일관되게 함께 사용될 때 허용 가능한 소프트웨어 개발 환경이 생성됩니다. 이 선정은 도구 인정에 대한 필요성 평가를 포함합니다.

c. 잠재적인 소프트웨어 개발 환경 관련 오류를 줄이기 위해 소프트웨어 검증 프로세스 활동 또는 소프트웨어 개발 고려사항을 정의해야 합니다.

d. 도구에 대한 신용을 얻으려면 도구의 작동 순서를 계획에 명시해야 합니다.

e. 프로젝트에서 사용하기 위해 소프트웨어 도구의 선택사항 기능을 선택한 경우 선택사항의 영향을 조사하고 적절한 계획에 지정해야 합니다. 이는 컴파일러와 자동 코드 생성기에서 특히 중요합니다.

f. 알려진 도구 문제 및 제한 사항을 평가하고 항공 소프트웨어에 악영향을 미칠 수 있는 문제를 해결해야 합니다.

3.4.2 언어 및 컴파일러 고려사항

소프트웨어 제품의 검증이 성공적으로 완료되면 컴파일러는 해당 제품에 대해 적합하다고 간주됩니다. 이것이 유효 하려면 소프트웨어 검증 프로세스가 프로그래밍 언어 및 컴파일러의 특정 기능을 고려해야 합니다.

소프트웨어 계획 프로세스에서는 프로그래밍 언어를 선택하고 검증을 계획할 때 이러한 기능을 고려합니다. 활동은 다음과 같습니다.

a. 일부 컴파일러에는 객체 코드의 성능을 최적화하기 위한 기능이 있습니다. 테스트 케이스가 소프트웨어 Level 과 일치하는 커버리지를 제공한다면, 최적화의 정확성은 검증될 필요가 없습니다. 그렇지 않은 경우 구조적 커버리지 분석에 대한 이러한 특징의 영향을 파악해야 합니다.

b. 특정 기능을 구현하기 위해 일부 언어를 위한 컴파일러는 초기화, 내장 오류 검출 또는 예외 처리와 같이 소스 코드에 직접 추적할 수 없는 객체 코드를 생성할 수 있습니다. 소프트웨어 계획 프로세스는 이 객체 코드를 검출하고 검증 범위를 보장하는 수단을 제공해야 하며, 적절한 계획에 수단을 정의해야 합니다.

c. 새 컴파일러, 링크 편집기 또는 로더 버전이 도입되거나 소프트웨어 수명주기 동안 컴파일러 선택사항이 변경되면 이전 테스트 및 적용 범위 분석이 더 이상 유효하지 않을 수 있습니다. 검증 계획은 6 절과 2.1.3 절과 일치하는 재 검증 방법을 제공해야 합니다.

주: 어떤 컴파일러가 모든 검증 목표를 만족하여 수용 가능하다고 간주되더라도, 그 컴파일러는 해당 제품에 대해서만 수용 가능하다고 간주되며 다른 제품에는 적합하지 않은 것으로 간주됩니다.

보충 설명:

컴파일러와 대상 시스템의 사용 검증은 그 제품에서만 사용되어야 합니다. 따라서 CAST 12(소스 코드와 객체 코드 추적에 대한 지침, Guidelines for Approving Source Code to Object Code Traceability)의 내용을 참조해야 합니다. CAST-12 의 주요한 내용은 소스 코드에서 작성된 내용은 반드시 대상 시스템의 객체 코드로 변환되어 수행해야 합니다. 즉, 소스 코드를 통해 "의도한 기능"으로 변환하기 위해서는 검증된 컴파일러가 필요합니다. 컴파일러의 검증을 통해 소스 코드가 객체 코드로 정확하게 변환되어 대상 시스템에서 "의도한 기능"을 수행해야 합니다.

컴파일러의 종류와 대상 시스템에 사용된 CPU 등이 버전이 다르기 때문에 이전 프로젝트에서 사용한 컴파일러는 대상 시스템이 달라지게 된다면 컴파일러 검증을 다시 해야 합니다. 이러한 것들을 함축 시켜 "개발 도구 체인"이라는 용어를 사용하기도 합니다.

일반적으로 현장에서는 "개발 도구 체인"의 최소 구성을 같은 버전의 컴파일러, 같은 모델의 CPU, 같은 버전의 RTOS 로 간주합니다. "개발 도구 체인"의 형상이 같게 되면 사용

실적(proven-in-use)를 제시할 수 있습니다, 다만 최소 구성에 대한 형상이 달라지게 되면 CAST-12 에서 제시하는 방법을 수행해야 합니다.

3.4.3 소프트웨어 테스트 환경

소프트웨어 테스트 환경 계획은 총괄 프로세스의 결과를 테스트하는데 사용될 방법, 도구, 절차 및 하드웨어를 정의합니다. 테스트는 대상 컴퓨터, 대상 컴퓨터 에뮬레이터 또는 호스트 컴퓨터 시뮬레이터를 사용하여 수행할 수 있습니다.

활동은 다음과 같습니다.

a. 에뮬레이터 또는 시뮬레이터는 도구 자격을 획득해야 할 수 있습니다.

b. 대상 컴퓨터와 에뮬레이터 또는 시뮬레이터 간의 차이점과 이러한 차이가 오류를 검출하고 기능을 확인하는 능력에 미치는 영향을 고려해야 합니다. 이러한 오류의 검출은 소프트웨어 검증 프로세스에 의해 제공되고 소프트웨어 검증 계획에 명시되어야 합니다.

보충 설명:

대상 컴퓨터와 에뮬레이터의 차이점은 BSP (Board Support Package)입니다. 에뮬레이터는 대상 컴퓨터의 CPU 만을 가상으로 운영해 주기 때문에 대상 컴퓨터가 없는 경우 또는 대상 컴퓨터가 개발 중인 경우 효과적으로 활용할 수 있습니다. BSP 는 컴퓨터의 장치를 구동(Device Driver) 하는 모듈과 탑재되는 RTOS 간의 통신을 책임지는 PSP(Platform Support Package)로 구성되어 소프트웨어로 작성되고 각 장치와 RTOS 를 연결하는 역할을 하게 됩니다. BSP 는 시스템 요구사항 (하드웨어 및 소프트웨어 요구사항)에 따라 다르게 작성되어 에뮬레이터는 이러한 사항을 반영할 수 없기 때문에 차이점이 존재합니다. 다만 시뮬레이터의 경우 외부 시스템과의 연결 또는 통신 데이터에 의한 통합 테스트를 하는 경우 유용하게 사용할 수 있다는 장점이 있습니다.

3.5 소프트웨어 개발 표준

소프트웨어 개발 표준은 소프트웨어 개발 프로세스에 대한 규칙과 제약 조건을 정의합니다. 소프트웨어 개발 표준에는 소프트웨어 요구사항 표준, 소프트웨어 설계 표준 및 소프트웨어 코드 표준이 포함됩니다. 소프트웨어 검증 프로세스는 이러한 표준을 프로세스의 실제 출력물과 의도된 출력물의 준수 여부를 평가하기 위한 기초로 사용합니다.

소프트웨어 표준 개발을 위한 활동은 다음과 같습니다.

a. 소프트웨어 개발 표준은 11 절을 준수해야 합니다.

b. 소프트웨어 개발 표준은 주어진 소프트웨어 제품 또는 관련 제품 세트의 소프트웨어 컴포넌트가 일정하게 설계되고 구현될 수 있도록 해야 합니다.

c. 소프트웨어 개발 표준은 검증할 수 없거나 안전 관련 요구사항과 호환되지 않는 산출물을 생산하는 구조 또는 방법의 사용을 금지해야 합니다.

d. 소프트웨어 개발 표준에서 강건성을 고려해야 합니다.

주 1: 개발 표준에서는 이전 경험을 고려할 수 있습니다. 복잡성을 통제하기 위해 개발, 설계 및 코딩 방법에 대한 제약 조건 및 규칙을 포함할 수 있습니다. 방어적인 프로그래밍 습관은 강건성을 향상시키는 것으로 간주될 수 있습니다.

주 2: 시스템 요구사항에 따라 소프트웨어에 할당된 경우 저장된 데이터의 오류를 검출 및 통제하고 하드웨어 상태 및 구성을 새로 고치고 모니터링 하는 방법을 사용하여 단일 이벤트 업셋(single event upset)을 완화할 수 있습니다.

보충 설명:

1. 소프트웨어 요구사항 표준

소프트웨어 요구사항 표준은 소프트웨어 요구사항 개발을 위한 방법, 도구, 규칙 및 제약 조건을 정의합니다. 일반적으로 상위 요구사항에 적용됩니다. 그러나 일부 프로젝트는 상세

요구사항에 요구사항 표준을 적용합니다. 일반적으로 요구사항 표준은 팀이 요구사항을 작성하는 지침입니다.

예를 들어, 효과적이고 구현 가능한 요구사항을 작성하고, 요구사항 관리 도구를 사용하고, 추적성을 수행하고, 파생된 요구사항을 처리하고, DO-178C 기준을 준수하는 요구사항을 작성하는 방법을 설명합니다.

요구사항 표준은 요구사항 검토를 위한 성공 기준을 제공하는 것 외에도 엔지니어를 위한 교육 도구로 사용될 수도 있습니다.

다음은 요구사항 표준에 일반적으로 포함되는 항목의 목록입니다.

DO-178C 표 A-3 의 기준 (DO-178C 기대치에 능동적으로 대처하기 위해).

- 상위 요구사항, 상세 요구사항 및 파생된 요구사항의 정의 및 예.
- 요구사항의 품질 속성 (검증 가능, 모호하지 않음, 일관성 있는 등).
- 추적성 접근 및 지침.
- 요구사항 관리 도구 사용에 대한 기준 (각 속성에 대한 설명 및 필수 및 선택 정보에 대한 지침 포함).
- 요구사항을 식별하는 기준 (번호 체계 또는 번호 재사용 금지).
- 요구사항을 나타내기 위해 테이블을 사용하는 경우, 테이블을 올바르게 사용하고 식별하는 방법에 대한 설명 (예: 각 행 또는 열의 번호 매기기).
- 그래픽이 요구사항을 나타내거나 보완하는데 사용되는 경우 각 그래픽 유형 및 기호를 사용하는 방법에 대한 설명. 또한 각 블록 또는 심볼을 식별하고 추적하는 방법을 지정해야 할 수도 있습니다.
- 요구사항과 설명 자료를 구분하는 기준.
- 파생된 요구사항을 문서화하는 기준 (안전 요원의 안전성 평가를 돕기 위해 파생된 요구사항에 대한 이론적 근거 포함).
- 사용되는 모든 도구에 대한 제약 또는 제한 사항.
- 강건한 요구사항을 개발하는 기준.
- 요구사항 내에서 허용 오차를 처리하는 기준.
- 인터페이스 통제 문서를 사용하고 그 문서를 참조하는 요구사항을 문서화하는 기준.
-

2. 소프트웨어 설계 표준

소프트웨어 설계 표준은 소프트웨어 설계를 개발하기 위한 방법, 도구, 규칙 및 제약 조건을 정의합니다. DO-178C 에서 설계에는 상세 요구사항과 소프트웨어 아키텍처가 포함됩니다.

설계 기준은 설계를 개발팀을 위한 지침입니다. 표준은 효과적이고 구현 가능한 설계를 작성하고, 설계 도구를 사용하고, 추적성을 수행하고, 파생된 상세 요구사항을 처리하고 DO-178C 기준을 준수하는 설계 데이터를 작성하는 방법을 설명합니다. 설계 표준은 설계 검토를 위한 기준을 제공 할뿐만 아니라 엔지니어를 위한 교육 도구로도 사용될 수 있습니다.

설계가 다른 접근 방식을 사용하여 표현될 수 있기 때문에 일반적인 설계 표준을 개발하는 것은 어렵습니다. 많은 회사는 일반적인 설계 표준을 가지고 있지만 프로젝트 별 요구사항에는 효과가 없을 수 있습니다. 각 프로젝트는 원하는 방법론을 결정하고 설계자에게 방법론을 적절하게 사용하도록 지시해야 합니다. 회사 차원의 표준을 출발점으로 사용하는 것이 가능할 수 있지만 테일러링이 필요하기도 합니다. 테일러링이 미미한 경우 표준을 업데이트하는 대신 SDP 에서 논의하는 것이 타당할 수 있습니다.

다음은 일반적으로 설계 표준에 포함 된 항목 목록입니다.

- DO-178C 표 A-4 의 기준 (DO-178C 목표를 능동적으로 다루기 위해).
- 설계 문서의 기본 레이아웃.
- 상세 요구사항에 대한 기준 (상세 요구사항은 무엇(what)을 설명하기 보다는 어떻게(how)를 설명).
- 상위와 상세 요구사항 간의 추적성 접근법.
- 파생된 상세 요구사항과 그 이론적 근거를 문서화하는 기준.
- 블록 다이어그램, 구조 차트, 상태 전이 다이어그램, 제어 및 데이터 흐름 다이어그램, 플로우 차트, 호출 트리, 엔티티 관계 다이어그램 등의 효과적인 아키텍처에 대한 지침
- 모듈에 대한 명명 규칙은 코드에서 구현될 내용과 일치해야 합니다.
- 설계 제약 조건 (예: 제한된 Level 의 중첩 조건 또는 재귀 함수 금지, 무조건 분기, 재진입 인터럽트 서비스 루틴 및 자체 수정 지침).
- 강건한 설계 지침.
- 설계에서 비활성화 코드를 문서화하는 방법에 대한 지침

3. 소프트웨어 코드 표준

요구사항 및 설계 표준과 마찬가지로 코딩 표준은 코더에게 지침을 제공하는데 사용됩니다. 코딩 표준은 특정 언어를 올바르게 사용하는 방법을 설명하고, 안전에 필수적인 도메인에서 사용하기에 적합하지 않은 언어의 일부 구성을 제한하고, 명명 규칙을 식별하고, 전역 데이터 사용을 설명하고, 읽기 쉽고 유지보수가 가능한 코드를 개발합니다.

코딩 표준은 소프트웨어 개발에서 상대적으로 보편적이며 코딩 표준을 개발할 때 사용할 수 있는 업계 전역의 유용한 자원이 있습니다. 예를 들어, 자동차 산업 소프트웨어 신뢰성 협회의 C 표준 (MISRA-C)은 훌륭한 표준입니다.

코딩 표준은 언어별로 다릅니다. 프로젝트에서 여러 언어를 사용하는 경우 각 언어를 표준에서 논의해야 합니다. 어셈블리 언어조차도 사용 지침을 가지고 있어야 합니다.

다음은 일반적으로 코딩 표준에 포함된 항목 목록입니다.

- DO-178C 표 A-5 기준(목표를 능동적으로 다루기 위한)
- 코드와 상세 요구사항 간의 추적성을 문서화하는 접근법.
- 모듈 및 함수 또는 프로시저 이름 지정 규칙.
- 로컬 및 전역 데이터 사용 지침.
- 코드의 가독성 및 유지보수성에 대한 지침. (예: 주석 및 공백 사용)
- 모듈 구조에 대한 지침 (헤더 형식 및 모듈 절 포함).
- 기능 설계 지침 (예: 헤더 형식, 식별자, 이름형식, 입력 및 종료 규칙).
- 조건부로 컴파일 된 코드에 대한 제약 조건.
- 매크로 사용 지침.
- 기타 제약 조건(예: 포인터 사용 제한 또는 금지, 재진입 및 재귀 코드 금지)

코딩 표준에서 식별된 각 지침에 대한 이론적 근거와 예제를 포함하는 것이 유용합니다. 코더가 원하거나 금지되어 있는지 이유를 이해하면, 지침을 적용하기가 용이합니다.

3.6 소프트웨어 개발 프로세스 검토

소프트웨어 계획 프로세스의 검토는 소프트웨어 계획 및 소프트웨어 개발 표준이 본 문서의 지침을 준수하고 이를 실행하기 위한 수단이 제공되는지 확인하기 위해 수행됩니다.

활동은 다음과 같습니다.

a. 본 문서의 목적을 만족시킬 수 있는 방법이 선택되어야 합니다.

b. 소프트웨어 수명주기 프로세스는 일관되게 적용될 수 있습니다.

c. 각 프로세스는 활동의 산출물을 활동의 입력물로 추적하여 활동, 환경 및 사용될 방법의 독립성을 보여주는 증거를 산출합니다.

d. 소프트웨어 계획 프로세스의 결과는 일관되고 11 절을 준수합니다.

4. 소프트웨어 개발 프로세스

이 절에서는 소프트웨어 개발 프로세스의 목표 및 활동에 대해 설명합니다. 소프트웨어 개발 프로세스는 소프트웨어 계획 프로세스 및 소프트웨어 개발 계획에 정의된 것을 바탕으로 적용됩니다. 부속서 A 의 표 A-2 는 소프트웨어 Level 별 소프트웨어 개발 프로세스의 목적과 결과를 요약한 것입니다. 소프트웨어 개발 프로세스는 다음과 같습니다.

- 소프트웨어 요구사항 프로세스
- 소프트웨어 설계 프로세스
- 소프트웨어 코딩 프로세스
- 총괄 프로세스

소프트웨어 개발 프로세스는 하나 이상의 소프트웨어 요구사항을 생성합니다. 상위 요구사항(high-level requirement)은 시스템 요구사항 및 시스템 아키텍처 분석을 통해 직접 생성됩니다. 일반적으로 이러한 상위 요구사항은 소프트웨어 설계 프로세스 중에 더 개발되어 하나 이상의 관련된 요구사항을 생성합니다. 그러나 소스 코드가 상위 요구사항에서 직접 생성되는 경우, 상위 요구사항도 상세 요구사항(low-level requirement)으로 간주되어 상세 요구사항에 대한 지침을 적용합니다.

소프트웨어 아키텍처의 개발에는 소프트웨어 구조에 대한 결정이 포함됩니다. 소프트웨어 설계 프로세스 중에 소프트웨어 아키텍처가 정의되고 상세 요구사항이 개발됩니다. 상세 요구사항은 더 이상의 정보 없이 직접 소스 코드로 구현될 수 있는 소프트웨어 요구사항입니다.

각 소프트웨어 개발 프로세스는 파생된 요구사항(derived requirement)을 생성할 수 있습니다. 파생된 요구사항으로 결정될 수 있는 요구사항의 몇 가지 예는 다음과 같습니다.

- 소프트웨어에 할당된 시스템 요구사항에 의해 지정되지 않은 주기적인 모니터의 반복 등급 지정 시
- 고정 소수점 연산을 사용할 때 스케일링 제한 추가 시

상위 요구사항에는 파생된 요구사항이 포함될 수 있으며 상세 요구사항에도 파생된 요구사항이 포함될 수 있습니다. 시스템 안전 평가 및 시스템 요구사항에 대한 파생 요구사항의 영향을 결정하기 위해, 모든 파생된 요구사항은 시스템 안전 평가 프로세스를 비롯한 시스템 프로세스에서 사용할 수 있어야 합니다.

4.1 소프트웨어 요구사항 프로세스

소프트웨어 요구사항 프로세스는 시스템 생명 주기 프로세스의 산출물을 사용하여 상위 요구사항을 개발합니다. 상위 요구사항은 기능, 성능, 인터페이스 및 안전 관련 요구사항이 포함되어 있습니다.

4.1.1 소프트웨어 요구사항 프로세스 목표

소프트웨어 요구사항 프로세스 목표는 다음과 같습니다.

a. 상위 요구사항을 개발합니다.

b. 파생된 요구사항을 정의하고, 시스템 안전 평가 프로세스를 포함하는 시스템 프로세스에 제공합니다.

4.1.2 소프트웨어 요구사항 프로세스 활동

소프트웨어 요구사항 프로세스 입력물에는 시스템 요구사항, 시스템 생명 주기 프로세스로부터 하드웨어 인터페이스 및 요구사항에 포함되지 않은 시스템 아키텍처, 소프트웨어 개발 프로세서로부터 소프트웨어 개발 계획 및 소프트웨어 요구사항 표준이 포함됩니다. 계획된 전환 기준이 준수되면 이러한 입력물을 사용하여 상위 요구사항을 개발합니다.

이 프로세스의 주요 산출물은 소프트웨어 요구사항 데이터 (Software Requirements Data) 입니다.

소프트웨어 요구사항 프로세스는 소프트웨어 요구사항 프로세스의 목표 및 소프트웨어와 관련된 총괄 프로세스의 목표가 준수될 때 완료됩니다. 이 프로세스의 활동은 다음과 같습니다.

a. 모호성, 불일치 및 정의되지 않은 조건에 대해 소프트웨어에 할당된 시스템 기능 및 인터페이스 요구사항을 분석해야 합니다.

b. 적절하지 않거나 부정확하다고 판단된 소프트웨어 요구사항은 수정 또는 명확한 설명(clarification)을 위해 해당 요구사항이 발생된 프로세스로 피드백 되어야 합니다.

c. 소프트웨어에 할당된 각 시스템 요구사항은 상위 요구사항으로 상세화 해야 합니다.

d. 시스템 위험 요소를 방지하기 위해 소프트웨어에 할당된 시스템 요구사항을 다루는 상위 요구사항을 정의해야 합니다.

e. 상위 요구사항은 소프트웨어 요구사항 표준을 준수해야 하며 검증 가능하고 일관성이 있어야 합니다.

f. 상위 요구사항은 적용할 수 있는 허용 오차를 사용하여 정량적으로 표현되어야 합니다.

g. 상위 요구사항은 특정되고 타당화된 설계 제약을 제외하고는 설계 또는 검증 세부사항을 설명해서는 안됩니다.

h. 파생된 상위 요구사항과 그 존재 이유를 정의해야 합니다.

i. 파생된 상위 요구사항은 시스템 안전 평가 프로세스와 시스템 프로세스에 제공되어야 합니다.

j. 인터페이스를 위한 매개변수 항목이 계획된 경우 상위 요구사항은 매개변수 데이터 항목이 소프트웨어에서 사용되는 방법을 설명해야 합니다. 상위 요구사항은 구조, 각 데이터 요소의 속성, 각 요소의 값(가능하다면)을 지정해야 합니다. 매개변수 데이터의 값은 매개변수 데이터 구조 및 해당 데이터 속성과 일치해야 합니다.

요구사항개발에 대한 자세한 보충설명은 부록 4 에 설명하였습니다.

4.2 소프트웨어 설계 프로세스

소프트웨어 설계 프로세스에서 한번 이상의 반복을 통해 상위 요구사항을 세분화하여 소스 코드를 구현하는데 사용할 수 있는 소프트웨어 아키텍처 및 상세 요구사항을 개발합니다.

4.2.1 소프트웨어 설계 목표

소프트웨어 설계 프로세스의 목표는 다음과 같습니다.

a. 상위 요구사항으로부터 소프트웨어 아키텍처와 상세 요구사항을 개발합니다.
b. 도출된 상세 요구사항을 정의하고, 시스템 안전 평가 프로세스를 포함하여, 시스템 프로세스에 제공합니다.

4.2.2 소프트웨어 설계 활동

소프트웨어 설계 프로세스의 입력물은 소프트웨어 요구사항 데이터, 소프트웨어 개발 계획 및 소프트웨어 설계 표준입니다. 계획된 전환 기준을 만족하면, 소프트웨어 아키텍처 및 상세 요구사항을 개발하기 위한 설계 프로세스에서 상위 요구사항을 사용합니다. 이때, 하나 이상의 요구사항 수준을 포함할 수 있습니다.

소프트웨어 설계 프로세스의 주요 산출물은 소프트웨어 아키텍처와 상세 요구사항을 포함하는 설계 설명 (Design Description)입니다.

소프트웨어 설계 프로세스는 목표와 관련된 총괄 프로세스의 목표가 준수될 때 완료됩니다.

이 프로세스의 활동은 다음과 같습니다.

a. 소프트웨어 설계 프로세스를 통해 개발된 상세 요구사항 및 소프트웨어 아키텍처는 소프트웨어 설계 표준을 준수해야 하며 추적 가능하고 검증 가능하며 일관성을 유지해야 합니다

b. 파생된 상세 요구사항과 그 존재 이유를 정의하고 분석하여 상위 요구사항에서 벗어나지 않았음 (not compromised)을 보장해야 합니다.

c. 소프트웨어 설계 프로세스 활동은 가능한 고장 모드를 소프트웨어에 도입하거나, 반대로 다른 사람을 배제할 수 있습니다. 소프트웨어 설계에서 파티션 또는 기타 아키텍처 수단을 사용하면 소프트웨어의 일부 컴포넌트에 대한 소프트웨어 Level 할당이 변경될 수 있습니다. 이러한 경우 추가 데이터는 파생된 요구사항으로 정의되어 시스템 안전 평가 프로세스를 비롯하여 시스템 프로세스에 제공되어야 합니다.

d. 데이터 흐름과 제어 흐름의 형태로 소프트웨어 컴포넌트 간의 인터페이스는 컴포넌트 간에 일관성 있게 정의되어야 합니다.

e. 안전 관련 요구사항 (예: 워치독 타이머(watchdog timers), 합리성 점검(reasonableness-checks) 및 교차 채널 비교(cross-channel comparisons))이 제시되면, 제어 흐름 및 데이터 흐름을 주시해야 합니다.

f. 고장 조건에 대한 대응은 안전 관련 요구사항과 일치해야 합니다.

g. 소프트웨어 설계 프로세스 중에 발견된 부적절하거나 부정확한 입력은 시스템 생명 주기 프로세스, 소프트웨어 요구사항 프로세스 또는 소프트웨어 계획 프로세스에 설명 또는 수정을 위한 피드백으로 제공되어야 합니다.

소프트웨어 설계에 대한 자세한 보충 설명은 부록 5에 설명하였습니다.

4.2.3 사용자 수정 가능한(User-Modifiable) 소프트웨어 설계

사용자가 수정할 수 있는 소프트웨어는 사용자가 수정할 수 있도록 설계합니다. 수정 가능한 컴포넌트(modifiable component)는 사용자가 변경하려는 소프트웨어의 일부이며 수정할 수 없는 컴포넌트 (non-modifiable component)는 사용자가 변경하지 않는 컴포넌트입니다. 사용자 수정 가능한 소프트웨어는 복잡성이 다양할 수 있습니다. 예를 들어, 두 가지 장비 선택사항 중 하나를 선택하는데 사용되는 단일 메모리 비트, 메시지

테이블 또는 유지보수 기능과 관련한 프로그래밍, 컴파일 및 링크될 수 있는 메모리 영역이 있습니다. 모든 Level 의 소프트웨어에는 수정 가능한 컴포넌트가 포함될 수 있습니다.

사용자가 수정할 수 있는 소프트웨어의 활동은 다음과 같습니다.

a. 수정할 수 없는 컴포넌트는 안전 운영(safe operation) 에 방해되지 않도록 수정 가능 컴포넌트로부터 보호되어야 합니다. 이 보호는 하드웨어, 소프트웨어, 변경을 수행하는데 사용되는 도구 또는 이 세 가지를 조합하여 수행할 수 있습니다. 보호 기능이 소프트웨어에 의해 제공되는 경우 수정할 수 없는 소프트웨어와 동일한 소프트웨어 Level 에서 설계 및 검증되어야 합니다. 보호 장치가 도구에 의해 제공되는 경우 도구는 2.2 절에 정의된 대로 범주화 되고 규정되어야 합니다.

b. 수정 가능한 컴포넌트를 변경하기 위해 제공된 수단은 수정 가능한 컴포넌트를 변경할 수 있는 유일한 수단으로 제시되어야 합니다.

4.2.4 비활성화된 코드(deactivated code) 설계

시스템 또는 장비는 여러 가지 형상을 포함하도록 설계될 수 있으며 모든 형상은 모든 응용프로그램에서 사용하도록 설계되지 않습니다. 선택되지 않은 기능이나 사용되지 않는 라이브러리 기능 또는 사용되지 않은 데이터와 같이 실행되지 않는 비활성화 코드가 생길 수 있습니다. 비활성화 코드는 죽은 코드(dead code)와 다릅니다. 비활성화 코드의 활동은 다음과 같습니다.

a. 비활성화 기능 또는 컴포넌트가 활성 기능 또는 컴포넌트에 부정적인 영향을 미치지 않도록 메커니즘을 설계하고 구현해야 합니다.

b. 의도하지 않은 사용 환경에서는 비활성화 코드를 사용하지 않는다는 증거가 있어야 합니다. 비정상적인 시스템 조건으로 인해 비활성화 코드가 의도하지 않게 실행되는 것은 의도하지 않은 활성 코드 실행과 동일합니다.

c. 활성 코드의 개발과 같이 비활성화 코드의 개발은 본 문서의 목표를 준수해야 합니다.

보충 설명:

1. 비활성 코드

소스 코드 중에서 특정한 항공전자 시스템 안에서의 특정 소프트웨어 형상 혹은 버전의 실제 운영 중에는 수행되지 않을 부분입니다. 그러나 이 코드는 정비 혹은 특수한 동작 조건 하에서, 또는 다른 소프트웨어 형상이나 이후 다른 버전에서 실행될 수 있는 부분이기도 합니다. 죽은 코드와는 달리, 비활성화 코드는 소스 및 바이너리 실행파일에 남아있을 수 있습니다.

2. 데드 코드

소스 코드 중에서 실제 운영 중에 수행되지 않을 부분입니다. DO-178C 는 기본적으로 죽은 코드를 허용하지 않으며 반드시 제거되어야 합니다. 죽은 코드가 제거되어야 하는 이유는 실제 운영 중에 절대 수행되지 않는 이유이기도 하지만 죽은 코드는 자체는 요구사항에서 구현된 코드가 아니기 때문입니다. 소스 코드는 요구사항과 추적성을 가지며, 요구사항에서 추적이 되지 않는 코드는 제거되어야 합니다.

4.3 소프트웨어 코딩 프로세스

소프트웨어 코딩 프로세스에서 소스 코드는 소프트웨어 아키텍처와 상세 요구사항에서 구현됩니다.

4.3.1 소프트웨어 코딩 프로세스 목표

소프트웨어 코딩 프로세스의 목표는 다음과 같습니다.

a. 소스 코드는 상세 요구사항을 개발합니다.

4.3.2 소프트웨어 코딩 프로세스 활동

코딩 프로세스 입력물은 소프트웨어 설계 프로세스의 상세 요구사항 및 소프트웨어 아키텍처, 소프트웨어 개발 계획 및 소프트웨어 코드 표준입니다. 소프트웨어 코딩 프로세스는 계획된 전환 기준이 준수될 때 수행(enter)되거나, 재 수행(re-enter)될 수 있습니다. 소스 코드는 소프트웨어 아키텍처 및 상세 요구사항을 바탕으로 코딩 프로세스에 의해 생성됩니다.

이 프로세스의 주요 산출물은 소스 코드 (Source Code)입니다.

소프트웨어 코딩 프로세스는 소프트웨어 코딩 프로세스의 목표 및 소프트웨어와 관련된 총괄 프로세스의 목표가 준수될 때 완료됩니다. 이 프로세스의 활동은 다음과 같습니다.

a. 소스 코드는 상세 요구사항을 구현하고 소프트웨어 아키텍처를 준수해야 합니다.

b. 소스 코드는 소프트웨어 코드 표준을 준수해야 합니다.

c. 소프트웨어 코딩 프로세스 중에 발견된 부적절하거나 부정확한 입력은 설명 또는 수정을 위한 피드백으로 소프트웨어 요구사항 프로세스, 소프트웨어 설계 프로세스 및 소프트웨어 계획 프로세스에 제공되어야 합니다.

d. 자동 코드 생성기의 사용은 계획 프로세스에서 정의된 제약 조건을 따라야 합니다.

코딩 프로세스에 대한 자세한 보충 설명은 부록 6 에 설명하였습니다.

4.4 소프트웨어 통합 프로세스

소프트웨어 통합 (Integration) 프로세스에서는 통합 시스템 또는 장비를 개발하기 위해 대상(target) 컴퓨터와 소스 코드를 컴파일링(compiling), 링킹(linking), 로딩 데이터(loading data)와 함께 사용합니다.

4.4.1 통합 프로세스 목표

통합 프로세스 목표는 다음과 같습니다.

a. 실행 가능 객체 코드 및 관련 매개변수 데이터 항목 파일(있는 경우)은 하드웨어/소프트웨어 통합을 위해 대상 하드웨어에 생성되고 로드 됩니다.

b.

4.4.2 통합 프로세스 활동

통합 프로세스는 소프트웨어 통합과 하드웨어/소프트웨어 통합으로 구성됩니다.

통합 프로세스는 계획된 전환 기준이 준수될 때 수행(enter)되거나 재 수행(re-enter)될 수 있습니다. 통합 프로세스 입력물은 소프트웨어 설계 프로세스의 소프트웨어 아키텍처와 소프트웨어 코딩 프로세스의 소스 코드입니다.

통합 프로세스의 산출물은 객체 코드(object code)와 컴파일링, 링킹 및 로딩 데이터입니다. 객체 코드는 실행가능 한 객체 코드 (Executable Object Code), 매개변수 데이터 항목 파일 (Parameter Data Item File)을 의미합니다. 통합 프로세스는 통합 프로세스의 목표가 준수될 때 완료됩니다. 이 프로세스의 활동은 다음과 같습니다.

a. 객체 코드와 실행 가능한 객체 코드는 소스 코드와 컴파일링, 링킹 및 데이터 로딩으로부터 생성되어야 합니다. 모든 매개변수 데이터 항목 파일을 생성해야 합니다.

b. 소프트웨어 통합은 호스트 컴퓨터, 대상 컴퓨터 에뮬레이터 또는 대상 컴퓨터에서 수행해야 합니다.

c. 하드웨어/소프트웨어 통합을 위해 대상 컴퓨터에 소프트웨어를 로드 해야 합니다.

d. 통합 프로세스 중에 검출된 부적절하거나 부정확한 입력은 소프트웨어 요구사항 프로세스, 소프트웨어 설계 프로세스, 소프트웨어 코딩 프로세스 또는 소프트웨어 계획 프로세스에 설명 또는 수정을 위한 피드백으로 제공되어야 합니다.

e. 요구사항이나 아키텍처의 변경 사항이나 소프트웨어 검증 프로세스 활동의 결과로 필요한 변경 사항을 구현하기 위해 인증되어 제출된 소프트웨어에는 패치를 사용하지 않아야 합니다. 다만, 패치는 알려진 컴파일러 문제와 같이 소프트웨어 개발 환경의 알려진 결함을 해결하기 위해 경우에 따라 제한적으로 사용할 수 있습니다.

f. 패치가 사용되면 다음 사항이 가능해야 합니다.

1. 소프트웨어 형상 관리 프로세스가 패치를 효과적으로 추적할 수 있는지 확인.

2. 패치 된 소프트웨어가 모든 적용 가능한 목표를 준수한다는 증거를 제공하기 위한 분석.

3. 패치 사용에 대한 소프트웨어 성취 요약(Software Accomplishment Summary)의 타당성.

통합 프로세스에 대한 자세한 보충 설명은 부록 7 에 설명하였습니다.

4.5 소프트웨어 개발 프로세스 추적성

소프트웨어 개발 프로세스 추적성 활동에는 다음이 포함됩니다.

a. 소프트웨어에 할당된 시스템 요구사항과 상위 요구사항 간의 양방향 관련을 보여주는 추적 데이터(Trace Data)가 개발됩니다. 이 추적 데이터의 목적은 다음과 같습니다.

1. 소프트웨어에 할당된 시스템 요구사항의 완전한 구현을 검증할 수 있음.
2. 시스템 요구사항을 직접 추적할 수 없는 파생된 상위 요구사항(derived high-level requirements)을 파악할 수 있음.

b. 상위 요구사항과 상세 요구사항 간의 양방향 관련을 보여주는 추적 데이터가 개발됩니다. 이 추적 데이터의 목적은 다음과 같습니다.

1. 상위 요구사항의 완전한 구현을 검증 가능.
2. 상위 요구사항과 소프트웨어 설계 프로세스에서 만들어진 아키텍처 설계 결정을 직접 추적할 수 없는 파생된 상세 요구사항(derived low-level requirements)에 대한 가시성을 제공.

c. 상세 요구사항과 소스 코드 간의 양방향 관련을 보여주는 추적 데이터가 개발됩니다. 이 추적 데이터의 목적은 다음과 같습니다.

1. 소스 코드가 문서화되지 않은 기능을 구현하지 않음을 확인.
2. 상세 요구사항을 완벽하게 구현하였음을 확인.

5. 소프트웨어 검증 프로세스

5.1. 소프트웨어 검증 (Verification) 프로세스 개요

이 절에서는 소프트웨어 총괄 (Integral) 프로세스를 설명합니다. DO-178C 의 3 번째 프로세스인 총괄 프로세스는 검증, 형상관리, 품질보증 프로세스로 구성됩니다. 이 장에서는 검증 프로세스의 목표와 활동에 대해 설명합니다. 검증은 소프트웨어 계획 프로세스, 소프트웨어 개발 프로세스 및 소프트웨어 검증 프로세스의 결과에 대한 기술적 평가입니다. 소프트웨어 검증 프로세스는 소프트웨어 계획 프로세스 및 소프트웨어 검증 계획 (Software Verification Plan)에 정의된 대로 적용됩니다.

검증은 단순한 테스트가 아닙니다. 일반적으로, 테스트는 오류가 없음을 보여주지 못합니다. 따라서, 이번 절에서는 검토 (Review), 분석 (Analysis) 및 테스트 (Test)의 활동의 조합인 소프트웨어 검증 프로세스 활동에 대해 설명합니다. DO-178C 부록 A 의 표 A-3 ~ A-7 에는 소프트웨어 검증 프로세스의 목표와 산출물이 소프트웨어 Level 에 따라 요약되어 있습니다.

* 소스 코드 검증.
* 상세 요구사항 검증.
* 소프트웨어 아키텍처 검증.
* 테스트 커버리지 정도(degree).
* 검증 절차의 통제.
* 소프트웨어 검증 프로세스 활동 독립성.
* 강건성 테스트(Robustness testing).
* 오류 방지 또는 검출에 간접 영향을 미치는 활동 (예: 소프트웨어 개발 표준 준수).

5.2. 소프트웨어 검증 목적

소프트웨어 검증 프로세스의 목적은 소프트웨어 개발 프로세스 중에 발생할 수 있는 오류를 발견하고 보고하는 것입니다. 오류 제거는 소프트웨어 개발 프로세스의 활동입니다.

소프트웨어 검증 프로세스는 다음을 검증합니다.

a. 소프트웨어에 할당된 시스템 요구사항은 해당 시스템 요구사항을 준수하는 상위 요구사항으로 개발됩니다.

b. 상위 요구사항은 소프트웨어 아키텍처와 상위의 요구사항을 준수하는 상세 요구사항으로 개발됩니다.

c. 소프트웨어 아키텍처 및 상세 요구사항은 상세 요구사항 및 소프트웨어 아키텍처를 준수하는 소스 코드로 개발됩니다.

d. 실행 객체 코드는 소프트웨어 요구사항 (즉, 의도된 기능)을 준수하고 의도하지 않은 기능이 없다는 확신을 제공합니다.

e. 실행 가능한 객체 코드는 비정상적인 입력 및 조건에 올바르게 응답할 수 있도록 소프트웨어 요구사항에 대해 강건(robust)합니다.

f. 검증을 수행하는데 사용된 수단은 소프트웨어 Level 에 맞추어 기술적으로 정확하며 완벽합니다.

5.3. 소프트웨어 검증 프로세스 활동 개요

소프트웨어 검증 프로세스 목표는 검토(review), 분석(analyze), 테스트 케이스 및 절차의 개발, 그리고 그 테스트 절차의 후속 실행을 통해 준수됩니다. 검토 및 분석은 소프트웨어 요구사항, 소프트웨어 아키텍처 및 소스 코드의 정확성, 완전성 및 검증 가능성에 대한 평가를 제공합니다. 테스트 케이스 및 절차의 개발은 요구사항의 내부 일관성 및 완전성에 대한 추가적인 평가를 제공할 수 있습니다. 테스트 절차의 실행은 요구사항의 준수에 대한 입증을 제공합니다.

소프트웨어 검증 프로세스의 입력물에는 시스템 요구사항, 소프트웨어 요구사항, 소프트웨어 아키텍처, 추적 데이터, 소스 코드, 실행 가능 객체 코드 및 소프트웨어 검증 계획이 포함됩니다.

소프트웨어 검증 프로세스의 산출물은 소프트웨어 검증 사례 및 절차, 소프트웨어 검증 결과 및 관련 추적 데이터에 기록됩니다.

소프트웨어에 구현된 요구사항의 검증 필요성은 소프트웨어 개발 프로세스에 추가 요구사항이나 제약을 부과할 수 있습니다.

소프트웨어 검증 고려사항은 다음과 같습니다.

a. 테스트된 코드가 항공기 탑재 소프트웨어와 동일하지 않은 경우, 그 차이점을 명세하고 타당화 해야 합니다.

b. 현실적인 테스트 환경에서 소프트웨어를 실행하여 특정 소프트웨어 요구사항을 검증할 수 없는 경우 다른 수단을 제공하고 소프트웨어 검증 계획 또는 소프트웨어 검증 결과에 정의된 소프트웨어 검증 프로세스 목표를 준수하는 타당성을 제시해야 합니다.

c. 소프트웨어 검증 프로세스 중에 발견된 결함 및 오류는 설명과 수정을 위해 다른 소프트웨어 수명주기 프로세스에 보고해야 합니다.

d. 재 검증은 이전에 확인된 기능에 영향을 줄 수 있는 수정 조치 또는 변경 후에 수행해야 합니다. 재 검증은 수정 사항이 올바르게 구현되었는지 확인해야 합니다.

e. 검증 독립성은 검증 활동이 검증되는 항목의 개발자가 아닌 사람에 의해 수행될 때 이루어 집니다. 도구는 인간 검증 활동과 동등한 효과를 얻기 위해 사용될 수 있습니다. 독립성을 위해 상세 요구사항 기반 일련의 테스트 케이스를 만든 사람은 상세 요구사항과 관련된 소스 코드를 개발한 사람과 같지 않아야 합니다.

5.4. 소프트웨어 검토 및 분석

검토 및 분석은 소프트웨어 개발 프로세스의 결과에 적용됩니다. 검토와 분석의 차이점은 분석이 정확성에 대한 증거를 제공하고 검토가 정확성에 대한 질적 평가를 제공한다는 것입니다. 검토는 체크리스트 또는 그와 유사한 것을 사용하여 프로세스의 결과물에 대한 인스펙션(inspection)을 수행하는 것으로 이루어집니다. 분석은 소프트웨어 컴포넌트의 기능, 성능, 추적 가능성 및 안전성과 시스템 또는 장비 내의 다른 컴포넌트와의 관계를 조사할 수 있습니다.

이 절에서 설명한 검증 목표가 검토 및 분석만으로는 완전히 만족될 수 없는 경우가 있을 수 있습니다. 이러한 경우 소프트웨어 제품에 대한 추가적인 테스트를 통해 검증

59

목표를 달성할 수 있습니다. 예를 들어 최악 실행 시간(the worst-case execution time) 또는 스택 검증을 위해 검토, 분석 및 테스트를 조합하여 개발할 수 있습니다.

5.4.1. 상위 요구사항 검토 및 분석

이러한 검토 및 분석 활동은 소프트웨어 요구사항 프로세스 중에 발생할 수 있는 요구사항 오류를 검출하고 보고합니다. 이러한 검토 및 분석 활동은 상위 요구사항이 다음 목표를 준수하는지 확인합니다.

a. 시스템 요구사항의 준수: 소프트웨어에 의해 수행될 시스템 기능이 정의되고 시스템의 기능, 성능 및 안전 요구사항이 정의되어 있는 것을 보장합니다.

b. 정확성 및 일관성: 각 상위 요구사항이 정확하고 모호하지 않으며 충분히 상세하고 요구사항이 서로 충돌하지 않도록 보장합니다.

c. 대상 컴퓨터와의 호환성: 상위 요구사항과 대상 컴퓨터의 하드웨어/소프트웨어 기능, 특히 시스템 응답 시간 및 입출력 하드웨어 간에 충돌이 없도록 보장합니다.

d. 검증 가능성: 각 상위 요구사항이 검증 가능함을 보장합니다.

e. 표준 준수: 소프트웨어 요구사항 프로세스 중에 소프트웨어 요구사항 표준을 준수하고 표준에 대한 편차 타당화를 보장합니다.

f. 추적성: 시스템 기능, 성능 및 안전 요구사항이 상위 요구사항으로 개발되었는지 보장합니다.

g. 알고리즘 측면: 목적은 제안된 알고리즘의 정확성과 동작을 보장합니다

5.4.2. 상세 요구사항 검토 및 분석

이러한 검토 및 분석 활동은 소프트웨어 설계 프로세스 중에 발생할 수 있는 요구사항 오류를 검출하고 보고합니다. 이러한 검토 및 분석 활동은 상세 요구사항이 다음 목표를 준수하는지 확인합니다.

a. 상위 요구사항 준수: 상세 요구사항이 상위 요구사항을 준수하고, 파생 요구사항과 설계 기준이 올바르게 정의되었는지 보장합니다.

b. 정확성 및 일관성: 상세 요구사항이 정확하고 모호하지 않으며 서로 충돌하지 않도록 보장합니다.

c. 대상 컴퓨터와의 호환성: 상세 요구사항과 대상 컴퓨터의 기능 간에 충돌이 없다는 것을 보장합니다.

d. 검증 가능성: 각 상세 요구사항을 검증 가능함을 보장합니다.

e. 표준 준수: 소프트웨어 설계 과정에서 소프트웨어 설계 표준을 준수하고 표준으로부터 편차가 타당화 되었다는 것을 보장합니다.

f. 추적성: 상위 요구사항과 파생 요구사항이 상세 요구사항으로 개발되었는지 보장합니다.

g. 알고리즘 측면: 제안된 알고리즘의 정확성과 동작을 보장합니다.

5.4.3. 소프트웨어 아키텍처의 검토 및 분석

이러한 검토 및 분석 활동은 소프트웨어 아키텍처 개발 과정에서 발생할 수 있는 오류를 발견하고 보고합니다. 이러한 검토 및 분석 활동은 소프트웨어 아키텍처가 다음 목표를 준수하는지 확인합니다.

a. 상위 요구사항 호환성: 소프트웨어 아키텍처가 상위 요구사항이 충돌하지 않도록 보장합니다. (예를 들어 파티셔닝 스키마와 같이 시스템 무결성을 보장하는 기능)

b. 일관성: 소프트웨어 아키텍처의 컴포넌트 간에 올바른 관계가 존재하는지 보장합니다. 이 관계는 데이터 흐름과 제어 흐름을 통해 존재합니다.

c. 대상 컴퓨터 호환성: 소프트웨어 아키텍처와 대상 컴퓨터의 하드웨어/소프트웨어 기능 간에 충돌, 초기화, 비 동기 작업, 동기화 및 인터럽트가 없는지 보장합니다.

d. 검증 가능성 (Verifiability): 소프트웨어 아키텍처가 검증될 수 있음을 보장하는 것이 목적입니다.

e. 표준 준수: 소프트웨어 설계 과정에서 소프트웨어 설계 표준을 준수하고 표준으로부터 편차가 타당화 되었다는 것을 보장합니다. (예: 복잡성 제한 및 설계 구성 규칙의 편차).

f. 파티셔닝 무결성: 파티셔닝 위반이 방지되도록 하는 것을 보장합니다.

5.4.4. 소스 코드 검토 및 분석

이러한 검토 및 분석 활동은 소프트웨어 코딩 과정에서 발생할 수 있는 오류를 발견하고 보고합니다. 주요 관심 사항은 소프트웨어 요구사항 및 소프트웨어 아키텍처에 대한 코드의 정확성 및 소프트웨어 코드 표준 준수입니다. 이러한 검토 및 분석 활동은 일반적으로 소스 코드에만 국한되며 소스 코드가 다음 목적을 준수하는지 확인합니다.

a. 상세 요구사항 준수: 상세 요구사항에 대해 소스 코드가 정확하고 완전하며 소스 코드가 문서화되지 않은 기능을 구현하지 않도록 하는 것을 보장합니다.

b. 소프트웨어 아키텍처 준수: 소스 코드가 소프트웨어 아키텍처에 정의된 데이터 흐름 및 제어 흐름과 일치하는지 보장합니다.

c. 검증 가능성: 소스 코드가 검증할 수 없는 구문과 구조를 포함하지 않고 코드를 테스트하기 위해 코드를 변경할 필요가 없음을 보장합니다.

d. 표준 준수: 코드 개발 중 소프트웨어 코드 표준 (예: 복잡성 제한 및 코드 제약)을 준수하도록 보장합니다. 복잡성에는 소프트웨어 컴포넌트 간의 결합 정도, 통제 구조의 중첩 수준 및 논리적 또는 숫자 식의 복잡성이 포함됩니다. 이 분석은 또한 표준에 대한 편차가 타당하다는 것을 보장합니다.

e. 추적성: 상세 요구사항이 소스 코드로 개발되었는지 보장합니다.

f. 정확성 및 일관성: 스택 사용, 메모리 사용, 고정 소수점 산술 오버 플로우 및 해결, 부동 소수점 산술, 자원 경합 및 제한, 최악 실행 시간, 예외 처리, 초기화되지 않은 변수의 사용, 캐시 관리, 사용되지 않는 변수 및 작업 또는 인터럽트 충돌로 인한 데이터 손상 등을 포함하여 소스 코드의 정확성 및 일관성을 결정하는 것을 보장합니다. 컴파일러 (선택사항 포함), 링커 (선택사항 포함) 및 일부 하드웨어 기능은 최악의 실행 타이밍에 영향을 줄 수 있으며 이 영향을 평가할 수 있습니다.

5.4.5. 통합 과정 결과 검토 및 분석

이러한 검토 및 분석 활동은 총괄 프로세스 중에 발생할 수 있는 오류를 검출하고 보고합니다. 목표는 다음과 같습니다.

a. 총괄 프로세스의 출력이 완전하고 올바른지 보장합니다.

여기에는 데이터의 컴파일, 링크 및 로드 및 메모리 맵에 대한 세부적인 조사가 포함됩니다. 잠재적인 오류의 일반적인 예는 다음과 같습니다.

- 컴파일러 경고.

- 잘못된 하드웨어 주소.

- 메모리 중복.

- 누락된 소프트웨어 컴포넌트.

보충 설명:

1. 소개

검증은 전체 소프트웨어 수명주기에 적용되는 필수 프로세스입니다. 이는 계획 단계에서 시작되어 제품 배포를 거쳐 유지 보수까지 진행됩니다.

DO-178C 용어집은 검증을 "프로세스의 산출물에 대한 평가로서 해당 프로세스에 제공된 투입물 및 기준과 관련하여 정확성과 일관성을 보장합니다" 라고 정의합니다. DO-178C 의 검증 지침에는 검토, 분석 및 테스트의 조합이 포함됩니다. 리뷰 및 분석은 수명주기 단계 (계획, 요구사항, 설계, 코드 / 통합, 테스트 개발 및 테스트 실행 포함)의 산출물의 정확성, 완성도 및 검증 가능성을 평가합니다. 일반적으로 검토는 정확성에 대한 질적 평가를 제공하는 반면, 분석은 정확성에 대한 반복 가능한 증거를 제공합니다. 테스트는 "시스템 또는 시스템 컴포넌트를 사용하여 지정된 요구사항을 준수시키고 오류를 탐지하는지 확인하는 프로세스"입니다. 세 가지 접근법 모두 안전에 중요한 소프트웨어를 검증할 때 광범위하게 사용됩니다.

검증을 수행할 때 오류, 결함 및 고장이라는 용어가 일반적으로 사용됩니다. DO-178C 용어집은 각 용어를 다음과 같이 정의합니다.

- 오류 (Error) - 소프트웨어와 관련하여 요구사항, 설계 또는 코드의 실수."

- 결함 (Fault) – 에러의 결과 (manifestation)입니다. 결함은 고장의 원인입니다.

- 고장 (Failure) - 시스템 또는 시스템 구성요소가 지정된 조건 내에서 필요한 기능을 수행할 수 없음. 결함이 발생하면 고장이 발생할 수 있습니다. "

검증의 주된 목적은 오류를 식별하여 결함 또는 고장이 되기 전에 오류를 수정하는 것입니다. 가능한 빨리 오류를 식별하려면 소프트웨어 수명주기의 초기에 검증을 시작해야 합니다.

소프트웨어를 사용하면 더 많은 검증 활동이 필요하며 오류가 확인되고 제거되었다는 확신을 가질 수 있습니다.

안전에 필수적인 소프트웨어의 경우, 소프트웨어 프로젝트 예산의 절반 이상이 검증에 전념하고 있습니다. 하지만 너무 많은 프로젝트에서 검증 활동은 필요한 악으로 간주되곤 합니다. 따라서 인력 부족으로 체크 표시 활동으로 접근합니다. 초기 오류 탐지로 시간과 돈을 절약할 수 있다는 증거가 많음에도 불구하고 많은 프로젝트가 인증 기관을 만족시키고 결국 테스트를 끝내기 위해 리뷰를 계속 진행합니다. 너무 자주 후임 엔지니어가 리뷰, 분석 및 테스트에 속해 있습니다. 훌륭한 검증 기술을 개발하려면 시간과 적절한 훈련이 필요합니다. 검증에는 숙련 된 엔지니어가 포함되어야 합니다. 경험이 부족한 엔지니어도 사용하는 것이 좋습니다.

안전 관점에서 검증은 절대적으로 중요합니다. 이는 소프트웨어가 의도된 기능을 수행하고 의도한 기능만 수행한다는 것을 확인함으로써 규정을 준수하는데 사용됩니다. 기본적으로, 좋은 검증 없이, 개발 보증은 장점이 없습니다. 왜냐하면 그것은 제품에 대한 신뢰를 구축하는 검증이기 때문입니다.

3 독립성 및 검증

소프트웨어의 중요성이 높아짐에 따라 필요한 활동 간의 독립성이 향상됩니다.

DO-178C 는 독립성을 다음과 같이 정의합니다.

객관적인 평가의 성취를 보장하는 책임의 분리.

(1) 소프트웨어 검증 프로세스 활동의 경우, 검증 활동이 검증되는 항목의 개발자가 아닌 사람에 의해 수행되고 독립 실행은 인간 검증과 동등한 도구를 사용할 수 있을 때 달성됩니다.

(2) 소프트웨어 품질 보증 프로세스의 경우, 독립성에는 시정 조치를 보장하는 권한도 포함됩니다.

이 장은 검증 독립성을 다루는 정의의 전반부에 관한 것입니다. 정의에서 알 수 있듯이 검증 독립성은 별도의 조직 (별도의 사람 또는 도구)을 요구하지 않습니다.

DO-178C 표 A-3 에서 A-7 은 독립성을 요구하는 검증 목표를 식별합니다 (검은색 원으로 표시). Level A 의 경우 25 가지 검증 목표는 독립성을 요구합니다. B 등급의 경우 13 가지 검증 목표만이 독립성에 만족해야 합니다. C 및 D 등급의 경우 검증 목표가 독립성을 요구하지 않습니다. DO-178C 에 대한 독립성 A-3 에서 A-5 까지의 표는 일반적으로 데이터를 기록하지 않은 데이터를 검토하는 사람이 만족합니다. 그러나 DO-178C 표 A-5 의 목적 6과 7 은 약간의 분석 및 / 또는 시험을 요구하는 경향이 있습니다. DO-178C 표 A-6 의 두 독립 목표는 일반적으로 코드를 작성하지 않은 사람이 테스트를 작성함으로써 만족합니다. DO-178C 표 A-7 의 경우 모든 Level A 와 세 Level B 목표는 독립성이 필요합니다. 표 A-7 독립성은 일반적으로 검토 (목표 1-4)와 분석 (목표 5-9)의 조합에 의해 준수됩니다.

DO-248C 토론 문서 (DP) # 19 는 검증 독립성에 대한 일반적인 해석을 설명합니다. 이 DP 는 Certification Authorities Software Team (CAST) † 논문 (CAST-26)을 기반으로 합니다. 따라서

인증 기관이 검증 독립성을 정상적으로 해석하는 방법에 대한 통찰력을 제공합니다. CAST 논문은 DO-248C DP # 19 가 확인한 것보다 개발 활동 사이의 독립성을 증진시켰다는 점을 주목해야 합니다.

DO-248C 는 개발 독립성이 소스 코드 개발자와 테스트 명세 사이에서만 필요하다는 것을 명확히 합니다. 다른 개발 활동에는 독립적인 사람 (또는 도구)이 필요하지 않습니다.

DO-178C 는 또한 6.2e 절에서 이것을 분명히 하고 있는데, "독립성을 위해 상세 요구사항 기반 일련의 테스트 케이스를 만든 사람은 저비용 시스템에서 관련 소스 코드를 개발한 사람과 동일해서는 안됩니다".

다른 곳에서 언급했듯이 검증은 검증을 수행하는 사람이나 도구만큼이나 우수합니다. 따라서 숙련된 인력이나 효과적인 도구를 사용하는 것이 중요합니다. 경우에 따라 도구를 검증해야 할 수도 있습니다.

자주성을 요구하지 않는 DO-178C 목표가 몇 가지 있습니다.

그러나 레벨 A 및 B 소프트웨어의 경우 특히 이 방법을 사용하는 것이 좋습니다. 경험에 따르면 독립적 검증은 오류를 조기에 발견하는 가장 효과적인 방법 중 하나입니다. 많은 성숙한 회사는 오류를 찾는 데 효과적이며 장기적으로 시간과 비용을 절약하기 때문에 필요하지 않더라도 모든 요구사항에 대해 독립성을 사용하여 모든 수준에서 설계 검토를 수행합니다. 또한 곧 논의 될 바와 같이 검증자는 개발자와 다른 정신력을 갖는 경향이 있으므로 개발자가 자신의 작업을 검토하는 것보다 더 많은 오류를 찾을 수 있는 경우가 많습니다.

5.5. 소프트웨어 테스트

소프트웨어 테스트는 소프트웨어가 요구사항을 준수하고 시스템 안전 평가 프로세스에 의해 결정된 수용할 수 없는 오류 조건을 초래할 수 있는 오류가 제거되었다는 것을 상위 확신을 가지고 입증하는데 사용됩니다. 소프트웨어 테스트의 목적은 다음을 확인하는 것입니다.

a. 실행 객체 코드는 상위 요구사항을 준수합니다.

b. 실행 파일 객체 코드는 상위 요구사항에 강합니다(robust).

c. 실행 객체 코드는 상세 요구사항을 준수합니다.

d. 실행 가능한 객체 코드는 상세 요구사항에 강합니다(robust).

e. 실행 객체 코드는 대상 컴퓨터와 호환됩니다.

그림 6 은 소프트웨어 테스트 목적을 달성하기 위해 사용될 수 있는 소프트웨어 테스트 활동의 다이어그램입니다. 다이어그램은 세 가지 유형의 테스트를 보여줍니다.

- 하드웨어/소프트웨어 통합 테스트: 대상 컴퓨터 환경에서 소프트웨어의 올바른 작동을 확인합니다.

- 소프트웨어 통합 테스트: 소프트웨어 요구사항과 컴포넌트 간의 상호 관계를 확인하고 소프트웨어 아키텍처 내에서 소프트웨어 요구사항과 소프트웨어 컴포넌트의 구현을 확인합니다.

- 상세 수준 테스트(low-level test): 상세 요구사항의 구현을 확인합니다.

주: 하드웨어/소프트웨어 통합 테스트 또는 소프트웨어 통합 테스트를 위해 테스트 케이스 및 해당 테스트 절차를 개발하고 실행하고 요구사항 기반 테스트 커버리지와 구조적 테스트 커버리지를 준수하는 경우, 상세 수준 테스트를 위해 테스트를 복제할 필요가 없습니다. 상세 수준 테스트(low-level test)를 상위 수준 테스트(high-level test)로 대체하는 것은 테스트된 전반적인 기능의 양이 줄어들어 덜 효과적 일 수 있습니다.

보충 설명:

구조적 커버리지

공식 소프트웨어 인증 테스트 케이스들이 소프트웨어 구조(조건 및 경로)를 완전히 커버하는 증거를 가집니다. DO-178C 의 구조적 커버리지는 레벨 D, E 에서는 필요로 하지 않습니다. 레벨 A, B, C 에서 더 많이 필요로 합니다.

그림 6 Software Testing Activities

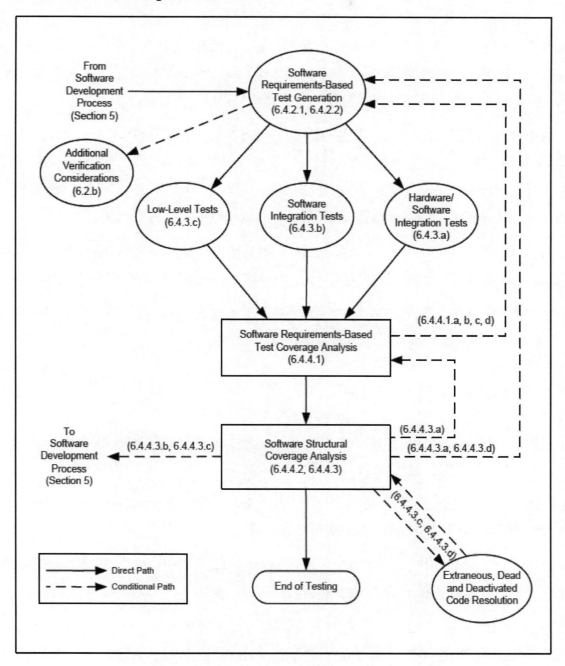

5.5.1. 테스트 환경

소프트웨어 테스트 목적을 준수하기 위해 둘 '이상의 테스트 환경이 필요할 수 있습니다. 선호하는 테스트 환경에는 대상 컴퓨터에 로드된 소프트웨어가 포함되며 대상 컴퓨터 환경의 동작과 매우 유사한 환경에서 테스트됩니다.

주: 대부분의 경우 요구사항 기반 테스트 커버리지와 구조적 테스트 커버리지는 완전히 통합된 환경에서 일반적으로 가능한 것보다 더 정확한 테스트 입력 및 코드 실행을 모니터링 해야만 얻을 수 있습니다. 이러한 테스트는 다른 소프트웨어 컴포넌트와 기능적으로 분리된 소규모 소프트웨어 컴포넌트에서 수행해야 합니다.

대상 컴퓨터 에뮬레이터 또는 호스트 컴퓨터 시뮬레이터를 사용하여 수행한 테스트에 대해 인증 신용을 부여 할 수 있습니다. 테스트 환경과 관련된 활동은 다음과 같습니다.

a. 선택한 테스트는 통합된 대상 컴퓨터 환경에서 수행해야 합니다. 왜냐하면 어떤 오류는 특정한 환경에서만 검출되기 때문입니다.

5.5.2. 요구사항 기반 테스트 선택

요구사항 기반 테스트는 오류를 찾는데 가장 효과적인 전략으로 강조됩니다. 요구사항 기반 테스트 선택을 위한 활동은 다음과 같습니다.

1. 특정 테스트 케이스는 정상 범위 테스트 케이스와 강건성(robustness) (비정상 범위) 테스트 케이스를 포함하도록 개발되어야 합니다.

2. 특정 테스트 케이스는 소프트웨어 요구사항과 소프트웨어 개발 프로세스의 오류 근원(the error sources inherent)로부터 개발되어야 합니다.

주: 강건성 테스트 케이스는 요구사항 기반입니다. 소프트웨어 요구사항이 비정상 조건 및 입력에 대한 올바른 소프트웨어 응답을 지정하지 않으면 강건성 테스트 기준을 완전히 준수할 수 없습니다. 테스트 케이스는 소프트웨어 요구사항의 부적절함을 나타낼 수 있으며, 이 경우 소프트웨어 요구사항을 수정해야 합니다. 반대로, 모든 비정상적인 조건과 입력을 다루는 완전한 요구사항 세트가 존재하는 경우, 강건성 테스트 사례는 해당 소프트웨어 요구사항을 따릅니다.

3. 테스트 절차는 테스트 케이스에서 생성됩니다.

A. 정상 범위(normal range) 테스트 케이스

정상 범위 테스트 케이스는 소프트웨어가 정상적인 입력 및 조건에 응답하는 능력을 보여줍니다. 활동은 다음과 같습니다.

a. 실수 및 정수 입력 변수는 유효한 등가 클래스(valid equivalence classes) 및 경계 값(boundary values)을 사용하여 실행해야 합니다.

b. 필터, 적분기(integrators) 및 지연과 같은 시간 관련 함수의 경우 코드의 여러 반복을 수행하여 문맥에서 함수의 특성을 확인해야 합니다.

c. 상태 전이의 경우 정상 작동 중에 가능한 전환을 실행하기 위한 테스트 케이스를 개발해야 합니다.

d. 논리 방정식으로 표현된 소프트웨어 요구사항의 경우 일반 범위 테스트 케이스는 변수 사용 및 부울 연산자를 검증해야 합니다.

B. 강건성(Robustness) 테스트 케이스

강건성 테스트 케이스는 소프트웨어가 비정상적인 입력 및 조건에 응답하는 능력을 보여줍니다. 활동은 다음과 같습니다.

a. 실수 및 정수 변수는 유효하지 않은 값의 등가 클래스 선택을 사용하여 실행해야 합니다.

b. 비정상적인 조건에서 시스템을 초기화해야 합니다.

c. 입력 데이터의 가능한 오류 모드, 특히 외부 시스템의 복잡한 디지털 데이터 스트링(digital data strings) 을 결정해야 합니다.

d. 루프 카운트가 값을 계산하는 루프인 경우, 범위를 벗어난(out-of-range) 루프 카운트 값을 계산하고 루프 관련 코드의 강건성을 입증하기 위해 테스트 케이스를 개발해야 합니다.

e. 초과된 프레임 시간(exceeded frame times)에 대한 보호 메커니즘이 올바르게 응답하는지 확인하기 위한 점검이 이루어져야 합니다.

f. 필터, 적분기 및 지연과 같은 시간 관련 함수의 경우 연산 오버플로우 방지 메커니즘을 위한 테스트 사례를 개발해야 합니다.

g. 상태 전이의 경우, 소프트웨어 요구사항에 의해 허용되지 않는 변환을 유발하기 위한 테스트 케이스가 개발되어야 합니다.

5.5.3. 요구사항 기반 테스트 기법

본 문서에서 설명하는 요구사항 기반 테스트 방법은 요구사항 기반 하드웨어/소프트웨어 통합 테스트, 요구사항 기반 소프트웨어 통합 테스트 및 요구사항 기반 상세 수준(low-level) 테스트입니다. 하드웨어/소프트웨어 통합 테스팅을 제외하고 이 방법은 특정 테스트 환경이나 전략을 규정하지 않습니다. 활동은 다음과 같습니다.

a. 요구사항 기반 하드웨어/소프트웨어 통합 테스트: 이 테스트 방법은 대상 컴퓨터 환경에서 작동하는 소프트웨어 및 상위 기능에 관련된 오류 원본에 집중해야 합니다. 요구사항 기반 하드웨어/소프트웨어 통합 테스트를 통해 대상 컴퓨터의 소프트웨어가 상위 요구사항을 준수할 수 있습니다. 이 테스트 방법으로 밝혀진 일반적인 오류는 다음과 같습니다.

- 잘못된 인터럽트 처리.
- 실행 시간 요구사항을 준수하지 못함.
- 하드웨어 과도 현상(transients) 또는 하드웨어 오류 (예: 시동 시퀀싱(start-up sequencing), 일시적인 입력 부하 및 입력 전원 과도 현상)에 대한 소프트웨어 응답이 올바르지 않음.
- 데이터 버스 및 기타 자원 경합 문제 (예: 메모리 매핑).
- 실패를 검출할 수 있는 내장 테스트(built-in test) 불가능.
- 하드웨어/소프트웨어 인터페이스의 오류.
- 통제 루프의 잘못된 동작.

- 소프트웨어 통제 하에 있는 메모리 관리 하드웨어 또는 다른 하드웨어 장치를 올바르지 않게 통제함.
- 스택 오버플로우.
- 현장 탑재 가능한 소프트웨어(field-loadable software)의 정확성과 호환성을 확인하는 데 사용된 메커니즘의 잘못된 작동.
- 소프트웨어 파티셔닝의 위반.

b. 요구사항 기반 소프트웨어 통합 테스트: 이 테스트 방법은 소프트웨어 요구사항 간의 상호 관계 및 소프트웨어 아키텍처에 의한 요구사항 구현에 집중해야 합니다. 요구사항 기반 소프트웨어 통합 테스트는 소프트웨어 컴포넌트가 서로 올바르게 상호 작용하고 소프트웨어 요구사항 및 소프트웨어 아키텍처를 준수하는지 확인합니다. 이 방법은 코드 컴포넌트의 연속적인 통합을 통해 요구사항 범위를 확장하여 테스트 사례 범위를 확장함으로써 수행할 수 있습니다. 이 테스트 방법으로 밝혀진 일반적인 오류는 다음과 같습니다.

- 변수 및 상수의 올바르지 않은 초기화.
- 매개변수 전달 오류.
- 데이터 손상, 특히 전역 데이터(global data).
- 부적절한 수치 해석.
- 이벤트 및 작업 순서 부정확.

c. 요구사항 기반 상세 수준(low-level) 테스트: 이 테스트 방법은 각 소프트웨어 컴포넌트가 상세 요구사항을 준수함을 입증하는데 집중해야 합니다. 요구사항 기반 상세 수준(low-level) 테스트는 소프트웨어 컴포넌트가 상세 요구사항을 준수하는지 확인합니다. 이 테스트 방법으로 밝혀진 일반적인 오류는 다음과 같습니다.

- 소프트웨어 요구사항을 준수하는 알고리즘의 실패.
- 루프 조작의 부정확.
- 논리 결정의 부정확.

- 합법적인 입력 조건 조합을 올바르게 처리하지 못함.
- 누락되거나 손상된 입력 데이터에 대한 잘못된 응답.
- 산술 오류 또는 배열 제한 위반과 같은 예외 처리 잘못.
- 계산 순서 부정확.
- 알고리즘의 정확성, 정확성 또는 성능의 부적절함.

5.5.4. 테스트 커버리지 분석

테스트 커버리지 분석은 요구사항 기반 커버리지 분석 및 구조 커버리지 분석을 포함하는 2 단계 프로세스입니다. 첫 번째 단계는 소프트웨어 요구사항과 관련하여 테스트 사례를 분석하여 선택된 테스트 사례가 지정된 기준을 준수하는지 확인합니다. 두 번째 단계는 요구사항 기반 테스트 절차가 해당 적용 범위 기준에 따라 코드 구조를 수행했음을 확인합니다. 구조적 커버리지 분석에서 해당 적용 범위가 준수되지 않았음을 나타내면 추가 활동이 죽은 코드(dead code)와 같은 상황의 해결을 위해 식별됩니다.

테스트 커버리지 분석의 목적은 다음과 같습니다.

a. 상위의 요구사항을 테스트할 수 있습니다.

b. 상세 요구사항에 대한 테스트 적용 범위가 달성됩니다.

c. 적절한 커버리지 기준에 대한 소프트웨어 구조의 테스트 커버리지가 달성됩니다.

d. 데이터 결합과 통제 결합 모두 소프트웨어 구조의 테스트 커버리지가 달성됩니다.

A. 요구사항 기반 테스트 커버리지 분석

이 분석은 요구사항 기반 테스트가 소프트웨어 요구사항의 구현을 얼마나 잘 검증했는지 판단하는 것입니다. 이 분석을 통해 추가 요구사항 기반 테스트 사례가 필요하다는 것을 알 수 있습니다. 활동은 다음과 같습니다.

a. 관련 추적 데이터를 사용하여 각 소프트웨어 요구사항에 대한 테스트 사례가 존재하는지 확인합니다.

b. 테스트 케이스가 6.4.2 절에 정의된 정상 및 강건성 테스트의 기준을 준수하는지 확인하기 위한 분석을 합니다.

c. 분석에서 확인된 결함을 해결합니다. 가능한 솔루션은 테스트 사례를 추가하거나 향상시키는 것입니다.

d. 구조적 범위를 달성하는데 사용된 모든 테스트 케이스 및 모든 테스트 절차가 요구사항을 추적할 수 있는지 확인하기 위한 분석을 합니다.

B. 구조적 커버리지 분석

이 분석은 요구사항 기반 테스트 절차에서 컴포넌트 간의 인터페이스를 포함하여 어떤 코드 구조가 실행되지 않았는지를 결정합니다. 요구사항 기반 테스트 케이스는 인터페이스를 포함하여 코드 구조를 완전히 수행하지 않았을 수 있으므로 구조적 커버리지 분석이 수행되고 구조적 범위를 제공하기 위해 추가적인 검증이 수행됩니다. 활동은 다음과 같습니다.

a. 요구사항 기반 테스트 중에 수집된 구조적 커버리지 정보를 분석하여 구조적 커버리지 범위가 소프트웨어 Level 에 적합한지 확인합니다.

b. 구조적 커버리지 분석은 소스 코드, 객체 코드 또는 실행 가능 객체 코드에서 수행될 수 있습니다. 구조적 커버리지 분석이 수행되는 코드 형식과는 별도로 소프트웨어 Level 이 A 이고 컴파일러, 링커 또는 기타 수단이 소스 코드 문으로 직접 추적할 수 없는 추가 코드를 생성하는 경우, 생성된 코드 시퀀스의 정확성을 확인하기 위해 추가 확인이 수행되어야 합니다.

c. 분석을 통해 요구사항 기반 테스트가 코드 컴포넌트 간의 데이터 및 통제 연결을 수행했음을 확인합니다.

d. 구조적 커버리지 분석 해결책.

C. 구조적 커버리지 분석 해결책(resolution)

구조적 커버리지 분석은 테스트 중에 실행되지 않은 인터페이스를 포함한 코드 구조를 나타낼 수 있습니다. 해결을 위해서는 추가 소프트웨어 검증 프로세스 활동이 필요합니다. 인터페이스를 비롯한 실행되지 않은 코드 구조의 원인과 이를 해결할 수 있는 관련 활동에는 다음이 포함됩니다.

a. 요구사항 기반 테스트 사례 또는 절차의 단점: 누락된 커버리지를 제공하기 위해 테스트 사례를 보강하거나 테스트 절차를 변경해야 합니다. 요구사항 기반 커버리지 분석을 수행하는데 사용되는 방법을 검토해야 할 수 있습니다.

b. 소프트웨어 요구사항의 부적합성: 소프트웨어 요구사항을 수정하고 추가 테스트 사례를 개발하고 테스트 절차를 실행해야 합니다.

c. 죽은 코드와 같이 관계없는 코드(extraneous code): 해당 코드를 제거하고 그 영향을 평가하고 재 검증의 필요성을 평가하기 위한 분석을 수행해야 합니다. 관계없는 코드 가 소스 코드 또는 객체 코드 수준에서 발견되면 분석은 실행 가능 객체 코드 (예: 스마트 컴파일, 링크 또는 기타 메커니즘으로 인해)에 존재하지 않음을 나타내는 경우에만 유지되도록 허용할 수 있습니다. 향후 빌드에 포함되지 않도록 절차가 마련되어야 합니다.

d. 비활성화된 코드(Deactivated code): 비활성화된 코드는 정의 된 범주에 따라 다음 두 가지 방법 중 하나로 처리해야 합니다.

1. 범주 1: 인증된 제품에서 사용되는 현재 구성에서 실행되지 않는 비활성화 코드. 이 범주의 경우 분석 및 테스트를 조합하면 비활성화된 코드가 실수로 실행될 수 있는 수단을 방지, 격리 또는 제거할 수 있음을 보여야 합니다. 범주 1 의 소프트웨어 Level 에서 비활성화 코드에 대한 재할당은 시스템 안전 평가 프로세스에 의해 타당화 되고 인증의 소프트웨어 측면 계획에 문서화되어야 합니다. 마찬가지로 범주 1 의 소프트웨어 Level 에서 비활성화 코드에 대한 소프트웨어 검증 프로세스의 완화는 소프트웨어 개발 프로세스에 의해 타당화 되어야 하며 인증의 소프트웨어 측면 계획에 문서화되어야 합니다.

2. 범주 2: 대상 컴퓨터 환경의 승인된 특정 형상에서 실행되는 비활성화 코드. 이 코드의 정상적인 실행에 필요한 작동 형상이 수립되어야 하며 추가 테스트 케이스 및 테스트 절차가 필요한 커버리지 목표를 준수하도록 개발되어야 합니다.

D. 테스트 케이스, 절차 및 결과 검토 및 분석

이러한 검토 및 분석 활동은 소프트웨어 테스트가 다음과 같은 목표를 준수하는지 확인합니다.

a. 테스트 케이스: 테스트 케이스의 검증과 관련된 목적은 절 6.4.4.a 와 6.4.4.b 에 제시되어 있습니다.

b. 테스트 절차: 목적은 예상 결과를 포함한 테스트 케이스가 시험 절차로 올바르게 개발되었는지 검증하는 것입니다.

c. 테스트 결과: 테스트 결과가 정확하고 실제 결과와 예상 결과 간의 불일치가 설명되도록 하는 것이 목적입니다.

5.6. 소프트웨어 검증 프로세스 추적

소프트웨어 검증 프로세스 추적성 활동에는 다음이 포함됩니다.

a. 소프트웨어 요구사항과 테스트 케이스 간의 양방향 관련을 보여주는 추적 데이터가 개발됩니다. 이 추적 데이터는 요구사항 기반 테스트 커버리지 분석을 지원합니다.

b. 테스트 케이스와 테스트 절차 간의 양방향 관련을 보여주는 추적 데이터가 개발됩니다. 이 추적 데이터를 통해 테스트 케이스의 전체 세트가 테스트 절차로 개발됨을 확인할 수 있습니다.

c. 테스트 절차와 테스트 결과 사이의 양방향 관련성을 보여주는 추적 데이터가 개발됩니다. 이 추적 데이터를 사용하면 전체 테스트 절차가 실행되는지 확인할 수 있습니다.

> 보충 설명:
>
> 1. DO-178C 소프트웨어 테스팅 지침 개요
>
> DO-178C 는 요구사항 기반 테스트에 중점을 둡니다.

요구사항을 준수하였음을 보여주고 의도하지 않은 기능이 없도록 테스트가 작성되고 실행됩니다. 소프트웨어의 중요성이 높을수록 테스트 노력은 더욱 엄격해집니다.

1.1 요구사항 기반 테스트 방법

DO-178C 절 6.4.3 은 세 가지 요구사항 기반 테스트 방법을 촉진합니다.

1. 요구사항 기반 소프트웨어/하드웨어 통합 테스트: 이 테스트 방법은 많은 소프트웨어 오류가 대상 환경에서만 식별될 수 있기 때문에 소프트웨어가 운영 환경에서 실행될 때 오류를 표시하기 위해 대상 컴퓨터에서 테스트를 실행합니다. 소프트웨어/하드웨어 통합 테스트 중에 검증된 기능 영역 중 일부는 인터럽트 처리, 타이밍, 하드웨어 과도 현상 또는 장애에 대한 대응, 데이터 버스 또는 자원 경합과 관련된 기타 문제, 내장 테스트, 하드웨어 / 소프트웨어 인터페이스, 제어 루프 동작, 하드웨어 장치 소프트웨어에 의해 제어 됨, 스택 오버 플로우가 없음, 필드 로딩 메커니즘 및 소프트웨어 파티셔닝. 이 테스트 방법은 일반적으로 대상 컴퓨터에서 정상 및 비정상 (강건성) 입력과 함께 높은 Level 의 요구사항에 대한 테스트를 실행하여 수행됩니다.

2. 요구사항 기반 소프트웨어 통합 테스트: 이 테스트 방법은 소프트웨어 컴포넌트 (일반적으로 기능, 절차 또는 모듈)가 적절하게 상호 작용하고 요구사항과 아키텍처를 준수하는지 확인하기 위해 소프트웨어의 상호 관계에 중점을 둡니다. 이 테스트는 손상된 데이터, 변수 및 상수 초기화 오류, 이벤트 또는 작동 순서 지정 오류 등과 같은 총괄 프로세스 및 컴포넌트 인터페이스의 오류에 중점을 둡니다. 이 테스트는 일반적으로 하드웨어/소프트웨어 통합에 대한 상위 요구사항 테스트와 요구사항 기반 테스트를 추가하여 소프트웨어 아키텍처를 실행해야 할 수도 있습니다. 마찬가지로 소프트웨어/하드웨어 통합 테스트를 보완하기 위해 더 낮은 수준의 테스트가 필요할 수도 있습니다.

3. 요구사항 기반 상세 테스트: 이 방법은 일반적으로 상세 요구사항을 준수하는데 중점을 둡니다. 알고리즘 준수 및 정확성, 루프 연산, 올바른 논리, 입력 조건 조합, 손상되거나 누락된 입력 데이터에 대한 적절한 대응, 예외 처리, 계산 순서 등과 같은 낮은 수준의 기능을 검사합니다.

2. 정상 및 강건성 시험

DO-178C 는 정상 및 강건성의 두 가지 테스트 케이스의 개발을 촉진합니다.

2.1 일반적인 테스트 케이스

일반적인 테스트 케이스는 정상 / 예상 조건 및 입력으로 소프트웨어의 오류를 찾습니다. DO-178C 는 레벨 A, B, C 에 대한 상위 및 하위 레벨 요구사항 및 레벨 D 에 대한 상위 레벨 요구사항에 대한 일반 테스트 케이스를 필요로 합니다. 일반 테스트 케이스는 유효한 변수를 사용하기 위한 요구사항에 대해 작성됩니다 (동등 클래스 및 경계 9.6.3.1 절과 9.6.3.2 절에서 논의된 값 테스트), 정상 상태에서 시간 관련 기능의 작동을 확인하고, 정상 작동 중 운동 상태 전이를 확인하고 정상 범위 변수 사용 및 부울 연산자의 정확성을 확인합니다 (요구사항이 논리 방정식으로 표현).

2.2 강건성 테스트 케이스

강건성 테스트 케이스는 비정상적이거나 예기치 않은 조건 및 입력에 노출되었을 때 소프트웨어가 어떻게 작동하는지 보여주기 위해 생성됩니다. DO-178C 는 레벨 A, B 및 C 에 대한 상위 및 하위 레벨 요구사항과 레벨 D 에 대한 상위 레벨 요구사항에 대한 강건성 테스트 케이스를 필요로 합니다. 강건성 테스트 케이스는 유효하지 않은 변수, 잘못된 상태 전이, 범위를 벗어난 것으로 간주합니다 계산 된 루프 카운트, 파티셔닝 및 산술 오버플로우에 대한 보호 메커니즘, 비정상적인 시스템 초기화 및 수신 데이터의 장애 모드가 있습니다.

DO-178C 는 테스트 케이스를 결정하는 수단으로 요구사항을 사용하는 것에 중점을 둡니다. 요구사항은 의도 된 동작을 명시합니다. 그러한 행동을 탐구해야 합니다. 동작이 지정되었지만 테스터는 시스템이 의도한 바를 이해하고 다른 동작이 구현에 존재하지 않는지 확인하기 위해 테스트 사례를 작성할 때 다른 동작이나 추가 동작을 탐구하기 위해 노력해야 합니다 (예: 정신력). 존재할 수 있는 모든 추가 동작을 판별하는 것이 불가능하기 때문에 이것은 개방형 프로세스입니다. 초기 요구사항 세트는 지침으로 제공되며 지정된 이상으로 동작을 확인하기 위해 추가 된 새로운 테스트 사례는 강건성 요구사항 (인증 크레딧에 사용되는 모든 테스트가 요구사항을 추적해야 하기 때문에)과 같은 추가 요구사항을 초래할 수 있습니다.

5.7. 매개변수 데이터 항목 검증

- 실행 파일 객체 코드는 정의된 구조 및 속성을 준수하는 모든 매개변수 데이터 항목 파일을 올바르게 처리하기 위해 정상 범위 테스트를 통해 개발되고 검증되었습니다.

- 실행 객체 코드는 매개변수 데이터 항목(Parameter Data Items) 파일 구조 및 특성과 관련하여 강건합니다.

- 매개변수 데이터 항목 파일의 내용으로 인한 실행 가능 객체 코드의 모든 동작을 확인할 수 있습니다.

- 수명주기 데이터의 구조로 인해 매개변수 데이터 항목을 별도로 관리할 수 있습니다.

위의 모든 조건이 준수되지 않으면 매개변수 데이터 항목을 나머지 소프트웨어와 별도로 확인해서는 안됩니다. 이 경우 실행 객체 코드와 매개변수 데이터 항목 파일을 함께 확인해야 합니다.

실행 객체 코드의 검증과 별도로 검증할 수 있는 매개변수 데이터 항목의 경우 아래에 식별된 목표가 적용됩니다. 아래의 목표는 테스트, 분석 및 검토의 조합으로 얻을 수 있습니다.

a. 매개변수 데이터 항목 파일은 상위 요구사항에 정의된 대로 구조를 준수하는지 확인해야 합니다. 이 확인은 매개변수 데이터 항목 파일에 상위 요구사항에 의해 정의되지 않은 요소가 포함되지 않도록 하는 것을 포함합니다. 매개변수 데이터 항목 파일의 각 데이터 요소는 올바른 값을 가지며 다른 데이터 요소와 일치하고 상위 요구사항에 정의된 속성을 준수해야 합니다.

b. 매개변수 데이터 항목 파일의 모든 요소는 검증 중에 다루어 졌습니다.

6. 소프트웨어 형상관리 프로세스

이 절에서는 소프트웨어 형상 관리 프로세스의 목표와 활동에 대해 설명합니다. 소프트웨어 형상 관리 프로세스는 소프트웨어 계획 프로세스 및 소프트웨어 형상 관리 계획에 정의된 대로 적용됩니다.

소프트웨어 형상 관리 프로세스의 출력은 소프트웨어 형상 관리 기록 또는 기타 소프트웨어 수명주기 데이터에 기록됩니다.

소프트웨어 형상 관리 프로세스는 다른 소프트웨어 수명주기 프로세스와 협력하여 다음을 지원합니다.

a. 소프트웨어 수명주기 전체에 걸쳐 정의되고 통제된 소프트웨어 구성을 제공합니다.

b. 실행 가능한 객체 코드와 매개변수 데이터 항목 파일 (있는 경우)을 소프트웨어 제조를 위해 지속적으로 복제하거나 조사 또는 수정의 필요성이 발생할 경우 이를 재 생성하는 기능을 제공합니다.

c. 프로세스 수명주기 동안 프로세스 입력 및 출력을 통제하여 프로세스 활동의 일관성 및 반복성을 보장합니다.

d. 형상 항목 통제 및 베이스라인 설정을 통해 검토할 지점, 상태 평가 및 통제 변경을 제공합니다.

e. 주의를 기울이고 변경 사항을 반영하도록 통제를 제공하면 기록, 승인 및 구현됩니다.

f. 소프트웨어 수명주기 프로세스의 결과를 통제하여 소프트웨어 승인에 대한 증거를 제공합니다.

g. 소프트웨어 제품 요구사항 준수 여부 평가.

h. 형상 항목에 대해 안전한 물리적 보관, 복구 및 통제가 유지되는지 확인합니다.

6.1. 소프트웨어 형상관리 프로세스 목적

소프트웨어 형상 관리 프로세스 목표는 다음과 같습니다.

a. 각 형상 항목과 그 연속 버전은 형상 항목의 통제 및 참조를 위한 기초가 확립되도록 모호하지 않게 레이블이 지정됩니다.

b. 베이스라인은 추가 소프트웨어 수명주기 프로세스 활동을 위해 정의되며 형상 항목에 대한 참조, 통제 및 추적성을 허용합니다.

c. 문제 보고 프로세스 레코드는 소프트웨어 계획 및 표준을 따르지 않고 소프트웨어 수명주기 프로세스 출력 결과를 기록하고 소프트웨어 제품의 비정상적인 동작을 기록하며 이러한 문제를 해결합니다.

d. 변경 통제는 소프트웨어 수명주기 동안 변경 사항의 기록, 평가, 해결 및 승인을 제공합니다.

e. 변경 검토는 소프트웨어 계획 프로세스 중에 정의된 문제 보고 및 변경 통제 방법을 통해 문제 및 변경 사항을 평가, 승인 또는 비 승인하고 승인된 변경 사항을 구현하고 영향을 받는 프로세스에 피드백을 제공하도록 보장합니다.

f. 상태 계산은 형상 식별, 베이스라인, 문제점 보고서 및 변경 통제와 관련하여 소프트웨어 수명주기 프로세스의 형상 관리를 위한 데이터를 제공합니다.

g. 보관 및 검색은 소프트웨어 제품을 복제, 재생성, 재시험 또는 수정해야 하는 경우 소프트웨어 제품과 관련된 소프트웨어 수명주기 데이터를 검색할 수 있도록 보장합니다. 배포 활동의 목적은 승인된 소프트웨어만 사용하고 특히 소프트웨어 제조의 경우 아카이빙 및 복구가 가능하도록 보장합니다.

h. 소프트웨어로드 통제는 실행 가능한 객체 코드 및 매개변수 데이터 항목 파일 (있는 경우)을 적절한 안전 장치가 있는 시스템이나 장비에 로드 하도록 보장합니다.

i. 소프트웨어 수명주기 환경 통제는 소프트웨어를 생산하는 데 사용된 도구를 식별, 통제 및 검색할 수 있게 합니다.

소프트웨어 형상 관리 목표는 소프트웨어 Level 과 무관합니다. 그러나 소프트웨어 수명주기 데이터의 두 가지 범주가 데이터에 적용된 소프트웨어 형상 관리 통제에 따라 존재할 수 있습니다.

부속서 A 의 표 A-8 은 소프트웨어 형상 관리 프로세스의 목적과 결과를 요약한 것입니다.

6.2. 소프트웨어 형상관리 활동

소프트웨어 형상 관리 프로세스에는 형상 식별, 변경 통제, 기준 설정 및 관련 소프트웨어 수명주기 데이터를 포함한 소프트웨어 제품의 보관 활동이 포함됩니다. 소프트웨어 형상 관리 프로세스는 소프트웨어 제품이 인증 기관의 승인을 받았지만 시스템 또는 장비의 서비스 수명 내내 계속될 때 중단되지 않습니다. 소프트웨어 수명주기 활동이 공급 업체에 의해 수행되는 경우, 형상 관리 활동이 공급 업체에 적용되어야 합니다.

6.2.1. 형상 식별

활동은 다음과 같습니다.

a. 소프트웨어 수명주기 데이터에 대한 형상 식별이 설정되어야 합니다.

b. 형상 식별은 각 형상 항목, 형상 항목의 개별적으로 통제되는 각 컴포넌트 및 소프트웨어 제품을 구성하는 형상 항목의 조합에 대해 설정되어야 합니다.

c. 형상 항목은 변경 통제 및 추적성 분석을 구현하기 전에 식별된 구성이어야 합니다.

d. 형상 항목은 다른 소프트웨어 수명주기 프로세스에 의해 사용되거나 다른 소프트웨어 수명주기 데이터에 의해 참조되거나 소프트웨어 제조 또는 소프트웨어로드에 사용되기 전에 식별된 형상 이어야 합니다.

e. 물리적 검사 (예: 부품 번호 플레이트 검사)로 소프트웨어 제품 식별을 결정할 수 없는 경우 실행 가능 객체 코드 및 매개변수 데이터 항목 파일 (있는 경우)은

시스템 또는 장비의 다른 부분에서 액세스할 수 있는 형상 식별을 포함해야 합니다. 이것은 현장 탑재형 소프트웨어에도 적용될 수 있습니다.

6.2.2. 베이스라인 및 추적성

활동은 다음과 같습니다.

a. 인증 신용에 사용되는 형상 항목에 대한 베이스라인을 설정해야 합니다. 소프트웨어 수명주기 프로세스 활동을 통제하는 데 도움이 되도록 중간 베이스라인을 설정할 수 있습니다.

b. 소프트웨어 제품 베이스라인은 소프트웨어 제품에 대해 설정되어야 하며 소프트웨어 형상 색인에 정의되어야 합니다.

주: 사용자가 수정할 수 있는 소프트웨어는 관련 보호 및 경계 컴포넌트를 제외하고 소프트웨어 제품 베이스라인에 포함되어 있지 않습니다. 따라서 소프트웨어 제품 기준의 형상 식별에 영향을 미치지 않고 사용자가 수정할 수 있는 소프트웨어가 수정될 수 있습니다.

c. 베이스라인은 물리적, 전자적 또는 기타 여부에 관계없이 통제된 소프트웨어 라이브러리에 설치되어 무결성을 보장해야 합니다. 베이스라인이 확립되면 변경으로부터 보호되어야 합니다.

d. 확정된 베이스라인으로부터 파생 베이스라인을 개발하기 위해 변경 관리 활동을 따라야 합니다.

e. 소프트웨어 수명주기 프로세스 활동 또는 이전 베이스라인의 개발과 관련된 데이터에 대한 인증 신용을 얻으려는 경우 베이스라인이 파생된 베이스라인까지 추적 가능해야 합니다.

f. 소프트웨어 수명주기 프로세스 활동 또는 이전 형상 항목의 개발과 관련된 데이터에 대한 인증 신용을 얻으려면 형상 항목이 파생된 형상 항목까지 추적 가능해야 합니다.

g. 베이스라인 또는 형상 항목은 그것이 식별하는 산출물 또는 그것이 관련되어 있는 공정으로 추적 가능해야 합니다.

6.2.3. 문제 보고, 추적 및 시정 조치

활동은 다음과 같습니다.

a. 1.17 절에서 정의된 계획, 출력 부족, 소프트웨어 이상 행동 및 취해진 시정 조치를 준수하지 않는 프로세스를 설명하는 문제 보고서를 준비해야 합니다.

   주: 소프트웨어 수명주기 프로세스 및 소프트웨어 제품 문제점은 별도의 문제점 보고 시스템에 기록될 수 있습니다.

b. 문제 보고는 영향을 받는 형상 항목의 형상 식별 또는 영향을 받는 프로세스 활동의 정의, 문제 보고서의 상태 보고 및 문제 보고서의 승인 및 종료를 제공해야 합니다.

c. 문제점 소프트웨어 제품의 시정 조치 또는 소프트웨어 수명주기 프로세스의 출력을 요구하는 보고서는 변경 통제 활동을 호출해야 합니다.

6.2.4. 변경 통제

활동은 다음과 같습니다.

a. 변경 통제는 변경 사항에 대한 보호 기능을 제공하여 형상 항목 및 베이스라인의 무결성을 유지해야 합니다.

b. 변경 통제는 형상 항목 변경 시 형상 식별을 변경해야 합니다.

c. 파생 베이스라인을 생성하기 위해 변경 통제하에 있는 베이스라인 및 형상 항목에 대한 변경 사항을 기록, 승인 및 추적해야 합니다. 보고된 문제를 해결하면 형상 항목이나 베이스라인이 변경될 수 있으므로 문제 보고는 변경 통제와 관련됩니다.

   주: 변경 통제를 조기에 구현하면 소프트웨어 수명주기 프로세스 활동의 통제 및 관리에 도움이 된다고 일반적으로 알려져 있습니다.

d. 소프트웨어 변경은 변경 사항이 출력에 영향을 주는 시점부터 반복되는 소프트웨어 수명주기 프로세스와 그 출처를 추적해야 합니다. 예를 들어 하드웨어/소프트웨어 통합에서 발견된 오류는 잘못된 설계로 인해 발생하는 것으로 설계 수정, 코드 수정 및 관련된 총괄 프로세스 활동의 반복을 초래합니다.

e. 변경 활동 전체에서 변경 사항의 영향을 받는 소프트웨어 수명주기 데이터를 갱신하고 변경 통제 활동에 대한 기록을 유지해야 합니다.

변경 통제 활동은 변경 검토 활동의 도움을 받습니다.

6.2.5. 변경 검토

활동은 다음과 같습니다.

a. 시스템 요구사항에 대한 문제 또는 제안된 변경의 영향 평가. 피드백은 시스템 안전 평가 프로세스를 포함한 시스템 프로세스에 제공되어야 하며 시스템 프로세스의 모든 응답을 평가해야 합니다.

b. 소프트웨어 수명주기 데이터에 대해 문제 또는 제안된 변경이 미치는 영향을 평가하여 변경 사항 및 취할 조치를 식별합니다.

c. 영향을 받는 형상 항목이 식별된 형상임을 확인합니다.

d. 문제 보고 피드백 또는 영향을 받는 프로세스에 대한 영향 및 결정을 변경합니다.

6.2.6. 아카이브, 검색 및 종료

활동은 다음과 같습니다.

a. 형상 항목 식별, 기준 식별, 문제점 보고서 상태, 변경 이력 및 배포 상태에 대한 보고.

b. 유지해야 할 데이터의 정의와 이 데이터의 기록 및 보고 수단.

6.2.7. 아카이브, 검색 및 종료

활동은 다음과 같습니다.

a. 소프트웨어 제품과 관련된 소프트웨어 수명주기 데이터는 승인된 출처 (예: 개발 조직 또는 회사의 아카이브)에서 검색할 수 있어야 합니다.

b. 다음과 같은 방법으로 저장 매체에 관계없이 저장된 데이터의 무결성을 보장하는 절차가 수립되어야 합니다.

   1. 무단 변경을 할 수 없도록 보장.
   2. 재생 오류 또는 성능 저하를 최소화하는 저장 매체 선택.
   3. 시간이 지남에 따라 데이터 손실 또는 손상 방지. 사용되는 저장 매체에 따라 주기적으로 미디어를 사용하거나 보관된 데이터를 새로 고치는 작업이 포함될 수 있습니다.
   4. 물리적으로 분리된 보관소에 중복 사본을 보관하여 재난 발생시 손실 위험을 최소화합니다.

c. 복제 프로세스는 정확한 사본을 생성하기 위해 검증되어야 하며, 실행 가능한 객체 코드 및 매개변수 데이터 항목 파일 (있는 경우)의 오류 없는 복사를 보장하는 절차가 있어야 합니다.

d. 소프트웨어 제조에 사용하기 전에 형상 항목을 식별하고 배포해야 하며 배포 구성 권한을 설정해야 합니다. 최소한 공수 시스템이나 장비에 로드된 소프트웨어 제품의 컴포넌트가 배포되어야 합니다. 여기에는 실행 객체 코드 및 매개변수 데이터 항목 파일 (있는 경우)이 포함되며 소프트웨어 로드를 위한 관련 미디어가 포함될 수도 있습니다.

   참고: 배포는 일반적으로 공수 시스템이나 장비에 로드 하기 위해 승인된 소프트웨어를 정의하는 데이터에도 필요합니다. 해당 데이터의 정의는 본 문서의 범위를 벗어나지 만 소프트웨어 형상 색인을 포함할 수 있습니다.

e. 내구성 요구사항을 준수하고 소프트웨어 수정을 가능하게 하기 위해 데이터 보존 절차가 수립되어야 합니다.

참고: 추가 데이터 보존 고려사항에는 비즈니스 요구 및 향후 인증 기관 검토와 같은 항목이 포함될 수 있으며 본 문서의 범위를 벗어납니다.

6.3. 데이터 통제 범주

소프트웨어 수명주기 데이터는 통제 범주 1 (CC1)과 통제 범주 2 (CC2)의 두 가지 형상 관리 통제 범주 중 하나에 할당될 수 있습니다. 표 2 은 각 범주에 관련된 소프트웨어 형상 관리 프로세스 활동 집합을 정의합니다. ●는 해당 범주의 소프트웨어 수명주기 데이터에 적용되는 최소 활동을 나타냅니다. CC2 활동은 CC1 활동의 하위 집합입니다.

부속서 A 표는 소프트웨어 수명주기 데이터 항목에 대한 소프트웨어 Level 별 통제 범주를 지정합니다.

표 2 SCM Process Activities Associated with CC1 and CC2 Data(부속서 A)

SCM Process Activity	Reference	CC1	CC2
Configuration Identification	7.2.1	●	●
Baselines	7.2.2.a 7.2.2.b 7.2.2.c 7.2.2.d 7.2.2.e	●	
Traceability	7.2.2.f 7.2.2.g	●	●
Problem Reporting	7.2.3	●	
Change Control - integrity and identification	7.2.4.a 7.2.4.b	●	●
Change Control - tracking	7.2.4.c 7.2.4.d 7.2.4.e	●	
Change Review	7.2.5	●	
Configuration Status Accounting	7.2.6	●	
Retrieval	7.2.7.a	●	●
Protection against Unauthorized Changes	7.2.7.b.1	●	●
Media Selection, Refreshing, Duplication	7.2.7.b.2 7.2.7.b.3 7.2.7.b.4 7.2.7.c	●	
Release	7.2.7.d	●	
Data Retention	7.2.7.e	●	●

6.4. 소프트웨어 로드 통제

소프트웨어 로드 통제는 프로그램 된 명령어 및 데이터가 마스터 메모리 장치에서 시스템 또는 장비로 전송되는 프로세스를 의미합니다. 예를 들어, 방법은 공장 사전 프로그래밍된 메모리 장치의 설치 또는 필드 로딩 장치를 사용하는 시스템 또는 장비의 "원위치 (in situ)"재 프로그래밍을 (인증 기관의 승인을 조건으로) 포함할 수 있습니다. 어떤 방법을 사용하든 소프트웨어로드 통제에는 다음이 포함되어야 합니다.

a. 공수 시스템이나 장비에 장착하기 위해 승인을 받아야 하는 소프트웨어 구성을 식별하는 부품 번호 및 매체 식별 절차.

b. 소프트웨어가 최종 품목으로 제공되거나 항공기 탑재 시스템 또는 장비에 설치되어 전달되는 경우 항공기 시스템 또는 장비 하드웨어와의 소프트웨어 호환성을 확인하는 기록을 보관해야 합니다.

6.5. 소프트웨어 수명주기 통제

소프트웨어 수명주기 환경 도구는 소프트웨어 계획 프로세스에 의해 정의되며 소프트웨어 수명주기 환경 형상 색인에서 식별됩니다. 활동은 다음과 같습니다.

a. 소프트웨어를 개발, 통제, 빌드, 확인 및 로드 하는데 사용되는 도구의 실행 가능 객체 코드 또는 이와 동등한 형상 식별이 설정되어야 합니다.

b. 검증된 도구를 관리하기 위한 소프트웨어 형상 관리 프로세스는 2.2.3 절에 제공된 지침에 따라 통제 범주 1 또는 통제 범주 2 데이터와 관련된 목표를 준수해야 합니다.

c. 7.5b 절이 적용되지 않는 한, 소프트웨어를 빌드하고 로드 하는데 사용되는 도구 (예: 컴파일러, 어셈블러 및 링커 편집기)에 대해 실행 가능한 객체 코드 또는 이와 동등한 도구를 통제하는 소프트웨어 형상 관리 프로세스는 최소한 통제 범주 2 데이터와 관련된 목표를 준수해야 합니다.

보충 설명:

1. 소개

1.1 소프트웨어 형상 관리란 무엇입니까?

소프트웨어 형상 관리 (SCM)는 필수 프로세스입니다. 소프트웨어 수명주기의 모든 영역에 걸쳐 있으며 모든 데이터 및 프로세스에 영향을 미칩니다.

SCM 은 일반적으로 믿을 만한 소스 코드가 아닙니다. 모든 소프트웨어 수명주기 데이터에 필요합니다. 소프트웨어를 생산하고, 소프트웨어를 검증하며, 소프트웨어 준수를 입증하는 데 사용된 모든 데이터 및 문서는 일정 수준의 형상 관리를 필요로 합니다. 즉, DO-178C 11 절에 나열된 모든 소프트웨어 수명주기 데이터에는 SCM 이 필요합니다. 적용되는 SCM 프로세스의 엄격함은 소프트웨어 Level 및 이슈의 특성에 따라 다릅니다. DO-178C 는 CC1/CC2 (제어 범주 # 1 또는 제어 범주 # 2)의 개념을 사용하여 데이터 항목에 얼마만큼의 형상 통제가 적용되는지 식별합니다. CC1 로 분류 된 데이터 항목은 모든 DO-178C SCM 활동을 적용해야 합니다. 그러나 CC2 데이터 항목은 부분 집합을 적용할 수 있습니다.

이 장에서는 DO-178C 에서 요구하고 안전에 중대한 영역에서 모범 사례로 간주되는 SCM 활동을 검토합니다. 기업이 종종 실제 세계에서 어려움을 겪는 중요한 SCM 프로세스이기 때문에 문제보고, 변경 영향 분석 및 환경 제어 프로세스에 특별한 주의를 기울입니다.

1.2 소프트웨어 형상 관리가 필요한 이유는 무엇입니까?

안전에 필수적인 도메인을 포함하여 모든 영역에서의 소프트웨어 개발은 높은 압력 활동입니다. 소프트웨어 엔지니어는 엄격한 일정과 예산으로 컴퓨터 시스템을 개발해야 합니다. 이들은 신속하게 업데이트하고 표준 및 규정을 준수하는 고품질 소프트웨어를 유지 관리해야 합니다.

제대로 구현된 소프트웨어 형상 관리 (SCM) 시스템은 소프트웨어 개발 팀이 혼란 없이 최고의 품질의 소프트웨어를 만드는데 도움이 되는 메커니즘입니다.

좋은 SCM 은 소스 코드 모듈 누락, 최신 버전의 파일 찾기 불가능, 수정된 실수의 재현, 요구사항 누락, 변경 시 결정할 수 없음, 두 프로그래머가 공유 파일 등이 포함된 자료를 업데이트할 때 서로 작업을 덮어 쓰는 문제를 방지하는 데 도움이 됩니다. SCM 은 동일한 프로젝트에서 작업하는 여러 사람의 작업과 노력을 조율하여 이러한 문제를 줄입니다. SCM 을 적절히 구현하면 고객 불만을 해소하며 제품과 제품의 일관성을 유지합니다.

SCM 을 사용하면 효과적인 변경 관리가 가능합니다. 소프트웨어 집약적인 시스템은 변화 할 것입니다. 이는 소프트웨어 특성의 일부입니다. Pressman 은 "당신이 변화를 통제하지 않으면, 당신을 통제합니다. 그리고 그것은 결코 좋지 않습니다. 통제되지 않은 변화로 인해 잘 운영되는 소프트웨어 프로젝트가 혼란에 빠지기 쉽습니다. " 변화가 자주 일어나기 때문에 효과적으로 관리해야 합니다. 올바른 SCM 은 (1) 변경 될 가능성이 있는 데이터 항목 식별, (2) 데이터 항목 간의 관계 정의, (3) 데이터 수정 제어 방법 식별, (4) 구현 변경 제어, (5) 변경 사항보고.

효과적인 SCM 은 다음을 포함하여 소프트웨어 팀, 전체 조직 및 고객에게 많은 이점을 제공합니다.

- 조직된 작업과 활동을 사용하여 소프트웨어의 무결성을 유지합니다.
- 인증 기관 및 고객에 대한 신뢰를 구축합니다.
- 고품질의 소프트웨어를 지원함으로 보다 안전합니다.
- DO-178C 가 요구하는 수명주기 데이터를 관리할 수 있습니다.
- 소프트웨어 형상이 알려져 있고 올바른지 확인합니다.
- 프로젝트의 일정 및 예산 요구사항을 지원합니다.
- 기본 소프트웨어 및 데이터 항목에 대한 기능을 제공합니다.
- 베이스라인에 대한 변경 내용을 추적하는 기능을 제공합니다.
- 데이터 관리에 체계적인 접근 방식을 제공함으로써 개발 팀 구성원 간의 혼란을 피하고 의사소통을 향상시킵니다.
- 놀라움과 낭비되는 시간을 피하거나 줄입니다.
- 코드 및 지원 수명주기 데이터의 문제를 식별, 기록 및 해결할 수 있는 방법을 제공합니다.
- 소프트웨어 개발, 검증, 테스트 및 재생을 위한 통제된 환경을 장려합니다.
- 초기 개발 이후에도 소프트웨어를 재생성 할 수 있습니다.
- 프로젝트 전반에 걸쳐 상태 계산 기능을 제공합니다.

1.3 누가 소프트웨어 형상 관리를 구현할 책임이 있습니까?

SCM 은 소프트웨어 개발 프로세스에 관련된 모든 사람의 책임입니다. 안전에 필수적인 도메인을 포함하여 모든 영역에서의 소프트웨어 개발은 높은 압력 활동입니다. 모든 개발자는 좋은 SCM 의 이점, 열악한 SCM, SCM 모범 사례 및 특정 회사 SCM 절차의 위험에 대해 교육 받아야 합니다. 이러한 교육을 통해 엔지니어는 전반적으로 더 나은 업무를 수행 할 수 있습니다. 제대로 구현되고 자동화되면 SCM 은 개발자가 매일 수행하는 것이 어렵지 않아야 합니다.

과거 SCM 은 수작업으로 시간을 소비하는 과정이었습니다. 그러나 이제는 좋은 SCM 도구를 사용할 수 있게 됨에 따라 SCM 프로세스가 개발자에게 과중한 부담을 주지 않으면 서 구현될 수 있습니다.

그러나 SCM 도구가 모든 것을 처리할 것이라고 생각하면 재앙을 위한 방법이 될 수 있습니다. 변경 관리, 빌드 및 릴리스 관리, 형상 감사를 비롯한 많은 SCM 활동에는 사람의 개입과 판단이 필요합니다. SCM 도구로 이러한 작업을 보다 쉽게 수행 할 수 있지만 사람의 지능과 의사 결정을 대체 할 수는 없습니다.

SCM 은 모든 사람의 책임입니다. 소프트웨어와 데이터를 원하는 사람들, 소프트웨어와 데이터를 만드는 사람들, 소프트웨어와 데이터를 사용하는 사람들 사이의 의사 소통과 팀웍이 필요합니다. 좋은 SCM 은 통신으로 시작하고 끝납니다. 다음은 효과적인 SCM 을 가능하게 하는 의사 소통을 장려하기 위한 몇 가지 제안입니다.

• 목표와 목적이 명확하게 기술되어 있는지 확인합니다.

• 모든 이해 관계자가 목표와 목적을 이해하는지 확인합니다.

• 모든 이해 관계자가 협력하고 협력을 방해하는 문제를 해결하도록 보장합니다.

• 모든 프로세스가 문서화되고 모든 이해 관계자가 명확하게 이해하는지 확인합니다.

• 피드백을 자주 제공합니다.

• 의사 결정에 필요한 데이터가 있는지 확인합니다.

• 문제가 발생할 때 해결합니다.

1.4 소프트웨어 구성 관리는 무엇을 포함합니까?

DO-178C 표 A-1 목표의 산출물인 SCM 계획의 개발 외에도 DO-178C 는 표 A-8 의 SCM 프로세스에 대한 6 가지 목표를 정의합니다. 각 목표는 모든 소프트웨어 레벨에 필요합니다. 여섯 가지 목표는 다음과 같습니다.

• DO-178C, 표 A-8, 목적 1: "구성 항목이 식별됩니다."

• DO-178C, 표 A-8, 목표 2: "기본 및 추적 성이 확립되었습니다."

• DO-178C, 표 A-8, 목표 3: "문제 보고, 변경 제어, 변경 검토 및 구성 상태 계산이 설정되었습니다."

• DO-178C, 표 A-8, 목적 4: "아카이브, 검색 및 배포가 설정되었습니다."

• DO-178C, 표 A-8, 목표 5: "소프트웨어로드 제어가 설정되었습니다."

• DO-178C, 표 A-8, 목표 6: "소프트웨어 수명주기 환경 제어가 수립되었습니다."

이러한 목표는 소프트웨어 수명주기 데이터의 진실성, 책임 성, 재현성, 가시성, 조정 및 제어를 위해 적용됩니다. DO-178C 의 목표를 달성하기 위해서는 구성 확인, 기준선 조사, 추적 가능성, 문제 보고, 변경 제어, 변경 검토, 상태 계산, 릴리스, 보관 및 검색, 부하 제어 및 환경 제어 등 여러 가지 작업이 필요합니다.

7. 소프트웨어 품질 보증 프로세스

이 절에서는 소프트웨어 품질 보증 (소프트웨어 품질 보증) 프로세스의 목표 및 활동에 대해 설명합니다. 소프트웨어 품질 보증 프로세스는 소프트웨어 계획 프로세스 및 소프트웨어 품질 보증 계획에 정의된 대로 적용됩니다. 소프트웨어 품질 보증 프로세스 활동의 출력은 소프트웨어 품질 보증 기록 또는 기타 소프트웨어 수명주기 데이터에 기록됩니다.

소프트웨어 품질 보증 프로세스는 목표가 준수되고 결함이 검출, 평가, 추적 및 해결되고 소프트웨어 제품 및 소프트웨어 수명주기 데이터가 인증 요구사항을 준수한다는 보증을 얻기 위해 소프트웨어 수명주기 프로세스 및 결과를 평가합니다.

7.1. 소프트웨어 품질 보증 프로세스 목표

소프트웨어 품질 보증 프로세스 목표는 소프트웨어 수명주기 프로세스가 이러한 프로세스가 승인된 소프트웨어 계획 및 표준을 준수하여 수행됨으로써 요구사항을 준수하는 소프트웨어를 생성한다는 확신을 줍니다.

소프트웨어 품질 보증 프로세스의 목적은 다음과 같은 보증을 얻는 것입니다.

a. 소프트웨어 계획과 표준은 본 문서의 준수와 일관성을 위해 개발되고 검토됩니다.

b. 공급자의 소프트웨어 수명주기 프로세스는 승인된 소프트웨어 계획 및 표준을 준수합니다.

c. 소프트웨어 수명주기 프로세스의 전환 기준이 준수됩니다.

d. 소프트웨어 제품의 적합성 검토가 수행됩니다.

부속서 A 표 A-9 는 소프트웨어 품질 보증 과정의 목적과 결과를 요약한 것입니다.

7.2. 소프트웨어 품질 보증 프로세스 활동

소프트웨어 품질 보증 프로세스 목표를 준수하기 위한 활동은 다음과 같습니다.

a. 소프트웨어 품질 보증 프로세스는 소프트웨어 수명주기 프로세스의 활동에서 적극적인 역할을 해야 하며 소프트웨어 품질 보증 프로세스 목표를 만족할 수 있도록 권한, 책임 및 독립성을 바탕으로 소프트웨어 품질 보증 프로세스를 수행해야 합니다.

b. 소프트웨어 품질 보증 프로세스는 소프트웨어 계획 및 표준이 본 문서의 준수 및 일관성을 위해 개발되고 검토되었는지 보증을 제공해야 합니다.

c. 소프트웨어 품질 보증 프로세스는 소프트웨어 수명주기 프로세스가 승인된 소프트웨어 계획 및 표준을 준수한다는 보증을 제공해야 합니다.

d. 소프트웨어 품질 보증 프로세스에는 다음과 같은 보증을 얻기 위해 소프트웨어 수명주기 동안의 소프트웨어 수명주기 프로세스에 대한 감사가 포함되어야 합니다.

 1. 소프트웨어 계획은 4.2 절에 명시된 대로 사용할 수 있습니다.

 2. 소프트웨어 계획 및 표준의 편차가 검출, 기록, 평가, 추적 및 해결됩니다.

 주: 프로세스 편차를 조기에 검출하면 소프트웨어 수명주기 프로세스 목표를 효율적으로 달성할 수 있습니다.

 3. 승인된 편차가 기록됩니다.

 4. 소프트웨어 개발 환경은 소프트웨어 계획에 명시된 대로 제공됩니다.

 5. 문제 보고, 추적 및 시정 조치 프로세스 활동은 소프트웨어 형상 관리 계획을 준수합니다.

 6. 시스템 안전 평가 프로세스를 포함하여 시스템 프로세스에 의해 소프트웨어 수명주기 프로세스에 제공된 입력이 처리됩니다.

 주: 소프트웨어 수명주기 프로세스의 활동 모니터링은 활동이 통제하에 있음을 보장하기 위해 수행될 수 있습니다.

e. 소프트웨어 품질 보증 프로세스는 승인된 소프트웨어 계획에 따라 소프트웨어 수명주기 프로세스의 전환 기준이 준수되었음을 보증해야 합니다.

f. 소프트웨어 품질 보증 프로세스는 7.3 절과 부속서 A 의 표에 정의된 통제 범주에 따라 소프트웨어 수명주기 데이터가 통제된다는 보증을 제공해야 합니다.

g. 인증 응용 프로그램의 일부로 제출된 소프트웨어 제품을 제공하기 전에 소프트웨어 적합성 검토를 수행해야 합니다.

h. 소프트웨어 품질 보증 프로세스는 심사 결과와 인증 응용 프로그램의 일부로 제출된 각 소프트웨어 제품에 대한 소프트웨어 적합성 검토 완료 증거를 포함하여 소프트웨어 품질 보증 프로세스 활동의 기록을 생성해야 합니다.

i. 소프트웨어 품질 보증 프로세스는 공급 업체 프로세스 및 산출물이 승인된 소프트웨어 계획 및 표준을 준수한다는 보증을 제공해야 합니다.

7.3. 소프트웨어 적합성 검토

소프트웨어 적합성 검토의 목적은 인증 응용 프로그램의 일부로 제출된 소프트웨어 제품에 대해 소프트웨어 수명주기 프로세스가 완료되고 소프트웨어 수명주기 데이터가 완료되었으며 실행 객체 코드 및 매개변수 데이터 항목 파일이 있다면, 통제되고 재생될 수 있는지 확인하는 것이다.

이 검토는 다음 사항을 결정해야 합니다.

a. 소프트웨어 수명주기 데이터의 생성을 포함하여 인증 신용을 위한 계획된 소프트웨어 수명주기 프로세스 활동이 완료되고 완료 기록이 유지됩니다.

b. 특정 시스템 요구사항, 안전 관련 요구사항 또는 소프트웨어 요구사항에서 개발된 소프트웨어 수명주기 데이터는 이러한 요구사항을 추적할 수 있습니다.

c. 소프트웨어 수명주기 데이터는 소프트웨어 계획 및 표준에 따라 작성되었으며 소프트웨어 형상 관리 계획에 따라 관리된다는 증거가 있습니다.

d. 문제 보고서가 평가되고 상태가 기록된 증거가 있습니다.

e. 소프트웨어 요구사항 편차가 기록되고 승인됩니다.

f. 실행 가능 객체 코드 및 매개변수 데이터 항목 파일 (있는 경우)은 보관된 소스 코드에서 다시 생성할 수 있습니다.

g. 승인된 소프트웨어는 출시된 지침을 사용하여 성공적으로 로드 할 수 있습니다.

h. 문제점 이전 소프트웨어 적합성 검토에서 보류된 보고서는 상태를 판별하기 위해 다시 평가됩니다.

i. 이전에 개발된 소프트웨어 사용에 대한 인증 신용을 얻으려면 현재 소프트웨어 제품 베이스라인을 이전 베이스라인 및 해당 베이스라인에 대한 승인된 변경 사항까지 추적할 수 있습니다.

주: 인증 후 소프트웨어 수정을 위해, 변경의 중요성에 의해 타당화와 소프트웨어 적합성 검토 활동의 하위 집합이 수행될 수 있습니다.

보충 설명:

1. 소개: 소프트웨어 품질 및 소프트웨어 품질 보증 (SQA)

1.1 소프트웨어 품질 정의

안전에 필수적인 영역의 요구를 준수시키기 위해 소프트웨어 개발자는 품질에 전념해야 합니다. 고품질의 제품은 단순히 발생하지 않습니다. 이들은 재능 있고 양심적이며 훈련된 엔지니어뿐만 아니라 품질에 대한 의지를 가진 잘 관리된 조직의 결과입니다.

소프트웨어 공학에서는 두 가지가 보편적인 경향이 있는 품질에 대한 여러 견해가 있습니다. 첫 번째는 개발자의 관점입니다. 소프트웨어가 정의된 요구사항을 준수하는 경우 우수한 품질의 제품입니다. 두 번째는 고객의 관점입니다. 소프트웨어가 고객의 요구를 준수하는 경우 고품질의 제품입니다. 정의된 요구사항을 준수하지만 고객의 요구사항을 준수하지 않는 제품은 고객이 고품질로 간주하지 않습니다. 요구사항은 개발자와 고객의 품질 관점 간 격차를 해소하는데 중요합니다. 개발자의 요구사항을 준수하는 소프트웨어를 생성하고 검증할 수 있도록 요구사항을 개발하여 고객의 요구를 준수해야 합니다. 고객이 요구사항 정의 프로세스에 참여하게 하는 것이 중요합니다. 요구사항 정의 단계에서 긴밀한 고객 및 개발자 조정이 없으면 품질은 파악하기 어려운 목표입니다.

1.2 고품질 소프트웨어의 특성

품질 속성은 종종 고품질 소프트웨어의 목표를 식별하는 데 사용됩니다. 이러한 특성에는 정확성, 효율성, 유연성, 기능성, 통합성, 상호 운용성, 유지 보수성, 이식성, 재사용 가능성, 테스트 가능성 및 유용성이 포함됩니다. ISO (International Standards Organization) 및 IEC (International Electrical Technical Commission) 표준 9126 (ISO / IEC 9126)은 특성 및 하위 특성이라는 일련의 품질 속성을 정의합니다. 이러한 특성은 다음에 요약되어 있습니다.

• 기능성 (Functionality): 소프트웨어가 특정 조건 하에서 사용될 때 명시되고 암시된 요구를 준수하는 기능을 제공하는 소프트웨어 제품의 기능. 기능의 하위 특성에는 적합성, 정확성, 상호 운용성, 보안 및 기능 준수가 포함됩니다.

• 신뢰성 (Reliability): 소프트웨어 제품이 특정 조건 하에서 사용될 때 명세 된 수준의 성능을 유지하는 능력. 안정성의 하위 특성에는 성숙도, 내결함성, 복구 가능성 및 안정성 준수가 포함됩니다.

- 유용성 (Usability): 소프트웨어 제품이 특정 조건 하에서 사용될 때 사용자에게 이해되고, 학습되고, 사용되고 매력적이 될 수 있는 기능. 유용성의 하위 특성에는 이해 가능성, 학습 가능성, 조작 가능성, 매력 및 유용성 준수가 포함됩니다.

- 효율성: 명시된 조건 하에서 사용 된 자원의 양에 비례하여 적절한 성능을 제공하는 소프트웨어 제품의 기능. 효율성의 하위 특성에는 시간 동작, 자원 활용 및 효율성 준수가 포함됩니다.

- 유지 보수성 (Maintainability): 소프트웨어 제품이 수정할 수 있는 기능. 수정에는 환경, 요구사항 및 기능 사양의 변경에 대한 소프트웨어의 수정, 개선 또는 적용이 포함될 수 있습니다. 유지 보수의 하위 특성에는 분석 가능성, 변경 가능성, 안정성, 테스트 가능성 및 유지 보수 준수가 포함됩니다.

- 이식성: 한 환경에서 다른 환경으로 소프트웨어 제품을 전송할 수 있는 기능. 하위 호환성에는 적응성, 설치 가능성, 공존성, 대체성 및 이식성 준수가 포함됩니다.

1.3 소프트웨어 품질 보증

대부분의 회사는 필요한 품질 속성이 준수되고 소프트웨어가 요구사항을 준수하는지 확인하는 데 도움이 되는 SQA 프로세스를 구현합니다. Software Quality Assurance 의 공식적인 정의는 전체 소프트웨어 제품 사용에 대한 적합성에 대한 증거를 제공하는 체계적인 활동이라는 것입니다.

DO-178C SQA 프로세스는 소프트웨어 계획, 개발, 검증 및 최종 호환 노력을 통해 지속적으로 실행되는 필수 프로세스입니다. 하나 이상의 소프트웨어 품질 엔지니어 (SQE)는 계획 및 표준이 구현되는 동안 개발되고 준수되도록 합니다. SQE 는 또한 호환을 확인하기 위해 적합성 검토를 수행합니다.

DO-178C 는 SQA 프로세스가 필요하지만 품질은 전적으로 SQA 담당자의 책임이 아니라는 점에 유의해야 합니다. 또한 소프트웨어 품질은 일부 엔지니어링 분야의 경우와 마찬가지로 프로젝트가 끝날 때 평가할 수 없습니다. 품질은 지속적인 프로세스이며 전체 소프트웨어 팀의 책임입니다. DO-178C 는 소프트웨어 수명주기 전반에 걸쳐 표준 및 검증 활동을 통해 품질을 장려합니다.

DO-178C 는 모든 SQA 목표가 독립성에 만족되어야 한다고 요구합니다. DO-178C 는 검증보다 SQA 에 대한 독립성에 대해 약간 다른 정의를 제공합니다. DO-178C 는 독립성을 다음과 같이 정의합니다.

독립성은 객관적인 평가의 성취를 보장하는 책임 분리 입니다. (1) 소프트웨어 검증 프로세스 활동의 경우, 검증 활동이 검증되는 항목의 개발자가 아닌 사람에 의해 수행되고 독립 실행은 인간 검증과 동등한 도구를 사용할 수 있을 때 달성됩니다. (2) 소프트웨어 품질 보증 프로세스의 경우, 독립성에는 시정 조치를 보장하는 권한도 포함됩니다.

정의의 전반부는 검증 독립성과 관련이 있습니다. 후반부는 SQA 프로세스에 적용되며 조직 구조에 존재합니다. 필수는 아니지만 대부분의 기업은 엔지니어링 부서에 보고하지 않는 별도의 SQA 조직을 보유함으로써 독립 요구사항을 준수합니다. 이 절에서는 SQA 라는 용어를 사용하여 SQA 활동을 수행하는 그룹을 지칭합니다. SQA 는 하나 이상의 SQE 를 포함하는 별도의 조직 (엔지니어링 조직 내 별도의 기능 포함)이 될 수 있습니다.

DO-178C 는 프로세스 중심의 SQA 접근법을 장려합니다. SQA 는 주로 승인된 계획 및 표준의 프로세스를 준수할 책임이 있습니다. 그러나 일부 조직에서는 프로세스만으로는 충분하지 않다는 사실을 깨닫기 시작했습니다. 일부 회사는 SEI (Software Engineering Institute) 개념인 제품 품질 보증 (PQA)을 채택하고 있으며, 엔지니어가 프로세스와 제품의 품질을 보장할 책임이 있습니다. PQA 접근 방식을 통해 제품 품질 엔지니어 (PQE)와 SQE 는 긴밀하게 협력하여 제품 및 프로세스 품질을 보장합니다. 프로세스 평가는 프로세스가 수행되었음을 보여줍니다. 제품 평가는 프로세스 산출물의 정확성을 입증합니다. 이것은 항상 DO-178C 에서의 검증 개념이었으며, 그러나 PQE 는 엔지니어링과 SQA 사이의 격차를 해소하는데 도움이 될 수 있습니다. PQE 를 사용하려면 개발중인 제품에 대한 도메인 지식과 경험이 있는 PQE 가 필요합니다.

ISO 는 ISO 9000 으로 불리는 일련의 문서를 포함하여 훌륭한 SQA 프랙티스를 정의하기 위한 많은 문서를 개발했습니다.

ISO-9000 은 품질 경영 시스템 - 기초 및 어휘 (Fundamentals and Vocabulary)라는 제목을 가지고 있습니다. ISO-9001 은 품질 경영 시스템 - 요구사항입니다. ISO-9004 는 조직의 지속적인 성공을 위한 관리 - 품질 관리 접근법입니다.

ISO 9000, 9001 및 9004. ISO 9000 은 품질 시스템에 관한 일련의 표준의 어휘 및 기본을 제공합니다. ISO 9001 은 ISO 9001, 9002 및 9003 으로 알려진 이전 표준을 통합합니다. ISO 9001 은 일반적이며 모든 제품에 적용할 수 있습니다. ISO 9001 은 다음과 같은 기본 요소를 포함합니다:

- 품질 경영 시스템의 요소를 수립합니다.

- 품질 시스템을 문서화합니다.

- 품질 관리 및 보증을 지원합니다.

- 품질 경영 시스템을 위한 검토 메커니즘을 수립합니다.

- 인력, 교육 및 인프라 요소를 포함한 우수한 자원을 확인합니다.

안전에 중요한 소프트웨어의 대부분의 개발자는 ISO 9000 등록을 추구하고 유지합니다. ISO 9000 등록은 공인된 제 3 자 기관에 의해 부여됩니다. 6 개월마다 감시가 이루어집니다. 재등록은 매 3 년마다 요구됩니다.

8. 인증 관련 프로세스

인증 관련(liaison) 프로세스의 목적은 다음과 같습니다.

a. 인증 프로세스를 위해 신청자와 인증 기관 간에 의사소통 및 이해를 확립합니다.

b. 인증 소프트웨어에 대한 계획의 승인을 통해 준수 수단에 대한 합의를 얻습니다.

c. 준수 실체(compliance substantiation)을 제공합니다.

인증 관련 프로세스는 소프트웨어 계획 프로세스 및 인증의 소프트웨어 측면 계획에 정의된 대로 적용됩니다. 부속서 A 표 A-10 은 이 과정의 목적과 결과를 요약한 것입니다.

8.1. 준수 및 계획 수단

신청자는 항공기 시스템이나 장비의 개발이 인증 기준을 어떻게 준수할지를 정의하는 준수 수단을 제공합니다. 소프트웨어 측면의 인증 계획은 제안된 준수 수단의 맥락에서 항공 시스템 또는 장비의 소프트웨어 측면을 정의합니다. 이 계획에는 시스템 안전 평가 프로세스에 의해 결정된 소프트웨어 Level 도 명시되어 있습니다.

활동은 다음과 같습니다.

a. 검토를 위해 인증 및 기타 요청 데이터의 소프트웨어 측면 계획을 인증 기관에 제출합니다.

b. 인증의 소프트웨어 측면에 대한 계획과 관련하여 인증 기관이 확인한 문제를 해결합니다.

c. 인증의 소프트웨어 측면 계획에 대한 인증 기관의 동의를 얻습니다.

8.2. 준수 실체(Compliance Substantiation)

신청자는 검토를 위해 인증 기관에서 소프트웨어 수명주기 데이터를 사용할 수 있도록 함으로써 소프트웨어 수명주기 프로세스가 소프트웨어 계획을 준수한다는 실체를 제공합니다. 인증 기관 검토는 다양한 시설에서 수행될 수 있습니다. 예를 들어, 검토는 신청자의 시설, 신청자의 공급자 시설 또는 인증 기관의 시설에서 이루어질 수 있습니다.

이것은 신청자 또는 그 공급 업체와 논의하는 것을 포함할 수 있습니다. 신청자는 소프트웨어 수명주기 프로세스의 활동에 대한 이러한 검토를 조정하고 필요에 따라 소프트웨어 수명주기 데이터를 사용할 수 있도록 합니다.

활동은 다음과 같습니다.

a. 검토 결과 인증 기관에서 제기한 문제를 해결합니다.
b. 소프트웨어 성과 요약 및 소프트웨어 구성 목록을 인증 기관에 제출합니다.
c. 인증 기관이 요청한 기타 데이터 또는 준수 실체를 제출 또는 제공

8.3. 인증 기관에 제출된 최소 소프트웨어 수명주기 데이터

인증 기관에 제출되는 최소 소프트웨어 수명주기 데이터는 다음과 같습니다.

a. 인증의 소프트웨어 측면 계획.
b. 소프트웨어 형상 색인.
c. Software Accomplishment Summary (소프트웨어 성과 요약).

8.4. 유형 설계와 관련된 소프트웨어 수명주기 데이터

인증 기관이 별도로 합의하지 않는 한, 인증 대상 제품의 유형 설계와 관련된 소프트웨어 수명주기 데이터의 검색 및 승인에 관한 규정은 다음에 적용됩니다.

a. 소프트웨어 요구사항 데이터.
b. 설계 설명.
c. 소스 코드.
d. 실행 가능한 객체 코드 및 매개변수 데이터 항목 파일 (있는 경우).
e. 소프트웨어 형상 색인.
f. 소프트웨어 성과 요약 (Software Accomplishment Summary).

9. 소프트웨어 수명주기 산출물 - 데이터

데이터는 활동의 증거를 계획, 지시, 설명, 정의, 기록 또는 제공하기 위해 소프트웨어 수명주기 동안 생성됩니다. 이 데이터는 소프트웨어 수명주기 프로세스, 시스템 또는 장비 인증 및 소프트웨어 제품의 사후 인증 수정을 가능하게 합니다.

이 절에서는 특성, 양식, 형상 관리 통제 및 소프트웨어 수명주기 데이터의 내용에 대해 설명합니다.

a. 특성: 소프트웨어 수명주기 데이터는 다음과 같아야 합니다.

   1. 모호하지 않음: 필요한 경우 정의에 따라 단일 해석만을 허용하는 용어로 작성된 정보는 모호하지 않습니다.
   2. 완료: 필요한 관련 요구사항 그리고 또는 서술 자료가 포함되면 정보가 완성됩니다. 응답은 유효한 입력 데이터의 범위에 대해 정의됩니다. 사용된 수치는 분류되어 있습니다; 용어와 단위가 정의됩니다.
   3. 증명할 수 있는 정보: 사람이나 도구의 정확성을 검사할 수 있으면 정보를 검증할 수 있습니다.
   4. 일관성: 내부에 충돌이 없으면 정보는 일관성이 있습니다.
   5. 변경 가능: 정보가 구조화되어 있고 변경 사항을 구조를 유지하면서 완전하고 일관성 있고 올바르게 만들 수 있는 스타일을 갖는 경우 정보가 수정 가능합니다.
   6. 추적 가능: 컴포넌트의 출처를 결정할 수 있으면 추적할 수 있습니다.

b. 형식: 소프트웨어 수명주기 데이터의 형태는 항공기 시스템 또는 장비의 수명 기간 동안 소프트웨어 수명주기 데이터의 효율적인 검색 및 검토를 제공해야 합니다. 데이터 및 데이터의 특정 양식은 인증의 소프트웨어 측면 계획에 지정되어야 합니다.

   주 1: 소프트웨어 수명주기 데이터는 여러 형태로 보관될 수 있습니다 (예: 전자적으로 또는 인쇄된 형태로 보관).

주 2: 신청자는 신청자가 편리하다고 판단한 방식 (예: 개별 데이터 항목 또는 결합된 데이터 항목)으로 소프트웨어 수명주기 데이터 항목을 패키지화 할 수 있습니다.

주 3: 소프트웨어 측면 계획 인증 및 소프트웨어 성취도 요약은 일부 인증 기관에서 별도의 문서로 요구될 수 있습니다.

주 4: "데이터"라는 용어는 증거 및 기타 정보를 의미하며 그러한 데이터가 취해야 하는 형식을 의미하지는 않습니다.

c. 형상 관리 통제: 소프트웨어 수명주기 데이터는 적용된 소프트웨어 형상 관리 통제와 관련된 두 가지 범주 중 하나에 위치할 수 있습니다: CC1 및 CC2. 각 데이터 항목에 할당된 최소 통제 범주 및 소프트웨어 Level 별 변화는 부속서 A 의 표에 명시되어 있습니다. 여기에 설명된 것 이외의 추가 데이터 항목은 인증 프로세스를 돕기 위한 증거로 생성되므로 최소한 CC2 통제하에 있어야 합니다.

d. 컨텐츠: 다음 절에서 제공되는 소프트웨어 수명주기 데이터 설명은 일반적으로 소프트웨어 수명주기에 의해 생성되는 데이터를 식별합니다. 설명은 소프트웨어 제품을 개발하는데 필요할 수 있는 모든 데이터를 설명하기 위한 것이 아니며 특정 데이터 패키징 방법이나 패키지 내의 데이터 구성을 암시하지 않습니다. 여기에 제공된 소프트웨어 수명주기 데이터 항목의 내용에 대한 설명이 모두 포함된 것은 아니며, 신청자의 요구에 맞게 본 문서의 본문과 함께 읽어야 합니다.

표 3 수명 주기 데이터 요약 설명

DO-178C	수명주기 데이터	설명
11.1	Plan for Software Aspects of Certification (PSAC)	인증 기관과의 계약을 문서화하는데 사용되는 최상위 소프트웨어 계획
11.2	Software Development Plan (SDP)	개발팀을 안내하고 DO-178C 개발 목표를 준수하는지 확인하기 위한 소프트웨어 개발 절차 및 수명주기에 대해 설명합니다.

DO-178C 기반 항공 소프트웨어 개발 개론

11.3	Software Verification Plan (SVP)	검증 기관을 안내하고 DO-178C 검증 목표를 준수하는지 확인하기 위한 소프트웨어 검증 절차에 대해 설명합니다.
11.4	Software Configuration Management Plan (SCMP)	소프트웨어 개발 및 검증 노력 전반에 걸쳐 사용될 소프트웨어 형상 관리 환경, 절차, 활동 및 프로세스를 수립합니다.
11.5	Software Quality Management Plan (SQMP)	DO-178C 목표, 계획 및 표준 준수를 보장하기 위한 소프트웨어 품질 보증 관리 계획 수립합니다.
11.6	Software Requirements Standards	요구사항 작성자를 위한 지침, 방법, 규칙 및 도구를 제공합니다.
11.7	Software Design Standards	설계자를 위한 지침, 방법, 규칙 및 도구를 제공합니다
11.8	Software Code Standards	프로그래밍 지침, 방법 및 도구를 제공합니다.
11.9	Software Requirements Data	상위 및 파생된 상위 소프트웨어 요구사항을 정의합니다.
11.10	Software Design Description	소프트웨어 아키텍처, 상세 요구사항 및 파생된 상세 요구사항을 정의합니다.
11.11	Source Code	실행가능 목적코드를 작성하고 대상 컴퓨터에 통합하기 위해 데이터를 컴파일, 링크 및 로드하는데 사용되는 파일로 구성됩니다.
11.12	Executable Object Code	대상 컴퓨터의 프로세서에서 직접 읽는 코드
11.13	Software Verification Cases and Procedures	소프트웨어 검증 프로세스가 구현되는 방법에 대한 세부 정보
11.14	Software Verification Results	검증 프로세스의 결과

11.15	Software Life Cycle Environment Configuration Index	소프트웨어를 개발, 제어, 빌드, 확인 및 로드 하는데 사용되는 도구를 비롯하여 소프트웨어 환경을 식별합니다.
11.16	Software Configuration Index	소스코드, 목적코드 및 지원 수명주기 데이터를 비롯하여 소프트웨어 제품의 구성을 식별합니다. 빌드 및 로드 지침 포함됩니다.
11.17	Problem Reports	해결을 보장하기 위해 제품 및 프로세스 문제를 식별합니다.
11.18	Software Configuration Management Records	다양한 소프트웨어 형상 관리 활동의 결과를 포함합니다.
11.19	Software Quality Assurance Records	소프트웨어 적합성 검토 및 품질 보증 활동의 결과를 포함합니다.
11.20	Software Accomplishment Summary	DO-178C 준수, PSAC 편차, 소프트웨어 특성 및 개방(Open, 아직 해결되지 않은 보고 사항) 문제 보고서를 요약합니다.
11.21	Trace Data	요구사항, 설계, 코드 및 검증 데이터 간의 연결/관계를 식별합니다.
11.22	Parameter Data Item File	대상 컴퓨터의 프로세서에서 직접 사용할 수 있는 데이터 (예: 형상 데이터)가 포함됩니다.

9.1. 인증 측면 소프트웨어 계획

소프트웨어 측면 인증 (Software Aspects of Certification, PSAC) 계획은 인증 기관이 신청자가 개발중인 소프트웨어 Level 에 필요한 엄격함과 비례하는 소프트웨어 수명주기를 제안하는지 여부를 결정하는데 사용하는 주요 수단입니다. 이 계획에는 다음 내용이 포함되어야 합니다.

a. 시스템 개요: 이 절에서는 하드웨어 및 소프트웨어에 대한 기능 및 할당, 아키텍처, 사용된 프로세서, 하드웨어/소프트웨어 인터페이스 및 안전 기능에 대한 설명을 포함하여 시스템에 대한 개요를 제공합니다.

b. 소프트웨어 개요: 이 절에서는 제안된 안전 및 파티션 개념에 중점을 둔 소프트웨어 기능을 간략하게 설명합니다. 자원 공유, 이중화, 내결함성, 단일 이벤트 장애 완화 및 타이밍 및 스케줄링 전략 등의 예가 있습니다.

c. 인증 고려사항: 이 절에서는 인증의 소프트웨어 측면과 관련하여 준수 수단을 비롯하여 인증 기준에 대한 요약을 제공합니다. 또한 이 절에는 제안된 소프트웨어 Level 이 나와 있으며 시스템 상태 평가 프로세스에서 제공한 타당성을 요약하고 고장 조건에 대한 소프트웨어 기여도를 요약합니다.

d. 소프트웨어 수명주기: 이 절에서는 사용할 소프트웨어 수명주기를 정의하고 각 소프트웨어 계획에 세부 정보가 정의된 각 소프트웨어 수명주기 프로세스의 요약을 포함합니다. 요약에서는 각 소프트웨어 수명주기 프로세스의 목표가 어떻게 준수되는지 설명하고 관련 조직, 조직 책임 및 시스템 수명주기 프로세스 및 인증 연락 프로세스 책임을 지정합니다.

e. 소프트웨어 수명주기 데이터: 이 절에서는 소프트웨어 수명주기 프로세스에서 생성 및 제어할 소프트웨어 수명주기 데이터를 지정합니다. 또한 이 절에서는 시스템을 정의하는 다른 데이터 또는 시스템 간의 데이터 관계, 인증 기관에 제출할 소프트웨어 수명 주기 데이터, 데이터의 형식 및 데이터를 사용할 수 있는 방법을 설명합니다.

f. 일정: 이 절에서는 신청자가 인증 기관에 소프트웨어 수명주기 프로세스의 활동에 대한 가시성을 제공하여 검토를 계획할 수 있는 방법을 설명합니다.

g. 추가 고려사항: 이 절에서는 인증 프로세스에 영향을 줄 수 있는 특정 고려사항에 대해 설명합니다. 예를 들어 준수, 도구 인정, 이전에 개발된 소프트웨어, 옵션 선택 가능 소프트웨어, 사용자 수정 가능 소프트웨어, 비활성화 코드, 상용 소프트웨어, 현장 탑재 가능 소프트웨어, 매개변수 데이터 항목, 제품 서비스 이력 등이 있습니다.

h. 공급 업체 감시: 이 절에서는 공급 업체 프로세스 및 산출물이 승인된 소프트웨어 계획 및 표준을 준수하는지 확인하는 방법을 설명합니다.

보충 설명:

PSAC 는 항상 인증 기관에 제출되는 하나의 계획입니다. 이것은 신청자와 인증 기관 간의 계약과 같습니다. 그러므로, 조기에 준비되고 합의할수록 좋습니다. 프로젝트가 늦을 때까지 제출되지 않은 PSAC 는 프로젝트에 위험을 초래합니다. 위험요소는 "팀이 프로세스 그리고 또는 데이터가 준수하지 않는다는 것을 알기 위해서만 프로젝트의 끝까지 도달할 수 있습니다"는 것입니다. 이로 인해 일정 및 예산표, 상당한 재 작업 및 인증 기관의 정밀 조사가 발생할 수 있습니다.

PSAC 은 전체 프로젝트에 대한 상위 설명을 제공하고 DO-178C (및 해당 보완 자료) 목표가 어떻게 준수될지 설명합니다. 또한 다른 네 가지 계획에 대한 요약을 제공합니다. PSAC 는 종종 인증 기관에 제출되는 유일한 계획이므로 단독으로 사용해야 합니다. 개발, 검증, 형상 관리 및 품질 보증 계획에서 모든 것을 반복할 필요는 없지만 이러한 계획을 정확하고 일관되게 요약해야 합니다. 때로는 다른 문서 (단순히 PSAC 라고 부름)를 가리키는 PSAC 이 있습니다. 개발, 검증, 형상 관리 및 소프트웨어 품질 보증 (SQA) 프로세스를 요약하는 대신, 다른 계획을 간단히 가리키고 있습니다. 이것은 중복 텍스트를 확실히 줄입니다. 그러나 다른 계획은 당국이 프로세스를 완전히 이해할 수 있도록 인증 기관에 제출해야 할 가능성이 높습니다. 이상적으로 PSAC 에는 인증 기관이 프로세스를 이해하고 준수에 대한 정확한 판단을 내릴 수는 있지만 다른 계획의 내용을 반복하지는 못하는 세부 정보는 충분합니다.

PSAC 는 명확하고 간결하게 작성해야 합니다. 문서가 명확할수록 혼란스럽지 않고 인증 기관에서 승인할 확률이 높아집니다.

DO-178C 절 11.1 은 예상되는 PSAC 내용의 요약을 제공하며 PSAC 의 개요로 자주 사용됩니다. 다음은 각 절의 내용에 대한 간략한 요약과 함께 PSAC 의 일반적인 절입니다.

- 시스템 개요: 이 절에서는 전체 시스템과 소프트웨어가 시스템에 어떻게 적용되는지 설명합니다. 일반적으로 몇 페이지 길이입니다.

- 소프트웨어 개요: 이 절에서는 소프트웨어의 의도된 기능과 아키텍처 관련 사항에 대해 설명합니다. 그것도 두 페이지로 구성됩니다. 계획은 소프트웨어를 위한 것이므로 시스템과 개발될 소프트웨어를 설명하는 것이 중요합니다.

- 인증 고려사항: 이 절에서는 준수 방법을 설명합니다. DO-178C 보완 자료가 사용되는 경우 보충 자료가 소프트웨어의 어떤 부분에 적용되는지 설명하는 좋은 곳입니다. 또한 이 절에서는 일반적으로 지정된 소프트웨어 Level 을 정당화하기 위한 안전성 평가를 요약합니다. 수준 A 소프트웨어의 경우에도 결정을 내리는 요소를 자세히 설명하고 추가 아키텍처 완화가 필요한지를 설명하는 것이 중요합니다. 또한 많은 프로젝트에서

PSAC 의이 절에서 참여 단계 (SOI) 감사를 지원하기 위한 계획을 설명합니다. SOI 감사는 12 장에서 설명합니다.

- 소프트웨어 수명주기: 이 절에서는 소프트웨어 개발 및 총괄 프로세스의 단계를 설명하고 일반적으로 다른 계획 (SDP, SVP, SCMP 및 SQAP)을 요약합니다.

- 소프트웨어 수명주기 데이터: 이 절에서는 프로젝트 동안 개발될 수명주기 데이터를 나열합니다. 문서 번호는 일반적으로 할당되지만, 때로는 미정 또는 XXX 가 있을 수 있습니다. 종종 이 절에는 DO-178C 절 11 의 22 개 데이터 항목이 나열되고 문서 이름과 번호가 포함된 표가 포함되어 있습니다. 또한 데이터가 인증 기관에 제출되거나 사용 가능한 경우 표시를 포함하는 것이 일반적입니다. 일부 신청자는 데이터가 대조 카테고리 # 1 (CC1) 또는 대조 카테고리 # 2 (CC2)로 취급될 지 여부와 데이터가 피 인용구의 승인을 위해 승인 또는 권장되는지 여부를 식별합니다. 대안으로 CC1 / CC2 정보가 SCMP 에 있을 수 있습니다. 그러나 전사적 SCMP 가 사용되는 경우 PSAC 는 프로젝트 별 형상 관리 세부사항을 식별할 수 있습니다.

- 일정: 이 절에는 소프트웨어 개발 및 승인 일정이 포함됩니다. 목적은 프로젝트와 인증 기관이 자원을 계획하는데 도움을 주기 위한 것입니다. 프로젝트 전체에서 일정을 변경하면 승인 기관과 조정해야 합니다 (PSAC 에 대한 업데이트가 필요하지 않지만 PSAC 가 다른 용도로 업데이트되는 경우 일정이 업데이트되어야 함). 일반적으로 PSAC 의 일정은 상대적으로 높은 수준이며 계획이 발표되고 요구사항이 완료되며 설계가 완료되고 코드가 완료되며 테스트 사례가 작성되고 검토될 때와 같은 주요 소프트웨어 이정표가 포함됩니다. 테스트가 실행되며 SAS 가 작성되고 제출됩니다. 일부 지원자는 일정에 SOI 감사 준비 날짜를 포함시킵니다.

- 추가 고려사항: 인증 기관이 알아야 할 특별한 문제점을 알려주기 때문에 PSAC 의 가장 중요한 절입니다. 인증을 받으려면 놀라움을 피하기 위해 모든 노력을 다하는 것이 중요합니다. 모든 추가 고려사항을 명확하고 간결하게 문서화하면 예상치 못한 결과를 최소화하고 인증 기관과 계약을 체결할 수 있습니다. DO-178C 는 이전에 개발된 소프트웨어, 상업 소프트웨어(COTS) 및 도구 인정과 같은 추가 고려사항 항목의 포괄적인 목록을 포함합니다. 평범하지 않은 것으로 간주될 수 있는 프로젝트에 관한 정보가 있으면 이 정보를 공개해야 합니다. 여기에는 파티셔닝 된 실시간 운영 체제 (RTOS), 자동화의 사용이 포함됩니다. 또한 계획된 비활성화 코드 또는 옵션 선택 가능 소프트웨어를 설명해야 합니다. DO-178C 에는 필요하지 않지만 PSAC 의 추가 고려사항 절에는 프로젝트에서 사용되는 모든 도구 목록과 도구 사용 방법에 대한 간략한 설명 및 모든 도구가 자격이 될 필요성이 있거나 자격은 필요하지 않습니다. 계획 중에 특히 도구가 자격을 갖추어야 하지만 자격이 필요한 도구로 확인되지 않은 경우 정보를 공개하면 늦은 발견을 막을 수 있습니다.

PSAC 의 부록에 적용 가능한 모든 DO-178C (및 해당 보조제) 목표 목록을 포함시키는 것이 유용하며, 각 목표가 어떻게 준수되고, 계획이 각각의 목표는 어떻게 해결된다는 것을 포함시키는 것이 좋습니다. 지정된 사람과 인증 기관은 프로젝트가 DO-178C 준수 세부사항을 철저히 고려했다는 증거를 제공하기 때문에 이 정보를 높이 평가합니다.

9.2. 소프트웨어 개발 계획

소프트웨어 개발 계획(SDP)은 소프트웨어 개발 프로세스 목표를 준수하기 위해 사용되는 소프트웨어 개발 절차 및 소프트웨어 수명주기에 대한 설명입니다. 이는 소프트웨어 인증 계획서에 포함될 수 있습니다.

이 계획에는 다음 내용이 포함되어야 합니다.

a. 표준: 프로젝트의 소프트웨어 요구사항 표준, 소프트웨어 설계 표준 및 소프트웨어 코드 표준 식별 또한 표준이 다른 경우 상용 소프트웨어를 포함하여 이전에 개발된 소프트웨어에 대한 표준을 언급합니다.

b. 소프트웨어 수명주기: 소프트웨어 개발 프로세스의 전환 기준을 포함하여 프로젝트에서 사용할 특정 소프트웨어 수명주기를 구성하는 데 사용되는 소프트웨어 수명주기 프로세스에 대한 설명입니다. 이 설명은 소프트웨어 수명주기 프로세스의 적절한 구현을 보장하는 데 필요한 세부사항을 제공한다는 점에서 인증의 소프트웨어 측면에 대한 계획에서 제공된 요약과 구별됩니다.

c. 소프트웨어 개발 환경: 선택한 소프트웨어 개발 환경에 대한 하드웨어 및 소프트웨어 측면의 진술:

1. 요구사항 개발 방법 및 도구.
2. 사용할 설계 방법 및 도구.
3. 코딩 방법, 프로그래밍 언어, 도구, 오토 코드 생성기의 옵션 및 제약.
4. 사용할 컴파일러, 링크 편집기 및 로더.
5. 사용할 도구의 하드웨어 플랫형식.

보충 설명:

SDP 는 요구사항, 설계, 코드 및 통합 단계 (DO-178C 표 A-2)를 포함한 소프트웨어 개발을 설명합니다. 또한 SDP 는 요구사항, 설계, 코드 및 통합에 대한 검증을 간략하게 설명합니다 (표 A-3 에서 A-5 까지). SDP 는 요구사항, 디자인 및 코드를 작성하고 통합 작업을 수행하는 개발자를 위해 작성되었습니다. SDP 는 개발자가 성공적인 구현을 수행할 수 있도록 작성되어야 합니다. 즉, 방향을 제시할 만큼 자세하게 설명할 필요가 있지만 공학적 판단을 행사할 수 있는 능력이 제한되어 있지는 않습니다. 이것은 섬세한 균형입니다. 보다 자세한 절차나 작업 지침이 있을 수 있습니다. 이 경우 SDP 는 적용되는 절차와 적용시기를 명확하게 설명해야 합니다 (SDP 는 계획의 세부사항을 포함하지 않고 절차를 가리 킵니다). 때로는 자세한 절차에 더 많은 유연성이 필요할 수 있습니다. 예를 들어 계획이 발표된 후 프로시저가 아직 개발중인 경우. 이 경우 SDP 는 절차를 개발하고 통제하는 과정을 설명해야 합니다. 그러나 이 방법을 사용할 때는 모든 엔지니어가 올바른 버전의 절차를 따르는 것을 보장하기 어려울 수 있으므로 주의해야 합니다.

DO-178C 절 11.2 는 SDP 의 바람직한 내용을 식별합니다. SDP 는 (1) 개발에 사용된 표준 (때로는 표준이 계획에 포함되는 경우조차도), (2) 각 단계 및 기준에 대한 설명이 있는 소프트웨어 수명주기 (3) 개발 환경 (요구사항, 설계 및 코드와 의도된 컴파일러, 링커, 로더 및 하드웨어 플랫폼을 위한 방법 및 도구). 각각은 다음에서 설명됩니다:

1. 표준: 각 프로젝트는 요구사항, 디자인 및 코드에 대한 표준을 식별해야 합니다. 이 표준은 개발자가 효과적인 요구사항, 디자인 및 코드를 작성할 수 있도록 규칙 및 지침을 제공합니다. 이 표준은 개발자가 안전 또는 소프트웨어 기능에 부정적인 영향을 미칠 수 있는 함정을 피할 수 있도록 제약 조건을 식별합니다. 표준은 사용된 방법론이나 언어에 적용되어야 합니다. SDP 는 일반적으로 표준을 참조하지만, 경우에 따라 SDP 에 표준이 포함될 수 있습니다.

2. 소프트웨어 수명주기: SDP 는 소프트웨어 개발을 위한 의도된 수명주기를 식별합니다. 이는 일반적으로 수명주기 모델을 기반으로 합니다.

수명주기 모델을 이름으로 식별하는 것 외에도 모든 수명주기 모델이 모든 사람에게 똑같이 적용되는 것은 아니므로 모델을 설명하는 것이 좋습니다. 수명주기의 그래픽과 각 단계에 대해 생성된 데이터가 유용합니다. 인증 프로젝트에 성공적으로 사용된 수명주기 모델 중 일부는 폭포수, 반복 폭포, 신속한 프로토타이핑, 나선형 및 역공학입니다. 빅뱅, 토네이도, 연기 및 거울 수명주기 모델을 피하는 것이 좋습니다.

불행하게도, 일부 프로젝트는 계획에서 하나의 수명주기 모델을 식별하지만 실제로 다른 것을 따릅니다. 예를 들어, 프로젝트는 때때로 DO-178C 가 요구하는 것과 그것이 인증 기관이 선호하는 것으로 믿기 때문에 폭포수 모델을 사용한다고 주장합니다. 그러나 DO-178C 는 폭포수 모델이 필요 없으며 실제 사용하지 않고 폭포수 모델을 요구하기 때문에 몇 가지 문제가 발생합니다. 실제로 사용할 계획인 수명주기 모델을 확인하고 DO-178C 목표를 준수하며 문서화된 수명주기 모델을 따르는 것이 중요합니다. 문서화된 수명주기 모델이 필요한 것이 아닌 경우 인증 기관과 별도로 동의하지 않는 한 계획을 업데이트해야 합니다.

앞서 언급했듯이 SDP 는 소프트웨어 개발의 전환 기준을 문서화합니다. 여기에는 개발의 각 단계에 대한 진입 기준과 종료 기준이 포함됩니다. 전환 기준을 문서화하는 데는 여러 가지 방법이 있습니다. 테이블은 그러한 정보를 문서화하는 효과적이고 직접적인 방법일 수 있습니다. DO-178C 는 개발 활동에 대한 주문을 지시하지 않지만 검증 노력은 하향식 (즉, 코드를 검증하기 전에 설계를 검증하기 전에 요구사항을 검증)해야 할 필요가 있음을 명심해야 합니다.

9.3. 소프트웨어 검증 계획

소프트웨어 검증 계획 (SVP)은 소프트웨어 검증 프로세스 목표를 준수하기 위해 사용되는 검증 절차에 대한 설명입니다. 이러한 절차는 부속서 A 의 표에 정의된 대로 소프트웨어 Level 에 따라 다를 수 있습니다. 이 계획에는 다음이 포함되어야 합니다.

a. 조직: 소프트웨어 검증 프로세스 내의 조직 책임 및 다른 소프트웨어 수명주기 프로세스와의 인터페이스.

b. 독립성: 필요한 경우 검증 독립성을 확립하기 위한 방법에 대한 설명.

c. 검증 방법: 소프트웨어 검증 프로세스의 각 활동에 사용될 검증 방법에 대한 설명:

   1. 체크리스트나 기타 보조 도구를 포함한 방법을 검토합니다.
   2. 추적 가능성 및 적용 범위 분석을 포함한 분석 방법.
   3. 시험 방법의 선택, 시험 절차 및 생산될 시험 자료를 포함한 시험 방법.

d. 검증 환경 (Verification environment): 테스트를 위한 장비, 테스트 및 분석 도구, 그리고 이 도구와 하드웨어 테스트 장비를 적용하는 방법. 4.4.3b 절은 대상 컴퓨터와 시뮬레이터 또는 에뮬레이터 차이점에 대한 지침을 제공합니다.

e. 전환 기준: 소프트웨어 확인 프로세스를 시작하기 위한 전환 기준.

f. 파티셔닝 고려사항: 파티셔닝이 사용되는 경우, 파티셔닝의 무결성을 검증해야 합니다.

g. 컴파일러 가정: 컴파일러, 링크 편집기 또는 로더의 정확성에 대한 설명.

h. 재 검증 방법: 소프트웨어 수정의 경우 소프트웨어의 영향을 받는 영역과 실행가능한 객체 코드의 변경된 부분을 식별, 분석 및 검증하는 방법에 대한 설명.

i. 이전에 개발된 소프트웨어: 이전에 개발된 소프트웨어가 검증 프로세스의 초기 준수 기준을 준수하지 않는 경우에 대한 설명.

j. 여러 버전의 서로 다른 소프트웨어: 여러 버전의 서로 다른 소프트웨어를 사용하는 경우 소프트웨어 검증 프로세스 활동에 대한 설명.

보충 설명:

SVP 의 주요 대상은 테스팅을 포함하여 검증 활동을 수행할 팀 구성원입니다. SVP 는 SDP 와 밀접한 관련이 있습니다. 검증 작업에는 개발 단계에서 생성된 데이터 평가가 포함되기 때문입니다. SDP 는 종종 요구사항, 디자인, 코드 및 통합 검증 (예: 동료 검토)에 대한 상위 수준의 요약을 제공합니다. SVP 는 일반적으로 검토 프로세스 세부사항, 체크리스트, 필수 참여자 등 검토에 대한 추가 세부 정보를 제공합니다. 검토 세부사항을 SDP 에 포함시키고 SVP 를 사용하여 테스트 및 분석에 집중할 수 있습니다. 포장에 관계없이 어떤 계획이 어떤 활동을 다루고 있는지 분명해야 합니다.

모든 계획 중에서 SVP 는 소프트웨어 Level 에 따라 가장 많이 달라지는 경향이 있습니다. 이는 DO-178C 레벨 차이의 대부분이 검증 목표에 있기 때문입니다. 일반적으로 SVP 는 팀이 DO-178C 표 A-3 에서 A-7 까지의 목표를 어떻게 준수해야 할지 설명합니다.

SVP 는 검증 팀 조직 및 구성은 물론 DO-178C 독립성이 어떻게 충족되는지를 설명합니다. 필수는 아니지만 대부분의 프로젝트에는 테스트 개발 및 실행을 수행할 별도의 검증 팀이 있습니다. DO-178C 는 독립성을 요구하는 몇 가지 검증 목적을 확인합니다 (그들은 DO-178C Annex A 표에 ○으로 표시). DO-178C 검증 독립성은 별도의 조직이 필요하지 않지만 검증 중인 데이터를 개발하지 않은 한 명 이상의 사람 (또는 도구)이 검증을 수행하도록 요구합니다. 독립성은 기본적으로 눈과 두뇌의 다른 세트 (도구가 수반될 수 있음)가 데이터의 정확성, 완전성, 표준 준수 등을 검사하는데 사용된다는 것을 의미합니다.

DO-178C 검증에는 검토, 분석 및 테스트가 포함됩니다. SVP 는 검토, 분석 및 테스트 수행 방법을 설명합니다. 검증을 수반하는 모든 체크리스트는 SVP 에 포함되거나 SVP 에서 참조됩니다.

많은 DO-178C 목표는 검토를 통해 만족될 수 있습니다. 표 A-3, A-4 및 A-5 의 대부분은 동료 검토 프로세스를 통해 준수하는 경향이 있습니다. 또한 표 A-7 목표 중 일부 (예: 목표 1 과 2)는 검토를 통해 충족됩니다. SVP 는 검토 프로세스 (자세한 검토 절차 포함 또는 참조), 검토를 위한 전환 기준, 검토 기록에 사용된 검사 목록 및 기록을 설명합니다. SVP 또는 표준은 일반적으로 요구사항, 설계 및 코드를 검토하기 위한 체크리스트를 포함 (또는 참조)합니다. 체크리스트는 검토 과정에서 중요한 기준을

간과하지 않도록 엔지니어가 사용합니다. 간단한 체크리스트는 가장 효과적인 경향이 있습니다. 그들이 너무 상세하다면, 그들은 일반적으로 완전히 활용되지 않습니다. 간결하면서도 포괄적인 체크리스트를 만들려면 체크리스트 항목과 자세한 지침을 별도의 열로 구분하는 것이 좋습니다. 체크리스트 열은 간단하지만 지침 열에는 검토자들이 각 체크리스트 항목의 의도를 이해할 수 있도록 자세한 정보가 나와 있습니다. 이 방법은 대규모 팀, 새로운 엔지니어가 있는 팀 또는 외주 자원을 사용하는 팀에 특히 유용합니다. 리뷰의 기준을 설정하고 일관성을 유지하는 데 도움이 됩니다. 체크리스트에는 일반적으로 DO-178C 요구사항이 평가되고 (추적 성, 정확성 및 일관성을 포함하여) 요구되는 기준을 만족시킬 수 있는 항목이 포함되지만 DO-178C 지침에 국한되지는 않습니다.

DO-178C 표 A-6 은 일반적으로 테스트 개발 및 실행에 의해 준수됩니다. SVP 는 테스트 방법을 설명합니다. 정상 및 강건성 테스트가 개발되는 방법, 테스트를 실행하기 위해 어떤 환경이 사용될 것인가? 요구사항, 검증 사례, 검증 절차간에 어떻게 추적성이 발생할 것인가? 검증 결과가 어떻게 유지될 것인가? 합격/불합격 기준을 식별하는 방법; 대부분의 경우 SVP 는 소프트웨어 검증 사례 및 절차 문서를 참조하여 테스트 계획, 특정 테스트 케이스 및 절차, 테스트 장비 및 설정 등을 자세히 설명합니다.

9.4. 소프트웨어 형상 관리 계획

소프트웨어 형상 관리 계획은 소프트웨어 수명주기 전반에 걸쳐 소프트웨어 형상 관리 프로세스의 목표를 달성하는데 사용할 방법을 설정합니다. 이 계획에는 다음 내용이 포함되어야 합니다.

a. 환경: 절차, 도구, 방법, 표준, 조직의 책임 및 인터페이스를 포함하여 사용할 소프트웨어 형상 관리 환경에 대한 설명.

b. 활동: 소프트웨어 수명주기의 소프트웨어 형상 관리 프로세스 활동에 대한 설명:

1. 형상 식별: 식별될 항목, 식별될 때 소프트웨어 수명주기 자료 식별 방법 (예: 부품 번호), 소프트웨어 식별과 시스템 또는 장비 식별 간의 관계.

2. 베이스라인 및 추적성: 베이스라인을 수립하는 방법, 베이스라인이 수립될 시기, 베이스라인이 수립될 때, 소프트웨어 라이브러리 컨트롤, 형상 항목 및 추적성.

3. 문제 보고: 소프트웨어 제품 및 소프트웨어 수명주기 프로세스에 대한 문제점 보고서의 내용 및 식별. 보고서 작성 시기, 문제점 보고서 닫기 및 변경 통제 활동과의 관계.

4. 변경 통제: 통제할 형상 항목 및 베이스라인, 통제할 문제, 변경 통제 활동, 사전 인증 통제, 사후 인증 통제 및 베이스라인 및 형상 항목의 무결성 유지 수단.

5. 변경 검토: 소프트웨어 수명주기 프로세스에서 피드백을 처리하는 방법. 문제를 평가하고 우선 순위를 매기는 방법, 변경 사항을 승인하는 방법, 해결 방법을 처리하거나 구현을 변경하는 방법 그리고 이러한 방법과 문제 보고 및 변경 통제 활동과의 관계.

6. 형상 상태 계산: 보고 형상 관리 상태, 해당 데이터가 보관될 위치의 정의, 보고를 위해 검색되는 방법 및 사용할 수 있는 시기를 기록할 수 있도록 기록할 데이터.

7. 아카이브, 검색 및 배포: 무결성 통제, 배포 방법 및 권한 및 데이터 보유.

8. 소프트웨어 부하 통제: 소프트웨어 부하 통제 안전 장치 및 기록에 대한 설명.

9. 소프트웨어 수명주기 환경 통제: 1.4.b.1 에서 1.4.b.7 절을 다루는 소프트웨어 개발, 구축, 검증 및 로드에 사용되는 도구에 대한 통제. 여기에는 자격을 갖추기 위한 도구의 통제가 포함됩니다.

10. 소프트웨어 수명주기 데이터 통제: CC1 및 CC2 데이터와 관련된 통제.

c. 전환 기준: 소프트웨어 형상 관리 프로세스에 진입하기 위한 전환 기준.

d. 소프트웨어 형상 관리 데이터: 소프트웨어 형상 관리 레코드, 소프트웨어 형상 색인 및 소프트웨어 수명주기 환경 형상 색인을 포함하여 소프트웨어 형상 관리 프로세스에서 생성 된 소프트웨어 수명주기 데이터의 정의.

e. 공급자 통제: 공급 업체에 형상 관리 프로세스 요구사항을 적용하는 수단.

9.5. 소프트웨어 품질 보증 계획

소프트웨어 품질 보증 계획은 소프트웨어 품질 보증 프로세스의 목표를 달성하는데 사용할 방법을 설정합니다. 소프트웨어 품질 보증 계획에는 프로세스 개선, 측정 기준 및 점진적인 관리 방법에 대한 설명이 포함될 수 있습니다. 이 계획에는 다음 내용이 포함되어야 합니다.

a. 환경: 범위, 조직 책임 및 인터페이스, 표준, 절차, 도구 및 방법을 포함하여 소프트웨어 품질 보증 환경에 대한 설명.

b. 권한: 소프트웨어 제품에 대한 소프트웨어 품질 보증 승인을 포함하여 소프트웨어 품질 보증 권한, 책임 및 독립성에 대한 진술.

c. 활동: 각 소프트웨어 수명주기 프로세스 및 소프트웨어 수명주기에 대해 수행해야 하는 소프트웨어 품질 보증 활동은 다음을 포함.

    1. 소프트웨어 품질 보증 방법

    2. 문제 보고, 추적 및 시정 조치와 관련된 활동 체계.

    3. 소프트웨어 적합성 검토 활동에 대한 설명.

d. 전환 기준: 소프트웨어 품질 보증 프로세스를 시작하기 위한 전환 기준.

e. 타이밍: 소프트웨어 수명주기 프로세스의 활동과 관련하여 소프트웨어 품질 보증 프로세스 활동의 타이밍.

f. 소프트웨어 품질 보증 기록: 품질 보증 프로세스에 의해 생성될 레코드의 정의.

g. 공급자 감독: 공급자의 프로세스와 산출물이 계획과 표준을 준수하는지 확인.

9.6. 소프트웨어 요구사항 표준

소프트웨어 요구사항 표준은 상위 요구사항을 개발하는데 사용되는 방법, 규칙 및 도구를 정의합니다. 이러한 표준에는 다음이 포함되어야 합니다.

a. 구조화된 방법과 같은 소프트웨어 요구사항을 개발하는데 사용하는 방법

b. 데이터 흐름 다이어그램 같이 요구사항을 표현하는데 사용되는 표기법.

c. 요구사항 개발에 사용되는 도구의 사용에 대한 제약.

d. 시스템 프로세스에 파생된 요구사항을 제공하는데 사용되는 방법

9.7. 소프트웨어 설계 표준

소프트웨어 설계 표준은 소프트웨어 아키텍처 및 상세 요구사항을 개발하는데 사용되는 방법, 규칙 및 도구를 정의합니다. 이러한 표준에는 다음이 포함되어야 합니다.

a. 사용할 설계 서술 방법.

b. 사용할 이름 지정 규칙.

c. 스케줄링, 인터럽트 및 이벤트 중심 아키텍처의 사용, 동적 작업, 재진입, 전역 데이터 및 예외 처리, 사용 용도에 대한 허용된 설계 방법에 부과된 조건.

d. 설계 도구의 사용에 대한 제약.

e. 설계에 대한 제약 (예: 재귀, 동적 객체, 데이터 별칭 및 압축된 표현식 제외).

f. 복잡성 제한 사항 (예: 중첩 호출 또는 조건부 구조의 최대 수준, 무조건 부 분기 사용 및 코드 컴포넌트의 시작/종료 지점 수).

9.8. 소프트웨어 코드 표준

소프트웨어 코드 표준은 소프트웨어를 코딩하는 데 사용할 프로그래밍 언어, 방법, 규칙 및 도구를 정의합니다. 이러한 표준에는 다음이 포함되어야 합니다.

a. 사용되는 프로그래밍 언어 그리고 또는 정의된 서브 세트. 프로그래밍 언어의 경우 구문, 통제 동작, 데이터 동작 및 언어의 부작용을 명확하게 정의하는 데이터를 참조합니다. 이를 위해서는 언어의 일부 기능 사용을 제한해야 할 수 있습니다.

b. 소스 코드 작성 표준 (예: 줄 길이 제한, 들여 쓰기, 빈 줄 사용 및 소스 코드 문서화 표준 (예: 작성자 이름, 개정 이력, 입력 및 출력 및 전역 데이터).

c. 컴포넌트, 서브 프로그램, 변수 및 상수에 대한 이름 지정 규칙.

d. 허용되는 코딩 규칙에 부과되는 조건 및 제약사항 (예: 소프트웨어 컴포넌트 간의 결합 정도, 논리적 표현 또는 숫자 표현의 복잡성 및 사용 목적의 이론적 근거).

e. 코딩 도구의 사용에 대한 제약.

9.9. 소프트웨어 요구사항 데이터

소프트웨어 요구사항 데이터는 파생된 요구사항을 포함한 상위 요구사항의 정의입니다. 이 데이터에는 다음이 포함되어야 합니다.

a. 안전 관련 요구사항 및 잠재적 고장 조건에 주의를 기울여 소프트웨어에 대한 시스템 요구사항 할당에 대한 설명.

b. 각 운영 모드에서의 기능 및 운영 요구사항.

c. 성능 기준 (예: 정밀도 및 정확도).

d. 타이밍 요구사항 및 제약 조건.

e. 메모리 크기 제약 조건.

f. 하드웨어 및 소프트웨어 인터페이스 (예: 프로토콜, 형식, 입력 빈도 및 출력 빈도).

g. 고장 검출 및 안전 모니터링 요구사항.

h. 소프트웨어에 할당된 파티션 요구사항, 파티션된 소프트웨어 컴포넌트가 서로 상호 작용하는 방법 및 각 파티션의 소프트웨어 Level.

9.10. 설계 설명

설계 설명은 소프트웨어 아키텍처의 정의이며 상위 요구사항을 준수하는 상세 요구사항입니다. 이 데이터에는 다음이 포함되어야 합니다.

a. 소프트웨어가 알고리즘, 데이터 구조 및 소프트웨어 요구사항이 프로세서 및 작업에 할당되는 방법을 포함하여 지정된 고급 요구사항을 준수하는 방법에 대한 자세한 설명.

b. 요구사항을 구현하기 위해 소프트웨어 구조를 정의하는 소프트웨어 아키텍처에 대한 설명.

c. 소프트웨어 아키텍처 전체에서 내부적으로나 외부적으로 입력/출력 설명 (예: 데이터 사전).

d. 설계의 데이터 흐름 및 제어 흐름.

e. 자원 제한, 각 자원 및 제한 사항 관리, 마진 및 이러한 마진 측정 방법 (예: 타이밍 및 메모리).

f. 선점 형 스케줄링, Ada 랑데부 및 인터럽트를 포함하여 스케줄링 절차 및 프로세서 간/내부 작업 통신 메커니즘.

g. 소프트웨어 부하, 사용자 수정이 가능한 소프트웨어 또는 여러 버전의 다른 소프트웨어와 같은 구현 방법에 대한 방법 및 세부 정보 설계.

h. 파티셔닝 방법 및 파티션 위반 방지 방법.

i. 소프트웨어 컴포넌트에 대한 설명(신규 또는 이전에 개발되었는지 여부, 이전에 개발된 경우)은 취해진 베이스라인을 참조).

j. 소프트웨어 설계 프로세스에서 비롯된 파생 요구사항.

k. 시스템에 비활성화된 코드가 포함되어 있는 경우 대상 컴퓨터에서 코드를 활성화할 수 없도록 하는 방법에 대한 설명.

l. 안전 관련 시스템 요구사항을 추적할 수 있는 설계 결정에 대한 이론적 근거.

9.11. 소스 코드

이 데이터는 소스 언어로 작성된 코드로 구성됩니다. 소스 코드는 통합 시스템 또는 장비를 개발하기 위해 총괄 프로세스에서 데이터를 컴파일, 링크 및 로드 하는데 사용됩니다. 각 소스 코드 컴포넌트에 대한 데이터에는 개정판의 이름과 날짜 그리고 또는 버전을 포함하여 소프트웨어 식별 정보가 포함되어야 합니다.

9.12. 실행 가능한 객체 코드

실행 가능 객체 코드는 대상 컴퓨터의 처리 장치에서 직접 사용할 수 있는 코드 형식으로 구성되므로 하드웨어 또는 시스템에 로드 되는 소프트웨어입니다.

9.13. 소프트웨어 검증 사례 및 절차

소프트웨어 검증 사례 및 절차에서는 소프트웨어 검증 프로세스 활동이 어떻게 구현되는지 자세히 설명합니다. 이 데이터에는 다음에 대한 설명이 포함되어야 합니다.

a. 검토 및 분석 절차: 소프트웨어 검증 계획의 설명과 함께 사용할 검토 또는 분석 방법의 범위와 깊이.

b. 테스트 케이스: 각 테스트 케이스의 목적, 입력 세트, 조건, 필요한 커버리지 기준을 달성하기 위한 예상 결과 및 합격/불합격 기준.

c. 테스트 절차: 각 테스트 케이스를 설정하고 실행하는 방법, 테스트 결과를 평가하는 방법 및 사용될 테스트 환경에 대한 단계별 지침.

9.14. 소프트웨어 검증 결과

소프트웨어 검증 결과는 소프트웨어 검증 프로세스 활동에 의해 생성됩니다. 소프트웨어 검증 결과는 다음과 같아야 합니다.

a. 각 검토, 분석 및 테스트에 대해 활동 중 통과하거나 실패한 각 절차와 최종 합격/불합격 결과 표시.

b. 검토, 분석 또는 테스트된 형상 항목 또는 소프트웨어 버전 식별.

c. 커버리지 분석 및 추적성 분석을 포함하여 테스트, 검토 및 분석 결과 포함.

발견된 모든 불일치는 문제 보고를 통해 기록되고 추적되어야 합니다.

소프트웨어 프로세스가 제공하는 정보의 시스템 프로세스 평가를 지원하기 위해 제공되는 증거는 소프트웨어 검증 결과로 간주되어야 합니다.

9.15. 소프트웨어 수명주기 환경 형상 색인

소프트웨어 수명주기 환경 형상 색인 (SECI)은 소프트웨어 수명주기 환경의 구성을 식별합니다. 이 색인은 소프트웨어 재생성, 재 검증 또는 소프트웨어 수정을 위해 하드웨어 및 소프트웨어 수명주기 환경의 재생산을 돕기 위해 작성되었으며 다음을 수행해야 합니다.

a. 소프트웨어 수명주기 환경 하드웨어 및 운영 체제 소프트웨어 확인.

b. 소프트웨어 개발 중에 사용할 도구 확인. 예를 들면 컴파일러, 링커 에디터, 로더, 체크섬을 계산하고 내장하는 도구와 같은 데이터 무결성 도구 또는 순환 중복 검사 및 관련 선택사항이 있는 자동 코드 생성기 포함

c. 소프트웨어 테스트 및 분석 도구와 같이 소프트웨어 제품을 확인하는데 사용되는 테스트 환경 식별.

d. 검증된 도구와 관련 도구 검증 데이터 확인.

참고: 이 데이터는 소프트웨어 형상 색인에 포함될 수 있습니다.

9.16. 소프트웨어 형상 색인

소프트웨어 형상 색인 (Software Configuration Index, SCI)은 소프트웨어 제품의 형상을 식별합니다. 특정 형상 식별자 및 버전 식별자를 제공해야 합니다.

참고: 소프트웨어 형상 색인은 하나의 데이터 항목 또는 데이터 항목의 집합 (계층)을 포함할 수 있습니다. 소프트웨어 형상 색인은 아래 나열된 항목을 포함할 수 있거나 개별 항목 및 해당 버전을 지정하는 다른 소프트웨어 형상 색인 또는 기타 형상 식별 데이터를 참조할 수 있습니다.

소프트웨어 형상 색인은 다음을 확인해야 합니다.

a. 소프트웨어 제품.

b. 실행가능 한 객체 코드 및 매개변수 데이터 항목 파일 (있는 경우).

c. 각 소스 코드 컴포넌트.

d. 소프트웨어 제품에서 이전에 개발된 소프트웨어 (사용 된 경우).

e. 소프트웨어 수명주기 데이터.

f. 미디어 보관 및 출시.

g. 실행 가능 객체 코드 및 매개변수 데이터 항목 파일 (있는 경우)을 작성하기 위한 지침 (예: 컴파일 및 링크 용 지침 및 데이터 포함). 재생, 테스트 또는 수정을 위해 소프트웨어를 복구하는 절차.

h. 별도로 패키지화 된 경우 소프트웨어 수명주기 환경 형상 색인에 대한 참조.

i. 사용 가능한 경우 실행 파일 객체 코드에 대한 데이터 무결성 검사.

j. 사용자가 수정할 수 있는 소프트웨어가 있는 경우 수정하는 절차, 방법 및 도구.

k. 대상 하드웨어에 소프트웨어를 로드 하는 절차 및 방법

주: 소프트웨어 형상 색인은 하나의 소프트웨어 제품 버전에 대해 생산될 수 있거나 여러 대안 또는 연속 소프트웨어 제품 버전에 대한 데이터를 포함하도록 확장될 수 있습니다.

9.17. 문제 보고서

문제점 보고서는 소프트웨어 제품 비정상 행동에 대한 해결책을 식별하고 기록하고, 소프트웨어 계획 및 표준을 준수하지 않고 처리하며, 소프트웨어 수명주기 데이터에 결함이 있음을 의미합니다. 문제 보고서에는 다음 내용이 포함되어야 합니다.

a. 문제가 관찰된 형상 항목 그리고 또는 소프트웨어 수명주기 프로세스 활동 식별.

b. 수정될 형상 항목 식별 또는 변경될 프로세스 설명.

c. 문제점을 이해하고 해결할 수 있는 문제점 설명. 문제 기술에는 문제의 잠재적 안전성 또는 기능적 영향을 평가할 수 있도록 충분한 세부 정보 포함.

d. 보고된 문제를 해결하기 위해 취한 시정 조치에 대한 설명.

9.18. 소프트웨어 형상 관리 기록

소프트웨어 형상 관리 프로세스 활동의 결과는 소프트웨어 형상 관리 기록에 기록됩니다. 예는 형상 식별 목록, 기본 또는 소프트웨어 라이브러리 기록, 변경 이력 보고서, 아카이브 기록 및 배포 기록이 포함됩니다. 이러한 예는 이러한 특정 유형의 기록을 생산해야 함을 의미하지는 않습니다.

9.19. 소프트웨어 품질 보증 기록

소프트웨어 품질 보증 과정 활동의 결과는 소프트웨어 품질 보증 기록에 기록됩니다. 여기에는 소프트웨어 품질 보증 검토 또는 감사 보고서, 회의록, 승인된 프로세스 편차 기록 또는 소프트웨어 적합성 검토 기록이 포함될 수 있습니다.

9.20. 소프트웨어 성취도 요약

소프트웨어 성과 요약은 소프트웨어 측면 인증 계획의 준수 여부를 보여주는 기본 데이터 항목입니다. 이 요약에는 다음 내용이 포함되어야 합니다.

a. 시스템 개요: 이 절에서는 하드웨어 및 소프트웨어, 기능, 사용된 프로세서, 하드웨어/소프트웨어 인터페이스 및 안전 기능에 대한 기능 설명과 할당에 대한

설명을 포함하여 시스템에 대한 개요를 제공합니다. 또한 이 절에서는 인증의 소프트웨어 측면에 대한 시스템 개요와의 차이점에 대해서도 설명합니다.

b. 소프트웨어 개요: 이 절에서는 사용된 안전 및 파티셔닝 개념에 중점을 둔 소프트웨어 기능을 간략히 설명하고 인증의 소프트웨어 측면 계획에서 제안된 소프트웨어 개요와의 차이점을 설명합니다.

c. 인증 고려사항: 이 절에서는 인증의 소프트웨어 측면 계획에 설명된 인증 고려사항을 다시 설명하고 차이점을 설명합니다.

d. 소프트웨어 수명주기: 이 절에서는 실제 소프트웨어 수명주기를 요약하고 소프트웨어 수명주기 및 소프트웨어 수명주기 프로세스와의 차이점을 소프트웨어 인증 계획에 제안합니다.

e. 소프트웨어 수명주기 데이터: 이 절에서는 생성된 소프트웨어 수명주기 데이터에 대한 소프트웨어 인증 계획에서 제안한 내용, 서로에 대한 데이터 관계 및 시스템을 정의하는 기타 데이터에 대한 데이터 사용 가능 여부 및 데이터가 제공된 방법과의 차이를 설명합니다. 이 절에서는 구성 식별자 및 버전에 따라 적용 가능한 소프트웨어 형상 색인 및 소프트웨어 수명주기 환경 형상 색인을 명시적으로 참조합니다. 소프트웨어 수명주기 데이터의 특정 버전 및 형상 식별자에 대한 자세한 내용은 소프트웨어 형상 색인에 제공됩니다.

f. 추가 고려사항: 이 절에서는 인증 기관의 주의를 끄는 구체적인 고려사항을 요약합니다. 이러한 고려사항에 관한 인증의 소프트웨어 측면 계획에 포함된 제안과의 차이점을 설명합니다. 이 문제에 적용할 수 있는 데이터 항목 (예: 논문 또는 특수 조건)을 참조해야 합니다.

g. 공급 업체 감독: 이 절에서는 공급 업체 프로세스 및 산출물이 계획 및 표준을 준수하는 방법을 설명합니다.

h. 소프트웨어 식별: 이 절에서는 부품 번호 및 버전 별 소프트웨어 구성을 식별합니다.

i. 소프트웨어 특성: 이 절에는 실행 가능한 객체 코드 크기, 최악의 실행 시간, 메모리 마진, 자원 제한 및 각 특성을 측정하는데 사용되는 평균을 포함한 타이밍 여백이 나와 있습니다.

j. 변경 이력: 해당되는 경우 이 절에는 안전성에 영향을 미치는 변경 사항에 대한 주의가 있는 소프트웨어 변경 사항 요약이 포함되어 있으며 이전 인증 이후의 소프트웨어 수명주기 프로세스의 변경 사항 및 개선 사항을 식별합니다.

k. 소프트웨어 상태: 이 절에는 인증 시점에 해결되지 않은 문제 보고서 요약이 포함되어 있습니다. 문제 보고서 요약에는 각 문제와 관련된 오류, 기능 제한, 운영 제한사항, 잠재적인 안전 역효과 및 문제 보고서를 열어두기(open) 위한 정당성 및 수행된 완화 조치의 세부사항이 포함됩니다.

l. 준수 선언문: 이 절에는 본 문서의 준수 선언문과 소프트웨어 계획에 지정된 기준 준수를 입증하는데 사용된 방법 요약이 포함됩니다. 또한 이 절에서는 인증 기관이 내린 추가 판결 사항과 소프트웨어 계획, 표준 및 본 문서의 소프트웨어 편차 요약에서 다루지 않은 모든 편차에 대해서도 다룹니다.

9.21. 추적 데이터

추적 데이터는 수명주기 데이터 항목 내용 간의 관련을 설정합니다. 다음과 같은 양방향 관련을 보여주는 추적 데이터가 제공되어야 합니다.

a. 시스템 요구사항은 소프트웨어 및 상위 요구사항에 할당됩니다.

b. 상위 요구사항 및 상세 요구사항.

c. 상세 요구사항 및 소스 코드.

d. 소프트웨어 요구사항 및 테스트 케이스.

e. 테스트 케이스 및 테스트 절차.

f. 시험 절차 및 시험 결과.

9.22. 매개변수 데이터 항목 파일

매개변수 데이터 항목 파일은 대상 컴퓨터의 처리 장치에서 직접 사용할 수 있는 데이터 형식으로 구성됩니다. 소프트웨어 수명주기 데이터는 매개변수 데이터 항목의 각 인스턴스화마다 생성되어야 합니다. 별도로 패키지화 된 경우 이 데이터에는 관련 실행 파일 객체 코드의 소프트웨어 성취도 요약에 대한 참조가 포함되어야 합니다.

10. 인증 추가 고려사항

본 문서의 이전 절에서는 신청자가 해당 절에서 설명한대로 소프트웨어 수명주기 프로세스의 증거를 제출하는 인증 요구사항을 준수하기 위한 지침을 제공합니다. 이 절에서는 목표 그리고 또는 활동이 본 문서의 나머지 부분에서 정의된 목표 그리고 또는 활동의 일부 또는 전부를 대체, 수정 또는 추가할 수 있는 추가 고려사항에 대한 지침을 제공합니다. 추가적인 고려사항의 사용과 본 문서의 다른 절에서 제공된 지침에 대한 제안된 영향은 인증 기관과 개별적으로 합의되어야 합니다.

10.1. 이전에 개발된 소프트웨어 사용

이 절의 지침은 이전에 개발된 소프트웨어의 사용과 관련된 문제 (수정 사항 평가 포함)를 논의합니다. 항공기 설치, 응용 환경 또는 개발 환경 변경의 효과; 개발 베이스라인 업그레이드; 소프트웨어 형상 관리 및 소프트웨어 품질 보증 고려사항. 이전에 개발된 소프트웨어를 사용하려는 의도는 인증의 소프트웨어 측면에 대한 계획에 명시되어 있습니다. 해결되지 않은 문제 이전에 개발된 소프트웨어와 관련된 보고서의 영향을 평가해야 합니다.

10.1.1.　　　이전에 개발된 소프트웨어 수정

이 지침에서는 이전 소프트웨어 수명주기 프로세스의 출력이 본 문서를 준수하는 경우 이전에 개발된 소프트웨어의 수정에 대해 설명합니다. 요구사항 변경, 오류 검출 그리고 또는 소프트웨어 향상으로 인해 수정이 발생할 수 있습니다. 활동은 다음과 같습니다.

a. 제안된 변경 사항을 고려하여 시스템 안전 평가 프로세스의 수정된 결과를 검토해야 합니다.

b. 소프트웨어 Level 이 수정되면 2.1.4 절의 지침을 고려해야 합니다.

c. 다른 요구사항에 대한 소프트웨어 요구사항 변경의 영향과 수정된 영역 이상을 포함한 재 검증 노력을 초래할 수 있는 여러 소프트웨어 컴포넌트 간의 결합을 포함하여 소프트웨어 요구사항 변경의 영향과 소프트웨어 아키텍처 변경의 영향을 분석해야 합니다.

d. 변화에 영향을 받는 영역을 결정해야 합니다. 이는 데이터 흐름 분석, 제어 흐름 분석, 타이밍 분석, 추적 가능성 분석 또는 이러한 분석의 조합으로 수행할 수 있습니다.

e. 변경으로 인해 영향을 받는 영역은 6 절에 따라 재확인되어야 합니다.

10.1.2.   항공기 설치 변경

특정 소프트웨어 Level 및 특정 인증 기준에 따라 이전에 "승인"된 소프트웨어가 포함된 항공 시스템 또는 장비는 새로운 항공기 설치에 사용될 수 있습니다. 활동은 다음과 같습니다.

a. 시스템 안전 평가 프로세스는 새로운 항공기 설치를 평가하고 소프트웨어 Level 및 인증 기준을 결정합니다. 이전 설치에서 새 설치와 동일하면 추가 작업이 필요하지 않습니다.

b. 신규 장비에 기능적 개조가 필요한 경우, 2.1.1 절의 지침을 만족해야 합니다.

c. 이전 개발 활동이 신규 장비의 시스템 안전 목표를 구체화하는데 필요한 산출물을 산출하지 못한다면, 2.1.4 절의 지침을 만족시켜야 합니다.

10.1.3.   응용 또는 개발 환경 변화

이전에 개발된 소프트웨어의 사용 및 수정에는 새로운 개발 환경, 새로운 대상 프로세서 또는 기타 하드웨어 또는 원래 응용 프로그램에 사용된 소프트웨어 이외의 다른 소프트웨어와의 통합이 포함될 수 있습니다.

새로운 개발 환경은 소프트웨어 수명주기 내에서 일부 활동을 증가시키거나 감소시킬 수 있습니다. 새로운 응용 프로그램 환경에는 수정을 처리하는 소프트웨어 수명주기 프로세스 활동 외에도 활동이 필요할 수 있습니다. 응용프로그램 또는 개발 환경에 대한 변경 사항을 식별, 분석 및 재확인해야 합니다. 활동은 다음과 같습니다.

a. 새로운 개발 환경에서 소프트웨어 도구를 사용하는 경우 2.2 절의 지침을 적용할 수 있습니다.

b. 응용 프로그램 변경 평가의 엄격함은 프로그래밍 언어의 복잡성과 정교함을 고려해야 합니다. 예를 들어, 새 응용 프로그램에서 일반 매개변수가 다른 경우 Ada 제네릭에 대한 평가의 엄격성이 커집니다. 객체 지향 언어의 경우 새로운 응용 프로그램에서 상속된 객체가 다른 경우 엄격 성이 더 커집니다.

c. 다른 자동 코드 생성기 또는 다른 자동 코드 생성기 선택사항을 사용하면 생성된 소스 코드 또는 객체 코드가 변경될 수 있습니다. 변경 사항의 영향을 분석해야 합니다.

d. 다른 컴파일러 또는 다른 세트의 컴파일러 선택사항이 사용되어 다른 객체 코드가 발생하는 경우 객체 코드를 사용하는 이전 소프트웨어 검증 프로세스 활동의 결과가 유효하지 않을 수 있으므로 새 응용 프로그램에 사용하면 안됩니다. 이 경우 이전 테스트 결과가 더 이상 새 애플리케이션의 구조적 적용 범위 기준에 유효하지 않을 수 있습니다. 마찬가지로, 최적화에 대한 컴파일러 가정은 유효하지 않을 수 있습니다.

e. 다른 프로세서를 사용하는 경우 변경 영향 분석을 수행하여 다음을 결정합니다.

1. 하드웨어/소프트웨어 통합에 대한 수정을 포함하여 프로세서 변경의 결과로 수정되거나 새로 추가되어야 하는 소프트웨어 컴포넌트.

2. 새로운 응용 프로그램에 사용될 수 있는 하드웨어/소프트웨어 인터페이스에 대한 이전 소프트웨어 검증 프로세스 활동의 결과.

3. 새 응용 프로그램에 대해 실행해야 하는 이전 하드웨어/소프트웨어 통합 테스트. 항상 실행할 최소한의 테스트 세트가 있어야 합니다.

4. 필요한 추가 하드웨어/소프트웨어 통합 테스트 및 검토.

f. 프로세서 이외의 하드웨어 항목이 변경되고 소프트웨어 설계가 인터페이싱 모듈을 다른 모듈과 분리할 경우 변경 영향 분석을 수행해야 합니다.

1. 변경되었거나 변경된 하드웨어 컴포넌트를 수용하도록 수정될 소프트웨어 모듈 또는 인터페이스를 결정합니다.

2. 필요한 재 증명 정도를 결정합니다.

g. 이전에 개발된 소프트웨어가 다른 인터페이싱 소프트웨어와 함께 사용되는 곳에서 소프트웨어 인터페이스를 검증해야 합니다. 변경 영향 분석은 필요한 재확인 범위를 결정하는데 사용될 수 있습니다.

10.1.4.　　　　개발 베이스라인 업그레이드

새로운 응용 프로그램과 관련된 요구사항으로 인해 이전 응용 프로그램의 소프트웨어 수명주기 데이터가 부적절하거나 본 문서의 목적을 준수하지 못하는 것으로 판단되는 소프트웨어에 대한 지침이 제공됩니다. 이 지침은 다음에 적용될 때 본 문서의 목적을 준수하는데 도움이 되는 내용입니다.

- 상용 소프트웨어.

- 공수 소프트웨어는 다른 지침에 따라 개발됩니다.

- 본 문서가 존재하기 전에 공수 소프트웨어가 개발됩니다.

- 이전에 이 소프트웨어를 사용하여 소프트웨어 Level 을 낮추어 개발한 소프트웨어입니다.

개발 베이스라인을 업그레이드하기 위한 활동은 다음과 같습니다.

1. 본 문서의 목적은 새로운 응용 프로그램의 목표를 준수하는 이전 개발의 소프트웨어 수명주기 데이터를 활용하면서 만족되어야 합니다.

2. 인증의 소프트웨어 측면은 시스템 안전 평가 프로세스에 의해 결정된 고장 조건 및 소프트웨어 Level 을 기반으로 해야 합니다. 이전 응용 프로그램의 고장 조건과 비교하여 업그레이드해야 할 수도 있는 영역이 결정됩니다.

3. 소프트웨어 Level 의 소프트웨어 검증 프로세스 목표가 새로운 응용 프로그램에 대해 필요한 수준의 엄격함 및 독립성을 유지할 수 있도록 이전 개발의 소프트웨어 수명주기 데이터를 평가해야 합니다.

4. 역공학은 본 문서의 목적을 준수하기에 부적절하거나 누락된 소프트웨어 수명주기 데이터를 재생성 하는데 사용될 수 있습니다. 소프트웨어 제품을 생산하는 것 외에도 소프트웨어 검증 프로세스 목표를 준수하기 위해 추가 활동을 수행해야 할 수도 있습니다.

5. 개발 베이스라인을 업그레이드할 때 본 문서의 목적을 준수하기 위해 제품 서비스 이력을 사용하려는 경우 2.3.4 절을 고려해야 합니다.

6. 신청자는 인증의 소프트웨어 측면 계획에서 본 문서의 준수를 위한 전략을 명시해야
합니다.

10.1.5.   소프트웨어 형상 관리 고려사항

이전에 개발된 소프트웨어가 사용되는 경우 새로운 응용 프로그램의 소프트웨어 형상
관리 프로세스 활동에는 7 절의 활동 외에도 다음이 포함되어야 합니다.

    a. 이전 응용 프로그램의 소프트웨어 제품 및 소프트웨어 수명주기 데이터를 새
응용 프로그램에 제공하는 추적성 제공.

    b. 하나 이상의 응용 프로그램에서 사용되는 소프트웨어 컴포넌트에 대한 변경
사항의 문제점 보고, 문제점 해결 및 추적을 가능하게 하는 변경 통제를
제공합니다.

10.1.6.   소프트웨어 품질 보증 고려사항

이전에 개발된 소프트웨어가 사용되는 경우 소프트웨어 품질 보증 활동에는 8 절의
활동 이외에 다음이 포함되어야 합니다.

    a. 소프트웨어 컴포넌트가 새 응용 프로그램의 소프트웨어 Level 의 소프트웨어
수명주기 기준을 준수하거나 초과한다는 보장을 제공합니다.

    b. 소프트웨어 수명주기 프로세스의 변경 사항은 소프트웨어 계획에 명시된다는
보장을 제공합니다.

10.2. 도구 인정

10.2.1.   도구 인정 필요성 결정

절 6 에 명시한 대로 출력 검증 없이 소프트웨어 도구를 사용하여 본 문서의
프로세스를 제거, 축소 또는 자동화할 경우 도구의 인정이 필요합니다.

도구 인정 프로세스의 목적은 도구가 최소한 제거, 축소 또는 자동화된 프로세스의 신뢰도와 동등한 수준의 신뢰를 제공하도록 보장하는 것입니다.

도구 인정 프로세스는 단일 도구, 도구 모음 또는 도구 내의 하나 이상의 기능에 적용될 수 있습니다. 여러 기능을 가진 도구의 경우, 도구 기능의 보호가 입증될 수 있는 경우 소프트웨어 수명주기 프로세스를 제거, 축소 또는 자동화하고 출력이 검증되지 않은 기능 만 검증할 필요가 있습니다. 보호 기능은 도구 기능이 다른 도구 기능에 악영향을 미칩니다.

도구는 도구 사용 의도가 시스템을 지원하는 인증의 소프트웨어 측면 계획에 명시된 특정 시스템에서만 사용해야 합니다. 한 시스템에서 이전에 검증된 도구가 다른 시스템에서 사용하도록 제안된 경우 해당 시스템의 컨텍스트 내에서 재 검증되어야 합니다.

10.2.2.　　　도구 인정 수준 결정

도구 인정이 필요한 경우 소프트웨어 수명주기 프로세스에서 도구 사용의 영향을 평가하여 도구 인정 수준 (TQL)을 결정해야 합니다. 다음 기준은 도구의 영향을 결정하는 데 사용해야 합니다.

a. 기준 1: 출력이 항공 소프트웨어의 일부이므로 오류를 삽입할 수 있습니다.

b. 기준 2: 검증 프로세스를 자동화하고 오류를 검출하지 못하고 그 출력이 다음의 제거 또는 감소를 타당화 하는데 사용되는 도구:

   1. 도구에 의해 자동화된 것 이외의 검증 프로세스 또는

   2. 항공 소프트웨어에 영향을 미칠 수 있는 개발 프로세스.

c. 기준 3: 의도된 사용 범위 내에서 오류를 발견하지 못하는 도구.

도구가 본 문서의 프로세스를 제거, 축소 또는 자동화하고 해당 출력이 절 6 에 지정된 대로 검증되지 않은 경우 적절한 TQL 은 표 8 과 같습니다. TQL-1 에서 TQL-5 까지 다섯 가지 수준의 도구 인정 수준이 도구 사용과 소프트웨어 수명주기 프로세스에서의 잠재적 영향에 따라 식별됩니다. TQL-1 은 가장 높은 엄격한 수준이고 TQL-5 는 가장 낮은 수준입니다. 주어진 도구의 영향을 평가할 때, 기준은 기준 1 에서 기준 3 까지

순차적으로 고려되어야 합니다. 도구 인정 수준은 가능한 한 빨리 인증 기관과 합의해야 합니다.

표 4 Tool Qualification Level Determination

Software Level	Criteria		
	1	2	3
A	TQL-1	TQL-4	TQL-5
B	TQL-2	TQL-4	TQL-5
C	TQL-3	TQL-5	TQL-5
D	TQL-4	TQL-5	TQL-5

10.2.3.   도구 인정 프로세스

각 도구 인정 수준에 필요한 목표, 활동, 지침 및 수명주기 데이터는 DO-330, "소프트웨어 도구 인정 고려사항"에 설명되어 있습니다.

이 프로세스는 정식 인정이 필요한지를 결정하기 위해 소프트웨어 개발과 검증 토구를 평가합니다. 여기에는 2 가지 유형이 있습니다. 바로 개발 도구 인정과 검증 도구 인정입니다. DO-178C 의 개발 도구는 항공전자 내장 운용 소프트웨어 안에 실제적으로 탑재되는 결과물을 제공합니다. 이러한 개발 도구는 소프트웨어의 무결성을 보장하기 위해 DO-178C 소프트웨어 수명주기 특성을 반드시 제공해야 합니다. 검증 도구는 DO-178C 검증을 지원합니다. 이러한 범위를 만족하거나 DO-178B 에 의해서 언급되는 프로세스 단계를 줄이거나 자동화하거나 혹은 대체하는 도구는 반드시 인정을 받아야 합니다.

10.3. 대체 방법

본 문서가 작성된 당시의 부적절한 성숙도 또는 항공 소프트웨어의 제한된 적용 가능성으로 인해 본 문서의 이전 절에서 논의되지 않은 방법도 있었습니다. 현재 또는 미래의 방법 구현을 제한하는 것은 본 문서의 의도는 아닙니다. 이 절에서 논의된 단일 대체 방법은 본 문서의 하나 이상의 목표를 준수하는데 사용될 수 있습니다. 또한 서로를 지원하기 위해 대체 방법을 사용할 수도 있습니다.

다른 방법은 소프트웨어 개발 프로세스와는 별도로 고려될 수 없습니다. 대체 방법의 인증 신용을 얻기 위한 노력은 소프트웨어 Level 및 소프트웨어 수명주기 프로세스에 대한 대체 방법의 영향에 따라 달라집니다. 대체 방법 사용에 대한 지침은 다음을 포함합니다:

a. 본 문서의 목적 또는 해당 부속서를 준수하기 위한 대안 방법이 제시되어야 합니다.

b. 신청자는 인증의 소프트웨어 측면에 대한 계획을 명시하고 다음에 대한 인증 기관의 동의를 얻어야 합니다.

   1. 제안된 방법이 소프트웨어 개발 프로세스에 미치는 영향.

   2. 제안된 방법이 소프트웨어 수명주기 데이터에 미치는 영향.

   3. 시스템 안전 목표가 준수되었음을 보여주는 대체 방법을 사용하는 근거. 대체 방법을 사용하는 근거를 제시하는 한 가지 기법은 검증 사례이며, 이 경우 증거를 시스템 안전성 목표와 연계시키기 위한 주장이 명확히 제시됩니다.

c. 이론적 근거는 소프트웨어 계획, 프로세스, 예상 결과 및 방법 사용 증거로 입증되어야 합니다.

10.3.1.   철저한 입력 테스트

항공 시스템이나 장비의 소프트웨어 컴포넌트가 단순하고 고립되어 입출력 세트가 제한될 수 있는 상황이 있습니다. 그렇다면 이 입력 공간에 대한 철저한 테스트가 6장에서 식별된 하나 이상의 소프트웨어 검증 프로세스 활동을 대체할 수 있음을 입증하는 것이 가능할 수 있습니다. 이 대체 방법의 경우 다음과 같은 활동이 포함됩니다.

a. 소프트웨어의 유효한 입력 및 출력의 완전한 세트를 정의합니다.

b. 소프트웨어에 대한 입력 격리를 확인하는 분석 수행.

c. 철저한 입력 테스트 케이스 및 절차에 대한 이론적 근거 개발

d. 테스트 케이스, 테스트 절차 및 테스트 결과 개발.

10.3.2.   여러 버전 이종 소프트웨어 검증 고려사항

여러 버전 이종 소프트웨어에 적용되는 소프트웨어 검증 프로세스에 관한 지침은 다음과 같습니다. 이종 소프트웨어를 여러 버전으로 사용하기 때문에 소프트웨어 검증 프로세스가 수정되면 소프트웨어 검증 프로세스 목표가 준수되고 각 소프트웨어 버전에 대해 동등한 오류 검출이 이루어졌다는 증거를 제공해야 합니다.

다음과 같은 여러 기술을 조합하여 여러 버전의 소프트웨어가 생성됩니다.

소스 코드는 두 개 이상의 다른 프로그래밍 언어로 구현됩니다.

객체 코드는 두 개 이상의 다른 컴파일러를 사용하여 생성됩니다.

실행 가능한 객체 코드의 각 소프트웨어 버전은 소프트웨어 버전 간에 파티션을 제공하는 수단을 가진 별도의 다른 프로세서 또는 단일 프로세서에서 실행됩니다.

소프트웨어 요구사항, 소프트웨어 설계 그리고 또는 소스 코드는 상호 작용이 관리되는 두 개 이상의 개발팀이 개발합니다.

소프트웨어 요구사항, 소프트웨어 설계 그리고 또는 소스 코드는 두 개 이상의 소프트웨어 개발 환경에서 개발되고 각 버전은 별도의 테스트 환경을 사용하여 검증됩니다.

실행 객체 코드는 두 개 이상의 이종 링크 편집기와 둘 이상의 다른 로더를 사용하여 링크되고 로드 됩니다.

소프트웨어 요구사항, 소프트웨어 설계 그리고 또는 소스 코드는 둘 이상의 이종 소프트웨어 요구사항 표준, 소프트웨어 설계 표준 그리고 또는 소프트웨어 코드 표준에 따라 개발됩니다.

여러 버전 소프트웨어를 사용하는 경우 단일 버전 소프트웨어를 확인하는데 사용되는 소프트웨어 확인 방법이 수정될 수 있습니다. 별도의 다중 개발팀과 같이 다중 스레드인 소프트웨어 개발 프로세스 활동에 적용됩니다. 소프트웨어 검증 프로세스는 다중 소프트웨어 버전의 차이에 영향을 미치기 때문에 결합된 하드웨어 및 소프트웨어 아키텍처에 의존합니다. 준수되어야 할 추가 소프트웨어 검증 프로세스 목표는 다음을 입증하는 것입니다.

a. 정상 및 비정상적인 작동 및 상태 전환 시의 호환성을 포함하여 버전 간 호환성 요구사항이 준수됩니다.

b. 동등한 오류 검출이 이루어집니다.

소프트웨어 검증 프로세스 활동의 다른 변경 사항은 변경 사항이 동등한 소프트웨어 검증 범위를 확인하는 근거에 의해 입증되는 경우 인증 기관과 합의할 수 있습니다.

10.3.3.   소프트웨어 신뢰성 모델

개발 품질지표를 기반으로 소프트웨어 신뢰성을 예측하는 많은 방법이 발표되었습니다(예: 소프트웨어 구조, 결함 검출 속도). 이 문서는 작성 당시에 현재 이용 가능한 방법이 신뢰를 예측할 수 있는 결과를 제공하지 않았기 때문에 그러한 방법 유형에 대한 지침을 제공하지 않습니다.

10.3.4.   제품 서비스 이력

소프트웨어의 동등한 안전성이 소프트웨어의 제품 서비스 이력을 사용하여 입증될 수 있는 경우, 일부 인증 신용이 부여될 수 있습니다. 이 방법의 수용 가능성은 다음에 달려 있습니다.

- 소프트웨어 형상 관리.
- 문제 보고 활동 효과.
- 소프트웨어 안정성과 완성도.
- 제품 서비스 이력 환경 관련성.
- 제품 서비스 기록 길이.

- 제품 서비스 이력 실제 오류 율.

- 수정 영향.

인증 신용을 위한 서비스 이력 데이터 사용은 서비스 이력 기간 중 발생하는 충분성과 관련성 및 유형의 문제를 전제로 합니다. 소프트웨어 서비스 이력 사용, 사용 조건 및 결과는 시스템 안전 평가 프로세스를 비롯한 시스템 프로세스에 의해 정의되고 평가되어야 하며 적절한 인증 기관에 제출되어야 합니다. 서비스 이력의 적용 가능성 및 필요한 서비스 이력을 결정하기 위한 지침은 Job Aid 문서를 참조해야 합니다.

11. 인증 프로세스의 개요

이 절은 항공기 시스템 및 장비의 소프트웨어 측면에 대한 인증 프로세스의 개요이며 정보 제공의 목적으로만 제공됩니다.

공수 공동체 및 인증 기관은 관련 장비와 함께 항공기 승인과 관련된 여러 용어를 사용합니다. 사용된 용어는 "인증 (Certification)", "승인 (Approval)" 및 도구와 관련하여 "자격 (Qualification)"입니다.

"인증"은 항공기, 엔진 또는 프로펠러에 적용됩니다. 일부 인증 기관에 대해서는 보조 전원 장치에 관한 것입니다. 인증 기관은 이 소프트웨어를 인증 제품에 설치된 항공기 시스템 또는 장비의 일부로 간주합니다. **즉, 인증 기관은 소프트웨어를 독립적인 제품으로 인증하지 않습니다.**

임베디드 소프트웨어를 포함한 시스템 및 장비는 인증의 일부로 받아들여 지기 위해서는 "승인" 되어야 합니다. 인증 기관의 승인은 성공적인 데모 또는 소프트웨어 수명주기의 제품 검토를 통해 제공됩니다. 이러한 승인은 현재 특정 인증의 맥락에서만 중요합니다.

11.1. 인증 기준

인증 기관은 신청자와 협의하여 인증 받을 제품에 대한 인증 기준을 설정합니다. 인증 기준에 따라 특정 규정이 출판된 규정을 넘어서 적용되는 특수 조건과 함께 정의됩니다.

인증 제품이 수정되는 경우 인증 기관은 수정 사항이 원래 인증 기준에 미치는 영향을 고려합니다. 경우에 따라 수정에 대한 인증 기준이 원래 인증 기준에서 변경되지 않을 수도 있습니다. 그러나 원래의 준수 수단은 수정이 인증 기준을 준수하고 변경해야 할 수도 있음을 보여주기 위해 적용되지 않을 수 있습니다.

11.2. 인증의 소프트웨어 측면

인증 기관은 인증 기준을 준수하기로 합의한 준수 수단의 완전성 및 일관성을 위해 인증의 소프트웨어 측면에 대한 계획을 평가합니다. 인증 기관은 신청자가 제안한 소프트웨어 Level 이 시스템 안전 평가 프로세스 및 기타 시스템 수명주기 데이터의 결과와 일치함을 자체적으로 확인합니다. 인증 기관은 인증 기관 동의 이전에 만족되어야 하는 제안된 소프트웨어 계획과 관련된 문제점을 신청자에게 알립니다.

11.3. 규정 준수 결정

인증을 받기 전에 인증 기관은 시스템 또는 장비의 소프트웨어 측면을 포함하여 인증 대상 제품이 인증 기준을 준수하는지 확인합니다. 소프트웨어의 경우, 이는 소프트웨어 성과 요약 및 준수 증거를 검토하여 수행됩니다. 인증 기관은 소프트웨어 성과 요약을 소프트웨어의 소프트웨어 측면에 대한 개요로 사용합니다.

인증 기관은 9.2 절에서 설명된 대로 소프트웨어 수명주기 동안 소프트웨어 수명주기 프로세스와 소프트웨어 출력을 재량에 따라 검토할 수 있습니다.

부록 1. DO-178C 산출물 양식

1. 소프트웨어 인증 계획 (Plan for Software Aspects of Certification, PSAC)

PSAC 는 항상 인증 기관에 제출되는 하나의 계획입니다. 이것은 신청자와 인증 기관 간의 계약과 같습니다. 그러므로, 조기에 준비되고 합의할수록 좋습니다. 프로젝트가 늦을 때까지 제출되지 않은 PSAC 는 프로젝트에 위험을 초래합니다. 위험요소는 팀이 프로세스 그리고 또는 데이터가 준수하지 않는다는 것을 알기 위해서만 프로젝트의 끝까지 도달할 수 있다는 것입니다. 이로 인해 일정 및 예산표, 상당한 재 작업 및 인증 기관의 정밀 조사가 발생할 수 있습니다.

PSAC 은 전체 프로젝트에 대한 상위 설명을 제공하고 DO-178C (및 해당 보완 자료) 목표가 어떻게 준수될지 설명합니다. 또한 다른 네 가지 계획에 대한 요약을 제공합니다. PSAC 은 종종 인증 기관에 제출되는 유일한 계획이므로 단독으로 사용해야 합니다. 개발, 검증, 형상 관리 및 품질 보증 계획에서 모든 것을 반복할 필요는 없지만 이러한 계획을 정확하고 일관되게 요약해야 합니다. 때로는 다른 문서 (단순히 PSAC 라고 부름)를 가리키는 PSAC 이 있습니다. 개발, 검증, 형상 관리 및 소프트웨어 품질 보증 (SQA) 프로세스를 요약하는 대신, 다른 계획을 간단히 가리키고 있습니다. 이것은 중복 텍스트를 확실히 줄입니다. 그러나 다른 계획은 당국이 프로세스를 완전히 이해할 수 있도록 인증 기관에 제출해야 할 가능성이 높습니다. 이상적으로 PSAC 에는 인증 기관이 프로세스를 이해하고 준수에 대한 정확한 판단을 내릴 수는 있지만 다른 계획의 내용을 반복하지는 못하는 세부 정보는 충분합니다.

PSAC 는 명확하고 간결하게 작성해야 합니다. 문서가 명확할수록 혼란스럽지 않고 인증 기관에서 승인할 확률이 높아집니다.

DO-178C 11.1 절은 예상되는 PSAC 내용의 요약을 제공하며 PSAC 의 개요로 자주 사용됩니다. 다음은 각 절의 내용에 대한 간략한 요약과 함께 PSAC 의 일반적인 절입니다.

- 시스템 개요: 전체 시스템과 소프트웨어가 시스템에 어떻게 적용되는지 설명합니다. 일반적으로 몇 페이지 길이입니다.

- 소프트웨어 개요: 소프트웨어의 의도된 기능과 아키텍처 관련 사항에 대해 설명합니다. 그것도 두 페이지로 구성됩니다. 계획은 소프트웨어를 위한 것이므로 시스템과 개발될 소프트웨어를 설명하는 것이 중요합니다.

- 인증 고려사항: 준수 방법을 설명합니다. DO-178C 보완 자료가 사용되는 경우 보충 자료가 소프트웨어의 어떤 부분에 적용되는지 설명하는 좋은 곳입니다. 또한 이 절에서는 일반적으로 지정된 소프트웨어 Level 을 정당화하기 위한 안전성 평가를 요약합니다. 등급 A 소프트웨어의 경우에도 결정을 내리는 요소를 자세히 설명하고 추가 아키텍처 완화가 필요한지를 설명하는 것이 중요합니다. 또한 많은 프로젝트에서 PSAC 의 이 절에서 참여 단계 (SOI) 감사를 지원하기 위한 계획을 설명합니다.

- 소프트웨어 수명주기: 소프트웨어 개발 및 총괄 프로세스의 단계를 설명하고 일반적으로 다른 계획 (SDP, SVP, SCMP 및 SQAP)을 요약합니다.

- 소프트웨어 수명주기 데이터: 프로젝트 동안 개발될 수명주기 데이터를 나열합니다. 문서 번호는 일반적으로 할당되지만, 때로는 미정 또는 XXX 가 있을 수 있습니다. 종종 이 절에는 DO-178C 11 절의 22 개 데이터 항목이 나열되고 문서 이름과 번호가 포함된 표가 포함되어 있습니다. 또한 데이터가 인증 기관에 제출되거나 사용 가능한 경우 표시를 포함하는 것이 일반적입니다. 일부 신청자는 데이터가 대조 카테고리 #1 (CC1) 또는 대조 카테고리 #2 (CC2)로 취급될 지 여부와 데이터가 피 인용구의 승인을 위해 승인 또는 권장되는지 여부를 식별합니다. 대안으로 CC1/CC2 정보가 SCMP에 있을 수 있습니다. 그러나 전사적 SCMP가 사용되는 경우 PSAC 는 프로젝트 별 형상 관리 세부사항을 식별할 수 있습니다.

- 일정: 소프트웨어 개발 및 승인 일정이 포함됩니다. 목적은 프로젝트와 인증 기관이 자원을 계획하는데 도움을 주기 위한 것입니다. 프로젝트 전체에서 일정을 변경하면 승인 기관과 조정해야 합니다 (PSAC 에 대한 업데이트가 필요하지 않지만 PSAC 가 다른 용도로 업데이트되는 경우 일정이 업데이트되어야 함). 일반적으로 PSAC 의 일정은 상대적으로 높은 수준이며 계획이 발표되고 요구사항이 완료되며 설계가 완료되고 코드가 완료되며 테스트 사례가 작성되고 검토될 때와 같은 주요

소프트웨어 이정표가 포함됩니다. 테스트가 실행되며 SAS 가 작성되고 제출됩니다. 일부 지원자는 일정에 SOI 감사 준비 날짜를 포함시킵니다.

• 추가 고려사항: 인증 기관이 알아야 할 특별한 문제점을 알려주기 때문에 PSAC 의 가장 중요한 절 중 하나입니다. 모든 추가 고려사항을 명확하고 간결하게 문서화하면 예상치 못한 결과를 최소화하고 인증 기관과 계약을 체결할 수 있습니다. DO-178C 는 이전에 개발된 소프트웨어, 상업 소프트웨어(COTS) 및 도구 인정과 같은 추가 고려사항 항목의 포괄적인 목록을 포함합니다. 평범하지 않은 것으로 간주될 수 있는 프로젝트에 관한 정보가 있으면 공개해야 합니다. 여기에는 파티셔닝된 실시간 운영 체제 (RTOS), 자동화의 사용이 포함됩니다. 또한 계획된 비활성화 코드 또는 옵션 선택 가능 소프트웨어를 설명해야 합니다. DO-178C 에는 필요하지 않지만 PSAC 의 추가 고려사항 절에는 프로젝트에서 사용되는 모든 도구 목록과 도구 사용 방법에 대한 간략한 설명 및 모든 도구가 자격이 될 필요성이 있거나 자격은 필요하지 않습니다. 계획 중에 특히 도구가 자격을 갖추어야 하지만 자격이 필요한 도구로 확인되지 않은 경우 정보를 공개하는 것이 프로젝트에서 문제점을 발견할 확률이 높습니다.

PSAC 의 부록에 적용 가능한 모든 DO-178C (및 해당 보완 자료) 목표 목록을 포함시키는 것이 유용하며, 각 목표가 어떻게 준수되고, 계획이 각각의 목표는 어떻게 해결된다는 것을 포함시키는 것이 좋습니다. 지정된 사람과 인증 기관은 프로젝트가 DO-178C 준수 세부사항을 철저히 고려했다는 증거를 제공하기 때문에 이 정보를 높이 평가합니다.

예시 목차

1. 서론 (Introduction)
1.1 목적 및 범위 (Purpose & Scope)
1.2 약어 및 용어 (Acronyms and Glossary)
1.3 적용 문서 (Applicable Documents)
1.3.1 외부 문서 (External Documents)
1.3.2 내부 문서 (Internal Documents)
1.4 개인 역할 및 책임 (Personnel Roles & Responsibilities)
1.4.1 조직도 (Organization Chart)
1.4.2 독립성 (Independence)

2. 시스템 개요 (System Overview)

2.1 시스템 설명 (System Description)

2.2 시스템 아키텍처 (System Architecture)

2.3 시스템 개발 보증 등급 (System Development Assurance level)

2.4 하드웨어 할당 요구사항 (Requirements allocated to Hardware)

2.5 소프트웨어 할당 요구사항 (Requirements allocated to Software)

2.6 하드웨어/소프트웨어 인터페이스 (Hardware/Software Interfaces)

3. 소프트웨어 개요 (Software Overview)

3.1 소프트웨어 설명 (Software Description)

3.1.1 소프트웨어 아키텍처 (Software Architecture)

3.1.2 기능 설명 (Features Description)

3.2 개발 보증 등급 (Development Assurance Level)

3.3 타이밍 및 작업 예약 (Timing and Task Scheduling)

4. 소프트웨어 수명주기 환경 (Software Life Cycle Environment)

4.1 언어 및 컴파일러 (Languages and compliers)

4.1.1 언어 (Language)

4.1.2 컴파일러 (Compiler)

4.2 개발 도구 (Development Tools)

4.3 검증 도구 (Verification Tools)

4.4 형상 관리 도구 (Configuration Management Tools)

4.5 기타 도구 (Other Tools)

5. 인증 고려사항 (Certification Considerations)

5.1 인증 기준 및 준수 방법 (Certification Basis and Means of Compliance)

5.2 소프트웨어 등급 결정 (Software Level Determination)

5.3 호환 매트릭스 (Compliance Matrix)

6. 소프트웨어 수명주기 (Software Life Cycle)

6.1 소프트웨어 수명주기 프로세스 개요 (Software Life Cycle Processes Overview)

6.2 소프트웨어 계획 프로세스 (Software Planning Process)

6.2.1 활동 (Activities)

6.2.2 자원 (Resource)

6.2.3 전환 기준 (Transition Criteria)

6.2.4 표준 준수 매트릭스 (Compliance Matrix)

6.3 소프트웨어 요구사항 프로세스 (Software Requirements Process)

6.3.1 Activities

6.3.2 Resource

6.3.3 Transition Criteria

6.3.4 Compliance Matrix

작성법

1. 서론 (Introduction)	인증 소프트웨어 계획에 대한 소개를 기술합니다.
1.1 목적 및 범위 (Purpose & Scope)	소프트웨어 인증을 위한 요구 등급의 목적과 범위를 기술합니다. 예시) 가상 제어 및 디스플레이 시스템 (VCDS)에 대한 "인증 소프트웨어 계획" (PSAC) 문서입니다. DO-178C A 수준의 요구사항을 준수하는 VCDS 인증 신청자가 제출한 조항을 제시합니다. 소프트웨어 제작 과정에서 VCDS 에 구현되는 소프트웨어 수명주기 및 준수 기법에 대해 설명하고 인증 기관에서 소프트웨어 제품 개발이 등급 A 에 필요한 엄격함에 비례하는지 여부를 결정합니다.
1.2 약어 및 용어 (Acronyms and Glossary)	소프트웨어 인증 계획에서 사용한 약어 및 용어에 대해 기술합니다. 예시) CAST: Certification Authorities Software Team
1.3 적용 문서 (Applicable Documents)	적용 문서를 기술합니다.
1.3.1 외부 문서 (External Documents)	프로젝트 외부의 문서를 기술합니다. 예시) [CAST-12] Guidelines for Approving Source Code to Object Code Traceability

	CAST-12 Position Paper December 2002 **< 외부 문서 작성 예시>** 1.3.1 External Documents. RTCA/DO-178C Software Considerations in Airborne Systems and Equipment Certification. FAA Order 8110.4C Type Certification . FAA Order 8110.49 FAA, Software Approval Guidelines. AC 20-115B Advisory Circular, RTCA Inc., Document DO-178C, Software Considerations in Airborne Systems and Equipment Certification.
1.3.2 내부 문서 (Internal Documents)	프로젝트 내부의 문서를 기술합니다. 예시) [SDP] Software Development Plan **< 내부 문서 작성 예시>** 1.3.2 Internal Documents. <Ref Doc> Plan for Software Aspects of Certification (Ref. DO-178C, 11.1). <Ref Doc> Software Development Plan (Ref. DO-178C, 11.2). <Ref Doc> Software Verification Plan (Ref. DO-178C, 11.3). <Ref Doc> Software Configuration Management Plan (Ref. DO-178C, 11.4). <Ref Doc> Software Quality Assurance Plan (Ref. DO-178C, 11.5). <Ref Doc> Software Design Standards (Ref. DO-178C, 11.7). <Ref Doc> Software Code Standards (Ref. DO-178C, 11.8). <Ref Doc> Software Requirements Document (Ref. DO-178C, 11.9). <Ref Doc> Software Design Description (Ref. DO-178C, 11.10).
1.4 개인 역할 및 책임 (Personnel Roles & Responsibilities)	프로젝트에 참여하는 팀원의 역할 및 책임에 대해 기술합니다. 예시) 프로젝트 관리자: 홍길동 책임: 프로젝트 관리자의 역할은 엄격한 기한과 예산 내에서 프로젝트를 계획, 실행 및 완료하는 것입니다. 계획에 따라 프로젝트를 완료하기 위해 원 확보, 팀원 및 제 3 자 계약자 또는 컨설턴트의 노력 조정이 포함됩니다. • 프로젝트 개발을 처음부터 끝까지 지휘하고 관리

	• 고위 경영진 및 이해관계자와 협력하여 비즈니스 목표를 지원하는 프로젝트 범위, 목표 및 결과를 정의 • 내부 검토 조직 구성 • 프로젝트 팀 내의 문제와 갈등을 식별 및 해결 • 프로젝트 의존성 및 중요 경로를 식별 및 관리 • 프로젝트 목표를 달성하기 위해 필요한 자원과 참여자 추정
1.4.1 조직도 (Organization Chart)	프로젝트의 조직도를 기술합니다. 예시) DER: Designated Engineering Representative SQAE: Software Quality Assurance Engineer PM: Project Manager SCME: Software Configuration Management Engineer SDE: Software Development Engineer SVE: Software Verification Engineer
1.4.2 독립성 (Independence)	프로젝트 조직에서 권한과 책임에 대한 분리 및 독립성에 대해 설명합니다. 예시) 책임의 분리는 객관적인 평가의 성취를 보장합니다. • 소프트웨어 검증 프로세스 활동의 경우, 검증 활동이 검증 대상 품목의 개발자가 아닌 사람에 의해 수행될 때 독립성이 달성되거나 팀원 검증 활동과 동등한 효과를 달성하기 위해 도구가 사용될 수 있습니다. (SVP 참조).

2. 시스템 개요 (System Overview)	시스템에 대한 개요를 기술합니다.
2.1 시스템 설명 (System Description)	프로젝트에서 개발될 시스템에 대해 기술합니다. 예시) IMA 전자 장치 시스템을 단순화한 후에 우리는 작지만 전형적인 "가상 제어 및 디스플레이 시스템"을 데모로 선택합니다. VCDS 가 실제 프로젝트가 아니며 데모 시간이 제한되어 있으므로 버스, 데이터 I/O, RTOS 등을 통한 통신과 같은 여러 컴포넌트가 제거됩니다. **< 시스템 설명 작성 예시>** The flight control system consists of pilot input controls, cyclic and pedals, a flight control computer and hydraulic actuators to control the main and tail rotors. A diagram of the system is shown in the figure below... **Helicopter Control System**
2.2 시스템 아키텍처 (System Architecture)	프로젝트에서 개발될 시스템 아키텍처에 기술합니다. 예시) 다음은 VCDS 시스템 아키텍처의 개요입니다. 녹색 부분이 감사 시뮬레이션에 포함되어 있습니다.
2.3 시스템 개발 보증 등급 (System Development Assurance level)	프로젝트에서 개발될 시스템의 개발 보증 등급을 기술합니다. 예시) System Safety Assessment(SSA) 후에 Virtual Control & Display System(VCDS)에 할당된 DAL(Design Assurance Level)은 등급 A [SSA-001]입니다. 파티션 및 중복 고려사항이 없으므로 모든 소프트웨어는 등급 A 입니다.
2.4 하드웨어 할당 요구사항 (Requirements	하드웨어에 할당되는 하드웨어 요구사항을 기술합니다. 예시)

allocated to Hardware)	하드웨어 (Hardware)	형상 (Configuration)
	프로세서 (Processor)	Power PC 8270 card with G2 core, CPU at 450 Mhz
	버스 (Bus)	Bus 60x 100 Mhz
	데이터 캐시 (Data cache)	해당 사항 없음 (N/A)
	인스트럭션 캐시 (Instructions cache)	해당 사항 없음 (N/A)
	램 (RAM)	SRAM, 32 MB
	운영체제 (Operating system)	해당 사항 없음 (N/A)

	형상 (Configuration)	매개변수 (Parameter)
	픽셀 (Pixel)	600 * 600
	화면 크기 (Screen size)	15.0 인치 (inch)

| 2.5 소프트웨어 할당 요구사항 (Requirements allocated to Software) | 소프트웨어에 할당되는 소프트웨어 요구사항을 기술합니다.

예시)

VCDS_SOW_01: 중복 관리

논리 통제 컴포넌트는 세 개의 입력을 비교하여 세 가지 값에 대한 중간 값 선택을 계산합니다. 즉, 중간 값 LRRA 입력은 무선 고도가 요구되는 모든 계산에 사용됩니다. 이러한 방식으로 오류 값을 초래하는 LRRA 의 단일 실패는 폐기됩니다. 후속 장애가 발생하여 나머지 두 LRRA 신호가 미리 설정된 양만큼 일치하지 않으면 논리 통제 컴포넌트는 두 값을 모두 버리고 고장 플래그를 참으로 설정합니다. |

2.6 하드웨어/소프트웨어 인터페이스 (Hardware/Software Interfaces)	하드웨어와 소프트웨어가 인터페이스 하는 요소에 대해 기술합니다. 예시) 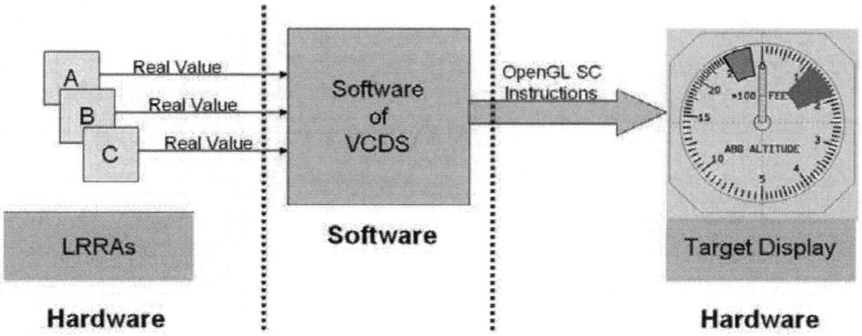 소프트웨어 부분의 경우 입력은 3 개의 고도 (실수 값)이고 출력은 OpenGL SC 명령어 (고도 센서 상태 및 최종 고도를 나타냄) 입니다.
3. 소프트웨어 개요 (Software Overview)	소프트웨어 개요를 기술합니다.
3.1 소프트웨어 설명 (Software Description)	소프트웨어 설명을 기술합니다.
3.1.1 소프트웨어 아키텍처 (Software Architecture)	소프트웨어 아키텍처를 기술합니다. 예시) 통합 모듈식 전자 장치의 실제 응용 프로그램에는 운영체제, 드라이버, I/O 및 일정 및 응용 프로그램이 포함됩니다. 이들의 관계는 다음 그림과 같이 나타납니다.

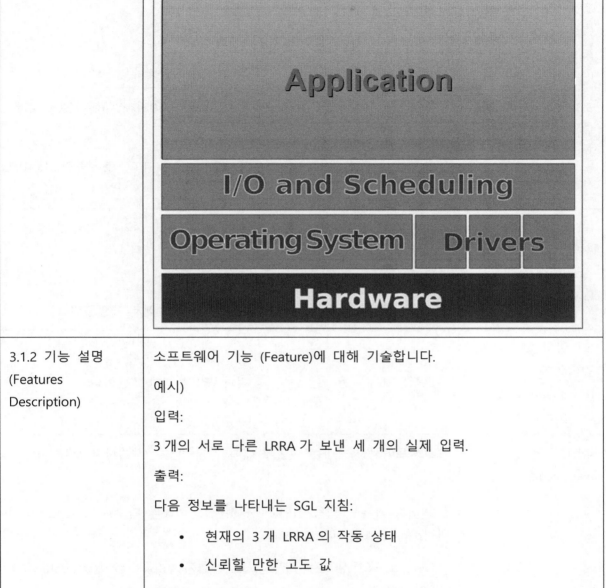

3.1.2 기능 설명 (Features Description)	소프트웨어 기능 (Feature)에 대해 기술합니다. 예시) 입력: 3 개의 서로 다른 LRRA 가 보낸 세 개의 실제 입력. 출력: 다음 정보를 나타내는 SGL 지침: • 현재의 3 개 LRRA 의 작동 상태 • 신뢰할 만한 고도 값 설명: • 3 개의 LRRA 로부터 3 개의 고도 값을 받습니다. • 가장 신뢰할 수 있는 고도를 계산합니다. • 실패한 LRRA 검출 • 안정적인 고도 및 LRRA 작동 상태에 따라 그래픽 지침을 기술합니다.

3.2 개발 보증 등급 (Development Assurance Level)	개발 보증 등급에 대해 기술합니다. 예시) 이 프로젝트는 등급 A 로 간주되며 파티션이 필요하지 않습니다.
3.3 타이밍 및 작업 예약 (Timing and Task Scheduling)	어플리케이션에서 필요로 하는 타이밍과 작업 예약에 대해 기술합니다. 예시) 전체 소프트웨어 어플리케이션이 매 100ms 마다 스케줄링 됩니다. 소프트웨어 응용 프로그램의 WCET 은 50ms 를 넘지 않아야 합니다.
4. 소프트웨어 수명주기 환경 (Software Life Cycle Environment)	소프트웨어가 개발될 환경에 대해 기술합니다. 여기서 개발될 환경은 호스트 환경과 대상 컴퓨터 환경을 모두 기술합니다. 예시) 이 프로젝트는 Windows 10_1810 이 설치된 PC 에서 개발됩니다.
4.1 언어 및 컴파일러 (Languages and compliers)	프로젝트에서 사용되는 언어 및 컴파일러에 대해 기술합니다.
4.1.1 언어 (Language)	프로젝트에서 사용하는 언어에 대해 기술합니다. (제약사항 포함) 예시) C 언어를 사용합니다. 그러나 사용하는 C 언어는 다음과 같은 의미에서 엄격하게 축소됩니다. • 코드의 일부는 자동 코드 생성기(Auto Code Generator)에서 생성합니다. • 나머지는 수동 코드이지만, 분기(branch), 재귀(recursion), goto 가 없는 엄격한 C 하위 집합입니다. C 언어의 세 가지 하위 집합에 대한 자세한 내용은 Software Code Standards 를 참조합니다.
4.1.2 컴파일러 (Compiler)	프로젝트에서 사용하는 컴파일러의 종류 및 버전에 대해 기술합니다. 예시) • GCC 3.4.5 (mingw-vista special r3)

	시뮬레이션을 위한 소스 코드를 컴파일하는데 사용되는 C 소스 코드 용 Windows 용 컴파일 및 디버깅 도구입니다. 또한 호스트의 실행 가능 객체 코드를 생성하는데 사용됩니다. • GCC 4.3.2 (PowerPC-eabi) PowerPC for C 소스 코드 용 컴파일 및 디버깅 도구로, 실행 파일의 대상 코드를 생성하는데 사용됩니다.
4.2 개발 도구 (Development Tools)	프로젝트에서 사용하는 개발 도구에 대해 기술합니다. 운영체제와 컴파일러를 제외한 모든 개발 도구를 기술합니다. 예시) 편집기 (Editor) 6.1 시스템과 소프트웨어 팀 간의 대화를 용이하게 하고 생산성을 향상시킵니다. 이 제품은 VCDS 설계를 공식 언어로 지원하여 VCDS 안전성이 중요한 설계의 완전성과 모호성을 없애고 안전성이 중요한 시스템에 필수적입니다. 그래픽 데이터 흐름 블록 다이어그램과 안전 상태 머신 (SSM)을 사용하면 정확하고 모호하지 않은 사양을 사용할 수 있습니다. 이 편집기는 항공 전자 시스템을 다루는 시스템 및 소프트웨어 엔지니어에게 사용하기 쉽고 직관적입니다.
4.3 검증 도구 (Verification Tools)	프로젝트에서 사용하는 검증 도구를 기술합니다. 예시) 보고서 6.1 모델 기반 개발 도구이므로 요구사항에 그래픽 표기법을 사용합니다. 이 변환을 위한 편집기와 디스플레이 터미널 자체는 검증된 도구가 아니므로 모델을 검토 항목으로 사용할 수 없습니다 (컴퓨터 화면 또는 인쇄된 종이는 제공된 요구사항과 다를 수 있음). 따라서 보고서를 사용하여 입력 파일에서 검토 가능한 문서를 생성하고 보고서는 검증 도구로 자격이 부여됩니다.
4.4 형상 관리 도구 (Configuration Management Tools)	소프트웨어 제품 개발 시 발생하는 모든 형상에 대한 관리를 위해 사용하는 도구의 이름 및 사용 버전을 기술합니다. 예시) • Subversion 1.5.3

	Subversion 1.5.3 은 오픈 소스 구성 관리 서버입니다. 프로젝트의 구성 데이터를 관리하는데 사용됩니다. • Tortoise SVN 1.6.1 Tortoise SVN 1.6.1 은 Subversion 의 클라이언트 도구입니다. 로컬 수정을 커밋/업로드 하고 마지막 버전의 형상 데이터를 업데이트/다운로드 하는데 사용됩니다.
4.5 기타 도구 (Other Tools)	4.1~4.4 절에서 기술하지 않은 도구를 기술합니다. 예시) Microsoft Office 2016: 문서 편집기로 사용 Notepad++: 소스 코드를 수작업으로 작성시 사용
5. 인증 고려사항 (Certification Considerations)	
5.1 인증 기준 및 준수 방법 (Certification Basis and Means of Compliance)	인증에 대한 기준 및 DO-178C 요구사항을 준수하기 위해 사용된 기법을 기술합니다. 예시) 시스템 소프트웨어의 인증 준수 방법은 RTCA/DO-178C 입니다. DO-178C 준수는 수명주기 개발의 한 부분으로 수행됩니다. Software Quality Assurance Engineer(SQAE)는 해당 자료를 해석하여 인증 기관에 제출합니다. 소프트웨어 검증 목표는 검토 및 분석, 테스트 케이스 및 절차의 개발, 그리고 그 테스트 절차의 후속 실행을 통해 준수됩니다. 리뷰 및 분석은 소프트웨어 요구사항, 소프트웨어 아키텍처 및 소스 코드의 정확성, 완성도 및 검증 가능성에 대한 평가를 제공합니다.
5.2 소프트웨어 등급 결정 (Software Level Determination)	프로젝트에서 결정된 소프트웨어 등급을 기술합니다. 예시) 소프트웨어 개요에 따르면 소프트웨어 Level 은 등급 A 입니다.
5.3 호환 매트릭스 (Compliance Matrix)	프로젝트에서 생성된 소프트웨어 수명주기 데이터가 DO-178C 의 요구사항을 준수하는지에 대한 매트릭스를 기술합니다. 예시)

	DO-178B 에 있는 표 A1-A10 의 66 개 목표는 6 장에 다시 설명되어 있으며 해당 준수 기법이 정의되어 있습니다. 독립직인 요구사항은 1.4 절 및 SQAP 및 SVP 에 명시되어 있습니다. 소프트웨어 수명주기 데이터는 소프트웨어 수명주기 전체에 걸쳐 생성됩니다. 이 데이터는 7 장에 나열되어 있습니다. 소프트웨어 수명주기 데이터는 적절한 형상 통제 범주에서 관리됩니다. CC1 또는 CC2 요구사항은 SCMP 에 명시되어 있습니다.
6. 소프트웨어 수명주기 (Software Life Cycle)	
6.1 소프트웨어 수명주기 프로세스 개요 (Software Life Cycle Processes Overview)	소프트웨어 수명주기 프로세스를 정의하고 이에 대한 개요를 기술합니다. 예시) 이 시뮬레이션에서는 가장 단순하고 가장 일반적인 수명주기를 사용합니다. DO-178C 에 정의된 프로세스는 일부 프로세스가 정제된 상태에서 직접 채택됩니다. Planning process → Plans & Standards Environment → Development processes Planning process ↓ Verification Criteria Requirements, Design, Code ↓ Verification Results ↑ Integral processes: Certification Liaison process / Configuration Management process / Verification process — Testing / Quality Assurance
6.2 소프트웨어 계획 프로세스 (Software Planning Process)	소프트웨어 계획과 표준을 포함하는 상세 프로세스 요약입니다. 예시) 이 프로세스는 다른 모든 프로세스보다 먼저 진행되며 소프트웨어 개발 프로세스와 소프트웨어 총괄 프로세스를 지휘하기 위해 소프트웨어

	계획과 표준을 생성합니다. 또한 자원 활용 및 직원 배정의 기초를 수립합니다.
6.2.1 활동 (Activities)	인증 프로젝트에서 사용 예정인 기능 및 안전 활동을 기술합니다. 예시) 소프트웨어 계획 프로세스에서 5 가지 소프트웨어 계획 (PSAC, SDP, SVP, SCMP, SQAP)과 3 가지 소프트웨어 표준 (SRS, SDS, SCS)을 정의합니다. 소프트웨어 계획 프로세스 중 활동에는 다음 항목이 포함되어야 합니다. 5 가지 소프트웨어 계획은 전체 소프트웨어 수명주기에서 프로세스와 활동을 정의합니다. PSAC 은 주요 활동을 스케치하고 DER 및 인증 기관에게 제안된 프로세스가 DO-178C 목표를 A 수준에 준수할 것임을 입증합니다. DER 에 승인을 위해 제출하고 인증 기관의 승인을 받아야 합니다. 보다 상세한 활동 정보는 다른 계획, 즉 SDP, SVP, SCMP, SQAP 에서 추가로 정의될 것입니다. 프로세스 또는 활동을 서술할 때 입력/출력, 작업 방법, 작업 자원, 진입 및 퇴출 전환 기준, 목표, 이러한 목표를 준수하는 평균 등의 정보를 포함해야 합니다. 계획의 전체 세트는 DO-178C 등급 A 소프트웨어의 66 가지 목표와 관련한 숨겨진 목표, 예를 들어 도구 자격, 비활성화된 코드 등을 모두 포함해야 합니다. 3 가지 소프트웨어 표준은 소프트웨어 개발 프로세스에 대한 규칙과 제약 조건을 정의합니다. 소프트웨어 검증 프로세스는 이러한 표준을 개발 프로세스의 실제 출력물과 의도된 출력물의 준수 여부를 평가하기 위한 기초로 사용합니다. 계획은 "살아있는" 문서로 간주되며 소프트웨어 수명주기가 발전함에 따라 업데이트 될 수 있습니다. DO-178B 목표 달성에 대한 접근 방식에 영향을 주는 중요한 변경사항이 있는 경우 PSAC 가 다시 제출됩니다. 그렇지 않으면 변경사항은 문서로 작성된 서신을 통해 DER 및 인증 기관에 전달되며 PSAC 과의 계획 차이점은 SAS 에 요약됩니다.
6.2.2 자원 (Resource)	프로젝트에서 사용된 인적 자원에 대해 기술합니다. 예시) 이 프로세스는 시뮬레이션에서 식별된 모든 팀 구성원으로 구성됩니다.

6.2.3 전환 기준 (Transition Criteria)	프로젝트의 한 단계에서 하위 단계로 전환하는 기준을 설명합니다. 예시) 소프트웨어에 할당된 시스템 요구사항 중 일부가 형상 관리 ([SCMP] 섹션 2.2.6 에 정의됨)에 배치되고 선임 리드 시스템 엔지니어로부터 소프트웨어 개발 팀으로 전송될 때 활동을 시작할 수 있도록 설계되었습니다. 이 프로세스는 SRD 의 모든 섹션이 완료될 때까지 계속됩니다. 최종 검토는 검토되지 않은 변경으로 부분 검토가 무효화되었는지 여부를 결정하기 위해 계획과 표준이 공식적으로 발표될 때 수행됩니다.
6.2.4 준수 매트릭스 (Compliance Matrix)	프로젝트의 수명주기 데이터와 DO-178C 의 요구사항에 대한 준수 여부를 검증하기 위해 호환 매트릭스를 기술합니다. 예시) 이 과정의 세부 사항을 설명하는 이 계획과 표준은 DO-178C 표 A-1 의 모든 목표를 완전히 준수시키는 것으로 입증될 것입니다. 준수 매트릭스는 이 문서의 부록 A 에 포함되어 있습니다.
6.3 소프트웨어 요구사항 프로세스 (Software Requirements Process)	소프트웨어 요구사항을 정의하는 프로세스를 요약 기술합니다. 상세한 내용은 소프트웨어 요구사항 데이터 및 소프트웨어 개발 계획에 기술합니다. 예시) 소프트웨어 요구사항 프로세스는 SRD 로 대표되는 소프트웨어에 할당된 시스템 요구사항에서 소프트웨어 상위 요구사항을 개발하며 기능, 성능, 인터페이스 및 안전 관련 요구사항을 포함합니다. 소프트웨어 및 SRD 에 할당된 시스템 요구사항 간의 추적성도 설정됩니다. 이 절은 [SDP] 4.1 절에 포함된 상세한 프로세스 설명을 요약한 것입니다.
6.4 소프트웨어 설계 프로세스 (Software Design Process)	소프트웨어 설계를 정의하는 프로세스를 요약 기술합니다. 상세한 내용은 소프트웨어 설계 프로세스에 기술합니다. 예시) 소프트웨어 설계 프로세스는 DD 로 대표되는 SRD 에서 소프트웨어 상세 요구사항 및 소프트웨어 아키텍처를 개발합니다. SRD 와 DD 사이의

	추적성도 확립되었습니다. 이 절은 [SDP] 4.2 절에 포함된 상세한 프로세스 설명을 요약한 것입니다.
6.5 소프트웨어 코딩 프로세스 (Software Coding Process)	소프트웨어 코딩을 정의하는 프로세스를 요약 기술합니다. 상세한 내용은 소프트웨어 개발 계획에 기술합니다. 예시) 소프트웨어 코딩 프로세스는 SC 가 나타내는 DD 에서 소스 코드를 개발합니다. DD 와 SC 사이의 추적성도 또한 확립됩니다. 이 절은 [SDP] 4.3 절에 포함된 상세한 프로세스 설명을 요약한 것입니다.
6.6 총괄 프로세스 (Integration Process)	소프트웨어 통합을 정의하는 프로세스를 요약 기술합니다. 상세한 내용은 소프트웨어 개발 계획에 기술합니다. 예시) 총괄 프로세스는 EOC 로 표시된 SC 및 컴파일 지시문을 사용하여 실행 가능 객체 코드를 생성합니다. 이 절은 [SDP] 섹션 4.4 에 포함된 상세한 프로세스 설명을 요약한 것입니다.
6.7 소프트웨어 검증 프로세스 (Software Verification Process)	소프트웨어 검증을 정의하는 프로세스를 요약 기술합니다. 예시) 소프트웨어 검증 프로세스는 소프트웨어 요구사항 프로세스, 소프트웨어 설계 프로세스, 소프트웨어 코딩 프로세스, 총괄 프로세스는 물론 소프트웨어 검증 프로세스 자체를 포함하여 소프트웨어 계획 프로세스 및 소프트웨어 개발 프로세스의 정확성을 보장합니다. 또한 이것은 여러 개의 하위 프로세스로 전환될수록 정제됩니다. 이 절에서는 각각의 프로세스에 대한 검증 활동에 대해 기술합니다.
6.7.1 소프트웨어 계획 프로세스 검증 (Verification of Software Planning Process)	소프트웨어 계획 프로세스 검증에 대한 방안을 요약 기술합니다. 예시) 이 프로세스는 소프트웨어 계획 및 표준 (PSAC, SDP, SVP, SCMP, SQAP, SRS, SDS 및 SCS)의 정확성을 보장합니다. 이 절은 [SVP] 3.1 절에 포함된 상세한 프로세스 설명을 요약한 것입니다.
6.7.2 소프트웨어 요구사항 프로세스 검증 (Verification of Software	소프트웨어 요구사항 프로세스 검증에 대한 방안을 요약 기술합니다. 예시)

Requirements Process)	이 프로세스는 소프트웨어에 할당된 시스템 요구사항의 상위 요구사항의 정확성과 파생된 상위 요구사항의 정확성을 보장합니다. 할당되고 파생된 상위 요구사항은 SRD 로 표시됩니다. 이 절은 [SVP] 3.2 절에 포함된 상세한 프로세스 설명을 요약한 것입니다.
6.7.3 소프트웨어 설계 프로세스 검증 (Verification of Software Design Process)	소프트웨어 설계 프로세스 검증에 대한 방안을 요약 기술합니다. 예시) 이 프로세스는 상세 요구사항의 정확성은 물론 상위 요구사항에서 할당된 상세 요구사항 및 소프트웨어 아키텍처의 정확성을 보장합니다. 할당되고 파생된 상세 요구사항 및 소프트웨어 아키텍처는 DD 로 표시됩니다. 이 절은 [SVP] 3.3 절에 포함된 상세한 프로세스 설명을 요약한 것입니다.
6.7.4 소프트웨어 코딩 프로세스 검증 (Verification of Software Coding Process)	소프트웨어 코딩 프로세스 검증에 대한 방안을 요약 기술합니다. 예시) 이 프로세스는 하위 수준 요구사항에서 할당된 소스 코드의 정확성을 보장합니다. 소스 코드는 SC 로 표시됩니다. 이 섹션은 [SVP] 섹션 3.4 에 포함된 상세한 프로세스 설명을 요약한 것입니다.
6.7.5 총괄 프로세스 검증 (Verification of Integration Process)	총괄 프로세스 검증에 대한 방안을 요약 기술합니다. 예시) 이 프로세스는 총괄 프로세스의 정확성과 완전성을 보장합니다. 총괄 프로세스 데이터는 IPD 로 표시됩니다. 이 절은 [SVP] 3.5 절에 포함된 상세한 프로세스 설명을 요약한 것입니다.
6.7.6 총괄 프로세스 결과물 테스팅	총괄 프로세스 결과물 테스팅 방안을 요약 기술합니다. 예시) 이 프로세스는 호스트와 대상 모두에서 실행 가능 객체 코드의 정확성과 강건성을 보장합니다. 실행 가능한 객체 코드는 EOC 로 표시됩니다. 이 절은 [SVP] 3.6 절에 포함된 상세한 프로세스 설명을 요약한 것입니다.
6.7.7 소프트웨어 검증 프로세스 검증 (Verification of	소프트웨어 검증 프로세스 검증 방안을 요약 기술합니다. 예시)

Software Verification Process)	이 프로세스는 소프트웨어 검증 프로세스의 정확성과 완전성을 보장합니다. 이 절은 [SVP] 3.7 절에 포함된 상세한 프로세스 설명을 요약한 것입니다.
6.8 소프트웨어 형상 관리 프로세스 (Software Configuration Management Process)	소프트웨어 형상 관리 프로세스 방안을 요약 기술합니다. 예시) 소프트웨어 형상 관리 프로세스에서는 VCDS 에 대해 계획된 소프트웨어 형상 관리 활동에 대해 자세히 설명합니다. 이 절은 [SCMP] 3 절에 포함된 상세한 프로세스 설명을 요약한 것입니다.
6.9 소프트웨어 품질 보증 프로세스 (Software Quality Assurance Process)	소프트웨어 품질 보증 프로세스 방안을 요약 기술합니다. 예시) 소프트웨어 품질 보증 프로세스는 VCDS 에 대해 계획된 소프트웨어 품질 보증 활동에 대해 자세히 설명합니다. 이 절은 [SQAP] 3 절에 포함된 상세한 프로세스 기술에 대한 요약입니다.
6.10 인증 협상 프로세스 (Certification Liaison Process)	인증기관과의 의사소통을 위한 프로세스 방안을 기술합니다. 예시) 인증 협상 프로세스는 PSAC 에 명시된 규정 준수 방법을 제안하고 승인하는 일을 담당합니다. 프로젝트 수명주기 동안 협상은 인증 기관이 요청한 활동을 담당하고 인증 기관이 제기한 우려 사항에 응답합니다.
7. 소프트웨어 수명주기 데이터 (Software Life Cycle Data)	소프트웨어 수명주기 데이터를 기술합니다.
7.1 문서 번호 명명 규약 (Documents Part Number Nomenclature)	문서 번호 명명 규약을 기술합니다. 예시) 소프트웨어 수명주기 데이터의 이름은 프로젝트 이름 _ + 클래스 ID_ + 일련 번호의 세 부분으로 구성됩니다. VCDS_PL_001 을 예로 들어 보겠습니다. | 구분	적용	비고 | |---|---|---|

	프로젝트 이름	VCDS_	프로젝트 이름 "Virtual Control & Display System"의 약어.
	클래스 ID	PL_	"계획"의 약자. 클래스 ID 는 PL_: 계획 ST_: 표준 DV_: 개발 데이터 VR_: 확인 기록 SQAR_: SQA 레코드 PR_: 문제 보고서 CR_: 변경 요청 SCMR_: 구성 관리 레코드 SE_: 소프트웨어 수명주기 환경
	일련번호	001	일련번호는 001 부터 시작하는 3 자리 숫자입니다.
7.2 소프트웨어 수명주기 데이터 개요 (Software Life Cycle Data Overview)	소프트웨어 수명 주기 데이터 개요를 기술합니다. 예시)		

프로세스	데이터	ID	DO-178C
소프트웨어 계획 프로세스 (Software Planning Process)	소프트웨어 인증 계획 (Plan for Software Aspects of Certification, PSAC)	VCDS_PL_001	11.1
	소프트웨어 개발 계획 (Software Development Plan, SDP)	VCDS_PL_002	11.2
	소프트웨어 검증 계획 (Software Verification Plan, SVP)	VCDS_PL_003	11.3
	소프트웨어 형상 관리 계획 (Software Configuration Management Plan, SCMP)	VCDS_PL_004	11.4

		소프트웨어 품질 보증 계획 (Software Quality Assurance Plan, SQAP)	VCDS_PL_005	11.5
		소프트웨어 요구사항 표준 (Software Requirements Standards, SRS)	VCDS_ST_001	11.6
		소프트웨어 설계 표준 (Software Design Standards, SDS)	VCDS_ST_002	11.7
		소프트웨어 코딩 표준 (Software Code Standards, SCS)	VCDS_ST_003	11.8
7.3 제출된 데이터 (Data to Be Submitted)	인증 기관에 제출한 데이터를 정의합니다. 예시) 인증 기관에 제출할 소프트웨어 수명주기 데이터에는 다음이 포함됩니다. • VCDS_PL_001: 인증 소프트웨어 계획 • VCDS_CM_001: 소프트웨어 현상 색인 및 소프트웨어 수명주기 환경 형상 색인 (SOI4 의 경우, 감사 시뮬레이션과 관련 없음) • VCDS_SQA_008: 소프트웨어 성취 요약 (Software Accomplishment Summary) (SOI4 의 경우 감사 시뮬레이션과 관련 없음)		
8. 일정 (Schedule)	인증 프로젝트의 일정을 정의합니다. 여기에는 WBS 와 일정이 동시에 기술합니다.		
9. 추가 고려사항 (Additional Considerations)	추가 고려사항을 기술합니다. 예시) PSAC 의 이전 절에서는 인증 기준을 준수하는지 입증하는데 사용할 방법과 프로세스에 대해 설명합니다. 이 절에서는 이전에 개발된 소프트웨어의 사용, 소프트웨어 도구 자격 및 DO-178C 목표를 달성하기 위한 대체 방법론과 관련하여 인증 소프트웨어에 관한 추가 고려사항을 식별합니다.		

9.1 도구 자격 (Tool Qualification)	도구 자격을 기술합니다. 예시) DO-178C 의 프로세스가 출력 검증 없이 소프트웨어 도구를 사용하여 제거, 축소 또는 자동화될 때 도구 자격이 필요합니다. 도구 자격 프로세스의 목적은 도구가 최소한 제거되거나 축소되거나 자동화된 프로세스나 프로세스와 동등한 수준의 신뢰를 제공하도록 보장하는 것입니다. 이 절에는 자격이 필요한 도구가 나와 있으며 자격 기준을 제공합니다.
9.1.1 개발 도구 (Development Tools)	개발 도구를 기술합니다. 예시) 개발 도구는 출력이 항공 소프트웨어의 일부이며 오류를 유발할 수 있는 도구입니다. 다음은 이 프로젝트에서 검증할 모든 개발 도구를 나열합니다. RTCA/DO-178B 는 공인 소프트웨어의 소프트웨어 개발 프로세스와 동일한 목적을 달성하고 CC1 에 따라 통제되는 도구와 동일한 개발 프로세스를 자격을 요구하는 각 개발 도구에 사용해야 합니다.
9.1.2 검증 도구 (Verification Tools)	검증 도구를 기술합니다. 예시) 검증 도구는 오류를 발생하지는 않지만 오류를 검지에 실패할 수 있습니다. 다음은 이 프로젝트에서 검증할 모든 검증 도구를 나열합니다. 수명주기 프로세스의 도구 설명, 기능, 사용법 및 역할은 해당 계획에 자세히 설명되어 있습니다. RTCA/DO-178C 는 자격을 요구하는 각 검증 도구가 정상 작동 조건에서 도구 작동 요구사항을 준수함을 입증할 수 있어야 하며 DO-178C 는 CC2 만 필요하지만 CC1 에 따라 통제되는 것을 요구합니다.
9.2 파티셔닝 고려사항 (Partitioning Considerations)	소프트웨어 파티셔닝 시 주의하거나 유의할 점에 대해 기술합니다.
9.3 이전 개발된 소프트웨어	이전에 개발된 소프트웨어를 현재 프로젝트에 적용 시 제약사항과 제안사항을 기술한다.

(Previous Development Software)	예시) 인증 라이브러리는 단순화를 위해 감사 시뮬레이션에서 제외됩니다.
9.4 다중 버전 이종 소프트웨어 (Multi-version dissimilar software)	소프트웨어 및 시스템 무결성을 증명하기 위해 소프트웨어 측면에서 같은 로직으로 동작하는 다중 버전을 개발합니다.

2. 소프트웨어 개발 계획 (Software Development Plan, SDP)

SDP 는 요구사항, 설계, 코드 및 통합 단계 (DO-178C 표 A-2)를 포함한 소프트웨어 개발을 설명합니다. 또한 SDP 는 요구사항, 설계, 코드 및 통합에 대한 검증을 간략하게 설명합니다 (DO-178C 표 A-3 에서 A-5 까지). SDP 는 요구사항, 설계 및 코드를 작성하고 통합 작업을 수행하는 개발자를 위해 작성되었습니다. SDP 는 개발자가 성공적인 구현을 수행할 수 있도록 작성되어야 합니다. 즉, 방향을 제시할 만큼 자세하게 설명할 필요가 있지만 공학적 판단을 행사할 수 있는 능력이 제한되어 있지는 않습니다. 이것은 섬세한 균형입니다. 보다 자세한 절차나 작업 지침이 있을 수 있습니다. 이 경우 SDP 는 적용되는 절차와 적용시기를 명확하게 설명해야 합니다 (SDP 는 계획의 세부사항을 포함하지 않고 절차를 가리 킵니다). 때로는 자세한 절차에 더 많은 유연성이 필요할 수 있습니다. 예를 들어 계획이 발표된 후 프로시저가 아직 개발중인 경우. 이 경우 SDP 는 절차를 개발하고 통제하는 과정을 설명해야 합니다. 그러나 이 방법을 사용할 때는 모든 엔지니어가 올바른 버전의 절차를 따르는 것을 보장하기 어려울 수 있으므로 주의해야 합니다.

DO-178C 절 11.2 는 SDP 의 바람직한 내용을 식별합니다. SDP 는

(1) 개발에 사용된 표준 (때로는 표준이 계획에 포함되는 경우조차도),

(2) 각 단계 및 기준에 대한 설명이 있는 소프트웨어 수명주기 (3) 개발 환경 (요구사항, 설계 및 코드와 의도된 컴파일러, 링커, 로더 및 하드웨어 플랫폼을 위한 방법 및 도구). 각각은 다음에서 설명됩니다:

1. 표준: 각 프로젝트는 요구사항, 설계 및 코드에 대한 표준을 식별해야 합니다. 이 표준은 개발자가 효과적인 요구사항, 설계 및 코드를 작성할 수 있도록 규칙 및 지침을 제공합니다. 이 표준은 개발자가 안전 또는 소프트웨어 기능에 부정적인 영향을 미칠 수 있는 함정을 피할 수 있도록 제약 조건을 식별합니다. 표준은 사용된 방법론이나 언어에 적용되어야 합니다. SDP 는 일반적으로 표준을 참조하지만, 경우에 따라 SDP 에 표준이 포함될 수 있습니다.

2. 소프트웨어 수명주기: SDP 는 소프트웨어 개발을 위한 의도된 수명주기를 식별합니다. 이는 일반적으로 수명주기 모델을 기반으로 합니다.

수명주기 모델을 이름으로 식별하는 것 외에도 모든 수명주기 모델이 모든 사람에게 똑같이 적용되는 것은 아니므로 모델을 설명하는 것이 좋습니다. 수명주기의 그래픽과 각 단계에 대해 생성된 데이터가 유용합니다. 인증 프로젝트에 성공적으로 사용된 수명주기 모델 중 일부는 폭포수, 반복 폭포, 신속한 프로토타이핑, 나선형 및 역공학입니다. 빅뱅, 토네이도, 연기 및 거울 수명주기 모델을 피하는 것이 좋습니다.

불행하게도, 일부 프로젝트는 계획에서 하나의 수명주기 모델을 식별하지만 실제로 다른 것을 따릅니다. 예를 들어, 프로젝트는 때때로 DO-178C 가 요구하는 것과 그것이 인증 기관이 선호하는 것으로 믿기 때문에 폭포수 모델을 사용한다고 주장합니다. 그러나 DO-178C 는 폭포수 모델이 필요 없으며 실제 사용하지 않고 폭포수 모델을 요구하기 때문에 몇 가지 문제가 발생합니다. 실제로 사용할 계획인 수명주기 모델을 확인하고 DO-178C 목표를 준수하며 문서화된 수명주기 모델을 따르는 것이 중요합니다. 문서화된 수명주기 모델이 필요한 것이 아닌 경우 인증 기관과 별도로 동의하지 않는 한 계획을 업데이트해야 합니다.

앞서 언급했듯이 SDP 는 소프트웨어 개발의 전환 기준을 문서화합니다. 여기에는 개발의 각 단계에 대한 진입 기준과 종료 기준이 포함됩니다. 전환 기준을 문서화하는 데는 여러 가지 방법이 있습니다. 테이블은 그러한 정보를 문서화하는 효과적이고 직접적인 방법일 수 있습니다. DO-178C 는 개발 활동에 대한 주문을 지시하지 않지만 검증 노력은 하향식 (즉, 코드를 검증하기 전에 설계를 검증하기 전에 요구사항 검증)해야 할 필요가 있음을 명심해야 합니다.

예시 목차

---

1. 서론 (Introduction)
1.1 목적 (Purpose)
1.2 범위 (Scope)
1.3 조직 (Organization)
1.4 약어 및 용어 (Acronyms and Glossary)
1.5 적용 문서 (Applicable Documents)
1.5.1 외부 문서 (External Documents)
1.5.2 내부 문서 (Internal Documents)
2. 소프트웨어 개발 개인 역할 (Personnel Roles of Software Development)

---

3. 표준 (Standards)

3.1 소프트웨어 요구사항 표준 (Software Requirement Standards)

3.2 소프트웨어 설계 표준 (Software Design Standards)

3.3 소프트웨어 코딩 표준 (Software Code Standards)

4. 소프트웨어 개발 수명주기 (Software Development Life cycle)

4.1 소프트웨어 요구사항 프로세스 (Software Requirements Process)

4.1.1 소프트웨어 요구사항 프로세스 목표 (Software Requirements Process Objectives)

4.1.2 소프트웨어 요구사항 프로세스 입력 (Software Requirements Process Inputs)

4.1.3 소프트웨어 요구사항 프로세스 출력 (Software Requirements Process Outputs)

4.1.4 소프트웨어 요구사항 프로세스 활동 (Software Requirements Process Activities)

4.1.5 소프트웨어 요구사항 전환 기준 (Software Requirements Process Transition Criteria)

4.1.5.1. 요구사항 프로세스 진입에 대한 전환 기준 (Transition Criteria for Entering into Requirements Process)

4.1.5.2. 요구사항 프로세스 종료에 대한 전환 기준 (Transition Criteria for Exiting from Requirements Process)

4.2 소프트웨어 설계 프로세스 (Software Design Process)

4.2.1 소프트웨어 설계 프로세스 목표 (Software Design Process Objectives)

4.2.2 소프트웨어 설계 프로세스 입력 (Software Design Process Inputs)

4.2.3 소프트웨어 설계 프로세스 출력 (Software Design Process Outputs)

4.2.4 소프트웨어 설계 프로세스 활동 (Software Design Process Activities)

4.2.5 소프트웨어 설계 프로세스 전환 기준 (Software Design Process Transition Criteria)

4.2.5.1. 설계 프로세스 진입 전환 기준 (Transition Criteria for Entering into Design Process)

4.2.5.2. 설계 프로세스 종료 전환 기준 (Transition Criteria for Exiting from Design Process)

4.3 소프트웨어 코딩 프로세스 (Software Coding Process)

4.3.1 소프트웨어 코딩 프로세스 목표 (Software Coding Process Objectives)

4.3.2 소프트웨어 코딩 프로세스 입력 (Software Coding Process Inputs)

4.3.3 소프트웨어 코딩 프로세스 출력 (Software Coding Process Outputs)

4.3.4 소프트웨어 코딩 프로세스 활동 (Software Coding Process Activities)

4.3.5 소프트웨어 코딩 프로세스 전환 기준 (Software Coding Process Transition Criteria)

4.3.5.1. 코드 프로세스 진입 전환 기준 (Transition Criteria for Entering into Code Process)

4.3.5.2. 코드 프로세스 종료 전환 기준 (Transition Criteria for Exiting from Code Process)

4.4 총괄 프로세스 (Integration Process)

4.4.1 총괄 프로세스 목표 (Integration Process Objectives)

4.4.2 총괄 프로세스 입력 (Integration Process Inputs)

4.4.3 총괄 프로세스 출력 (Integration Process Outputs)

4.4.4 총괄 프로세스 활동 (Integration Process Activities)

4.4.5 총괄 프로세스 전환 기준 (Integration Process Transition Criteria)

4.4.5.1. 총괄 프로세스 진입 전환 기준 (Transition Criteria for Entering into Integration Process)

4.4.5.2. 총괄 프로세스 종료 전환 기준 (Transition Criteria for Exiting from Integration Process)

5. 소프트웨어 개발 환경 (SOFTWARE DEVELOPMENT ENVIRONMENT)

5.1 요구사항 개발 방법 및 도구 (Requirements Development Methods and Tools)

5.1.1 요구사항 관리 도구 자격 (Requirement Management Tool Qualification)

5.2 소프트웨어 설계 방법 및 도구 (Software Design Method and Tools)

5.2.1 하향식 개발 접근법 (Top-Down Development Approach)

5.2.2 개발 도구 (Development Tools)

5.2.3 도구 사용자 가이드, 교정 시트 및 제한사항 (Tool Users Guides, Errata Sheets and Limitations)

5.2.4 개발 팀 경험 (Development Team Experience)

5.3 프로그래밍 언어 및 개발 도구 (Programming Languages and Development Tools)

5.3.1 프로그래밍 언어 및 환경 (Programming Languages and Environment)

5.3.2 코딩 도구 (Coding Tools)

5.3.3 개발 도구 자격 (Development Tool Qualification)

5.3.4 도구 사용자 가이드, 교정 시트, 및 제한사항 (Tool Users Guides, Errata Sheets and Limitations)

5.3.5 개발 팀 경험 (Development Team Experience)

5.4 도구에 대한 하드웨어 플랫폼 (Hardware Platform for the tools)

작성법

1. 서론 (Introduction)	인증 소프트웨어 계획에 대한 소개를 기술합니다.
1.1 목적 (Purpose)	소프트웨어 인증을 위한 요구 등급의 목적을 기술합니다. 예시) 소프트웨어 개발에 대한 설명을 전담합니다. 표준, 소프트웨어 수명주기의 부분 개발, 소프트웨어 개발 환경 등으로 구성됩니다.
1.2 범위 (Scope)	소프트웨어 인증을 위한 요구 등급을 위한 범위를 기술합니다. 예시)

	이 문서는 주로 소프트웨어 개발을 위한 것입니다. 이 문서에 설명된 지침 및 프로세스는 소프트웨어 개발에서 구현되어야 합니다.
1.3 조직 (Organization)	프로젝트 조직을 기술합니다. 예시) 이 프로젝트의 개발팀 구성은 다음과 같습니다. 표

역할 (Role)	담당 (Name)
프로젝트 관리자 (Project Manager)	XXX
소프트웨어 개발 엔지니어 (Software Development Engineer)	XXX
검증 엔지니어 (Verification Engineer)	XXX XXX
품질 보증 엔지니어 (Quality Assurance Engineer)	XXX
형상 관리 엔지니어 (Configuration Management Engineer)	XXX

1.4 약어 및 용어 (Acronyms and Glossary)	소프트웨어 인증 계획에서 사용한 약어 및 용어에 대해 기술합니다. 예시) DER: Designated Engineering Representative
1.5 적용 문서 (Applicable Documents)	적용 문서를 기술합니다.
1.5.1 외부 문서 (External Documents)	프로젝트 외부의 문서를 기술합니다. 예시)

	[DO-178B/ED-12B] Software Considerations in Airborne Systems and Equipment Certification RTCA/EUROCAE December 1992
1.5.2 내부 문서 (Internal Documents)	프로젝트 내부의 문서를 기술합니다. 예시) [PSAC] Plan for Software Aspects of Certification VCDS_PL_001 [SQAP] Software Quality Assurance Plan
2. 소프트웨어 개발 개인 역할 (Personnel Roles of Software Development)	프로젝트에 참여하는 개발 개인 역할에 대해 기술합니다. 예시) 소프트웨어 개발 프로세스에는 PM 과 SDE 라는 두 가지 역할이 있습니다. 이 두 가지 역할에 대한 책임은 다음과 같습니다. 프로젝트 관리자 (Project Manager, PM) • 프로젝트 관리자는 기한 및 예산 한도에 따라 프로젝트를 계획, 실행 및 완료하고 계획에 따라 제품을 제공하기 위해 자원을 확보하고 팀 구성원의 노력을 조율해야 합니다. • SDAC, SVE, SCME, SQAE 로 PSAC 작성을 구성합니다. • 프로젝트 개발을 처음부터 끝까지 직접 관리하고 관리합니다. • 고위 경영진 및 이해 관계자와 협력하여 비즈니스 목표를 지원하는 프로젝트 범위, 목표 및 결과를 정의합니다. • 내부 검토 정리 • 프로젝트 팀 내의 문제와 갈등을 확인하고 해결합니다. • 프로젝트 의존성 및 중요 경로를 식별하고 관리합니다.

	• 프로젝트 목표를 달성하는 데 필요한 자원과 참가자를 예상합니다. 소프트웨어 개발 엔지니어 (Software Development Engineer) • SDP 작성 • 소프트웨어 요구사항, 소프트웨어 설계, 소프트웨어 코딩, 해당 문서의 통합 및 생성을 포함하여 임베디드 "C"코드 개발과 관련된 태스크를 구현합니다.
3. 표준 (Standards)	프로젝트에서 사용되는 표준에 대해 기술합니다.
3.1 소프트웨어 요구사항 표준 (Software Requirement Standards)	소프트웨어 요구사항 데이터를 정의하기 위한 표준을 기술합니다. 예시) 시스템 요구사항, 소프트웨어 상위 요구사항 및 소프트웨어 상세 요구사항을 포함하여 세 가지 종류의 요구사항이 있습니다. 상대적으로 세 가지 소프트웨어 표준이 있습니다. 시스템 요구사항 및 소프트웨어 상위 요구사항 표준은 SRS 에 설명되어 있으며 소프트웨어 상세 요구사항은 SDS 에 설명되어 있습니다.
3.2 소프트웨어 설계 표준 (Software Design Standards)	소프트웨어 설계를 정의하기 위한 표준을 기술합니다. 예시) 소프트웨어 설계 프로세스는 세 부분으로 나눌 수 있습니다. 설계 프로세스의 각 부분은 서로 다른 설계 도구를 사용하며 서로 다른 표준이 있습니다. 모델 개발 도구로 구현되는 소프트웨어 설계 프로세스의 경우, 소프트웨어 설계 방법 및 지침에 대한 자세한 정보는 SDS 에서 얻을 수 있습니다. 그래픽 개발 도구로 구현된 소프트웨어 설계 프로세스의 경우, 소프트웨어 설계 방법 및 지침에 대한 자세한 정보는 SDS 에서도 얻을 수 있습니다. 일반적인 수동 방법으로 구현된 소프트웨어 설계 프로세스의 경우 SDS 에서 방법과 지침에 대한 자세한 정보를 얻을 수 있습니다. 이 프로젝트에서 채택된 표준은 모두 SDS 에 설명되어 있습니다.

3.3 소프트웨어 코드 표준 (Software Code Standards)	소프트웨어 코드를 구현하기 위한 표준을 기술합니다. 예시) 이 프로젝트에서 C 코드는 두 가지 유형의 메소드를 통해 얻습니다. 모델 개발에서 자동으로 생성하는 소프트웨어 코드의 경우 소프트웨어 코드가 ISO C99 표준을 준수합니다. 프로젝트 소스 코드와 ISO C99 표준 간의 일관성은 모델 개발 인증 키트에서 얻을 수 있습니다. 수동으로 작성된 소프트웨어 코드의 경우, 소프트웨어 코드 표준은 MISRA-C 2004 (서브 셋)을 템플릿으로 사용하며, SCS 에서보다 자세하게 찾을 수 있습니다.
4. 소프트웨어 개발 수명주기 (Software Development Life cycle)	소프트웨어 개발 수명주기에 대한 정의를 기술합니다. 예시) 요구사항 프로세스, 설계 프로세스, 코딩 프로세스 및 총괄 프로세스를 포함한 전통적인 소프트웨어 수명주기를 사용합니다. 그러나 소프트웨어 요구사항의 다른 부분 (예: 제어 로직 및 그래픽 디스플레이)에 대해 서로 다른 구현 도구 및 방법이 사용됩니다.
4.1 소프트웨어 요구사항 프로세스 (Software Requirements Process)	소프트웨어 요구사항 프로세스에 대해 기술합니다.
4.1.1 소프트웨어 요구사항 프로세스 목표 (Software Requirements Process Objectives)	소프트웨어 요구사항 프로세스 목표에 대해 기술합니다. 예시) 요구사항 프로세스의 목표는 다음과 같습니다. • 소프트웨어에 할당된 시스템 요구사항 이해 • 상위 요구사항 정의 • 파생된 요구사항 식별 • 상위 요구사항을 시스템 요구사항에 따라 추적 가능하게 만듭니다.
4.1.2 소프트웨어 요구사항 프로세스	소프트웨어 요구사항 프로세스 입력에 대해 기술합니다.

입력 (Software Requirements Process Inputs)	예시) 입력: • 가상 제어 및 표시 시스템에 대한 진술 • 소프트웨어 개발 계획 • 소프트웨어 요구사항 표준
4.1.3 소프트웨어 요구사항 프로세스 출력 (Software Requirements Process Outputs)	소프트웨어 요구사항 프로세스 출력에 대해 기술합니다. 예시) 출력: • 소프트웨어 요구사항 데이터 • 소프트웨어 및 SRD 에 할당된 시스템 요구사항 간의 추적성 매트릭스
4.1.4 소프트웨어 요구사항 프로세스 활동 (Software Requirements Process Activities)	소프트웨어 요구사항 프로세스 활동에 대해 기술합니다. 예시) 요구사항 프로세스는 소프트웨어 기능의 능력, 소프트웨어 설계 기능과 조건을 설정합니다. 담당: 프로젝트 관리자, 소프트웨어 개발 엔지니어 활동: • 시스템 요구사항을 읽고 이를 바탕으로 소프트웨어 요구사항을 제시합니다. • 소프트웨어 요구사항을 MS Word 파일에 기록합니다. • SRS 의 지침에 따라 요구사항 및 적용 범위의 내용을 수정합니다. • 요구사항 파일 관리 • 시스템 요구사항과 SRD (HLR) 간의 추적성 확립 요구사항은 다음을 포함해야 하지만 이에 국한되지 않습니다. • 소프트웨어에 대한 시스템 요구사항 할당 • 모든 운영 모드에서 기능 및 운영 요구사항 • 성능 및 테스트 기준 (예: 정밀도, 정확도) • 하드웨어 및 소프트웨어 인터페이스

	• 　　　타이밍 요구사항 및 제약 조건
	• 　　　고장 탐지 및 모니터링 요구사항
	요구사항 프로세스는 소프트웨어 요구사항 검토로 종료됩니다. 프로젝트 엔지니어가 지시하면 소프트웨어 엔지니어링은 소프트웨어 설계 프로세스를 진행합니다.
4.1.5 소프트웨어 요구사항 전환 기준 (Software Requirements Process Transition Criteria)	소프트웨어 요구사항 전환 기준에 대해 기술합니다.
4.1.5.1. 요구사항 프로세스 진입에 대한 전환 기준 (Transition Criteria for Entering into Requirements Process)	소프트웨어 요구사항 프로세스 진입에 대한 전환 기준을 기술합니다. 예시) 소프트웨어 계획 프로세스 활동의 객관적인 증거 (즉, SQA 회의 및 SQA 기록)가 완성되고 검증됩니다. PSAC 는 DER 의 승인을 받았습니다. 다음과 같은 산출물이 생산, 베이스라인, 검토 및 구성 관리하에 있습니다. • 　　가상 제어 및 표시 시스템에 대한 진술 • 　　소프트웨어 개발 계획 • 　　소프트웨어 요구사항 표준 형상 관리에 입력되고, 베이스라인 되고, 수정에서 보호됩니다. 다른 프로세스의 피드백을 통해 소프트웨어 요구사항을 수정해야 하는 경우 SQAE 및 PM 의 확인 및 허가를 받아 소프트웨어 요구사항 프로세스가 재 입력됩니다.
4.1.5.2. 요구사항 프로세스 종료에 대한 전환 기준 (Transition Criteria for Exiting from Requirements Process)	요구사항 프로세스 종료에 대한 전환 기준을 기술합니다. 예시) 요구사항 프로세스 활동의 객관적인 증거 (즉, 회의, 행동 항목 및 문서 검토 체크리스트)가 완료되고 검증됩니다. 요구사항 프로세스 자료는 다음을 포함하여 구성 관리 제어를 통해 생성, 베이스라인, 검토 및 구성됩니다.

	• 시스템 요구사항까지 추적할 수 있는 상위 소프트웨어 요구사항 • 소프트웨어 요구사항 • 소프트웨어 요구사항 검증 결과 • 소프트웨어 CM 레코드 • 소프트웨어 품질 보증 기록
4.2 소프트웨어 설계 프로세스 (Software Design Process)	소프트웨어 설계 프로세스에 대해 기술합니다.
4.2.1 소프트웨어 설계 프로세스 목표 (Software Design Process Objectives)	소프트웨어 설계 프로세스의 목표를 기술합니다. 예시) 설계 프로세스의 목적은 다음과 같습니다. • 상위 요구사항을 이해하고 분석합니다. • 소프트웨어 설계 정의 (상세 요구사항 및 소프트웨어 아키텍처) • 상위 요구사항과 소프트웨어 설계 간의 논리 관계 파악 • 소프트웨어 설계를 상위 요구사항까지 추적할 수 있게 합니다.
4.2.2 소프트웨어 설계 프로세스 입력 (Software Design Process Inputs)	소프트웨어 설계 프로세스 입력에 대해 기술합니다. 예시) 입력: • 소프트웨어 요구사항 데이터 • 소프트웨어 개발 계획 • 소프트웨어 설계 표준
4.2.3 소프트웨어 설계 프로세스 출력 (Software Design Process Outputs)	소프트웨어 설계 프로세스 출력에 대해 기술합니다. 예시) 출력: • 다음을 포함하는 설계 설명: • 설계 모델

	• Word 형식의 상세 요구사항
	• 생성 보고서
	• 소프트웨어 아키텍처
	• SRD 와 DD 간의 추적성 매트릭스
4.2.4 소프트웨어 설계 프로세스 활동 (Software Design Process Activities)	소프트웨어 설계 프로세스 활동에 대해 기술합니다. 예시) 소프트웨어 아키텍처 이 프로젝트의 통합을 위해서는 소프트웨어 설계 과정에서 소프트웨어 아키텍처를 설명해야 합니다. a) 소프트웨어 요구사항을 읽고 이해합니다. b) 서로 다른 컴포넌트의 관계를 구성하고 Visio 형식으로 설명합니다. 개발한 소프트웨어 요구사항의 경우 다음 단계를 수행해야 합니다. a) 소프트웨어 요구사항에 의해 요구되는 유형을 정의한다. b) 소프트웨어 요구사항에 필요한 몇 가지 상수 생성; c) 기본 모델을 구성합니다. d) 이들 1 차 모델의 관계와 상호 작용을 구성한다. e) 이들 1 차 모델을 보다 작은 모델로 세분화한다. f) 각 모델의 구체적인 내용을 구성한다. g) 체크 및 시뮬레이터를 사용하여 이 모델의 품질을 보장합니다. h) SRD 와 설계 간의 추적성을 확립한다. 이 과정에서 문제가 발생하면 설계 문제 또는 요구사항 설명 부정확성과 같은 문제의 원인을 찾아야 합니다. 문제를 해결하기 위한 시정조치가 취해질 것입니다. 시정 조치는 SQAP 에 정의된 규칙을 따라야 합니다. 개발한 소프트웨어 요구사항에 대해서는 다음 단계를 수행해야 합니다. a) 소프트웨어 요구사항에 필요한 일부 항목을 구성합니다. b) 소프트웨어 요구사항에 필요한 이러한 항목의 유형 및 특성을 설정합니다. c) 체크 및 애니메이터를 사용하여 모델의 품질을 보장합니다.

	d) SRD 와 설계 간에 추적성을 확립합니다.
	이 과정에서 문제가 발생하면 설계 문제 또는 요구사항 설명 부정확성과 같은 이 문제의 원인을 확인해야 합니다. 문제를 해결하기 위한 시정 조치가 취해질 것입니다. 시정 조치는 SQAP 에 정의된 규칙을 따라야 합니다.
	수동으로 개발된 소프트웨어 요구사항의 경우 다음 단계를 수행해야 합니다.
	a) 코드의 설계 문서인 Word 파일에서 소프트웨어 요구사항을 보다 구체적으로 기술합니다.
	b) 각 요구사항에 대해 입력, 출력 및 유형을 지정하여 설계 또는 그 이상을 작성해야 합니다.
	c) 각 설계의 기능을 설명합니다.
	d) SRD 와 LLR 간의 추적성을 확립합니다.
	이 과정에서 문제가 발생하면 설계 문제 또는 요구사항 설명 부정확성과 같은 이 문제의 원인을 확인해야 합니다. 문제를 해결하기 위한 시정 조치가 취해질 것입니다. 시정 조치는 SQAP 에 정의된 규칙을 따라야 합니다.
	소프트웨어 설계 프로세스 중에 다음 활동도 포함됩니다.
	아키텍처에 맞춰 상위 요구사항을 모듈로 분할하고 이들 모듈의 인터페이스를 설명합니다.
	데이터 흐름이나 제어 흐름을 기반으로 호출 순서를 수립합니다.
	파생된 요구사항을 정의하고 분석해야 합니다.
	고장 모드와 관련된 요구사항을 고려해야 합니다.
	실패 조건에 대한 응답은 안전 관련 요구사항과 일치해야 합니다.
	소프트웨어 요구사항에 설명된 모든 요구사항이 잘 개발되었는지 확인합니다.
4.2.5 소프트웨어 설계 프로세스 전환 기준 (Software Design Process Transition Criteria)	소프트웨어 설계 프로세스 전환 기준에 대해 기술합니다.

4.2.5.1. 설계 프로세스 진입 전환 기준 (Transition Criteria for Entering into Design Process)	설계 프로세스 진입 전환 기준에 대해 기술합니다. 예시) QA 회의 검토 소프트웨어 요구사항 프로세스 및 해당 검증 활동이 통과됩니다. 다음과 같은 산출물이 생산, 기준 검토, 검토 및 형상 관리 통제 하에 있습니다. 소프트웨어 요구사항 데이터 SRD 검증 결과 SRD (RR_SRD) 보고서 검토 소프트웨어 요구사항 데이터가 변경되거나 설계 수정이 필요한 다른 프로세스로부터의 피드백이 있는 경우 SQAE 및 PM 의 확인 및 허가를 받아 소프트웨어 설계 프로세스를 재 입력해야 합니다 (SCMP 의 변경 요청 프로세스 참조).
4.2.5.2. 설계 프로세스 종료 전환 기준 (Transition Criteria for Exiting from Design Process)	설계 프로세스 종료 전환 기준에 대해 기술합니다. 예시) 소프트웨어 설계 프로세스의 성공적인 검증 결과가 달성되고 SQA 는 모든 프로세스 활동을 확인합니다.
4.3 소프트웨어 코딩 프로세스 (Software Coding Process)	소프트웨어 코딩 프로세스에 대해 기술합니다.
4.3.1 소프트웨어 코딩 프로세스 목표 (Software Coding Process Objectives)	소프트웨어 코딩 프로세스 목표에 대해 기술합니다. 예시) 소프트웨어 설계 설명에 따라 C 코드를 생성합니다.
4.3.2 소프트웨어 코딩 프로세스 입력 (Software Coding Process Inputs)	소프트웨어 코딩 프로세스 입력에 대해 기술합니다. 예시) 입력: • 설계 설명 • 소프트웨어 개발 계획

	• 소프트웨어 코드 표준
4.3.3 소프트웨어 코딩 프로세스 출력 (Software Coding Process Outputs)	소프트웨어 코딩 프로세스 출력에 대해 기술합니다. 예시) 출력: • 소스 코드: • 모델에서 자동 생성된 소스 코드 • 수동 소스 코드 (SC_M) • 설계 설명서와 소스 코드 간의 추적성 매트릭스 (TM_DD_SC)
4.3.4 소프트웨어 코딩 프로세스 활동 (Software Coding Process Activities)	소프트웨어 코딩 프로세스 활동에 대해 기술합니다. 예시) 모델의 경우 소스 코드 생성 절차는 다음과 같습니다. a) 특정 구성에 대한 코드 생성 옵션을 설정합니다. 구조 테스트 커버리지가 QMTC 로 확장될 수 있도록 구성 옵션은 "-target C -O 0 -name_length 200 -significance_length 31" 이어야 합니다. b) 현재 형상으로 선택합니다. c) "Generate" 버튼을 눌러 모델에서 코드를 생성합니다. d) 모델의 경우 "코드 생성기" 메뉴의 "코드 생성" 지시에 따라 소스 코드가 생성됩니다. 수동 코드의 경우 개발 엔지니어는 설계 문서에 따라 C 코드를 작성해야 합니다. a) 코드를 기술합니다. b) 소프트웨어 코딩 표준에 따라 코드를 검토한다. c) 오류가 없는지 확인하기 위해 코드를 시뮬레이션 합니다. d) 소프트웨어 설계 기술 (Software Design Description, LLR)과 소스 코드 간의 추적성 확립
4.3.5 소프트웨어 코딩 프로세스 전환 기준 (Software Coding Process Transition Criteria)	소프트웨어 코딩 프로세스 전환 기준에 대해 기술합니다.

4.3.5.1. 코드 프로세스 진입 전환 기준 (Transition Criteria for Entering into Code Process)	코드 프로세스 진입 전환 기준에 대해 기술합니다. 예시) 소프트웨어 설계 프로세스 및 검증 활동에 대한 QA 회의 검토가 통과됩니다. 다음과 같은 산출물이 생산, 기준 검토, 검토 및 형상 관리 통제 하에 있습니다. 설계 설명 DD (RR_DD) 보고서 검토 SQA 기록 소프트웨어 설계 및 아키텍처가 변경되거나 다른 프로세스의 피드백을 통해 소스 코드를 수정해야 하는 경우 소프트웨어 코딩 프로세스를 다시 진행해야 합니다. SCMP에서 변경 제어 활동을 참조합니다.
4.3.5.2. 코드 프로세스 종료 전환 기준 (Transition Criteria for Exiting from Code Process)	코드 프로세스 종료 전환 기준에 대해 기술합니다. 예시) 소프트웨어 코딩 과정의 수동 부분의 성공적인 검증 결과가 달성됩니다. 모델의 경우 소스 코드가 생성된 후 이 프로세스가 완료됩니다.
4.4 총괄 프로세스 (Integration Process)	총괄 프로세스에 대해 기술합니다. 예시) 이 과정을 통해 소스 코드 통합 프로젝트가 생성되고 실행 가능한 객체 코드가 생성됩니다.
4.4.1 총괄 프로세스 목표 (Integration Process Objectives)	총괄 프로세스 목표에 대해 기술합니다. 예시) 실행 가능한 객체 코드를 생성합니다.
4.4.2 총괄 프로세스 입력 (Integration Process Inputs)	총괄 프로세스 입력에 대해 기술합니다. 예시) 입력: • 　소스 코드 (SC)

	• 소프트웨어 아키텍처
	• 소프트웨어 개발 계획
	• 하드웨어 (타겟은 시뮬레이션 프로젝트에서 생략됨)
4.4.3 총괄 프로세스 출력 (Integration Process Outputs)	총괄 프로세스 출력에 대해 기술합니다. 예시) 출력: • 실행 가능한 객체 코드: • 호스트의 실행 가능한 객체 코드 • 실행 파일의 대상 코드 • 총괄 프로세스 데이터
4.4.4 총괄 프로세스 활동 (Integration Process Activities)	총괄 프로세스 활동에 대해 기술합니다. 예시) 이 시뮬레이션 프로젝트에서는 대상에 대한 통합이 생략되었습니다. 그리고 호스트 (Windows XP 가 설치된 PC)에서만 통합이 수행됩니다. 통합 절차는 다음과 같습니다. a) GCC 빈 컴파일러 옵션 (즉, 기본 옵션)을 사용하여 코딩 프로세스의 모든 소스 코드를 기반으로 GCC 프로젝트를 만듭니다. b) make 명령 (mingw32-make.exe)을 실행하여 실행 파일을 생성하고 동시에 빌드 로그 정보를 저장합니다. c) 빌드 로그를 검사하여 오류가 없는지 확인합니다. 오류가 있으면 오류를 해결하고 해결해야 하며 위의 절차를 반복해야 합니다. 이전 프로세스에서 오류가 발생한 경우 SQAP 에 따라 PR 을 작성해야 합니다. d) 빌드 로그를 점검하여 경고가 없는지 확인합니다. 경고가 있으면 경고를 완전히 이해하고 안전에 영향을 미치지 않아야 합니다. 또는 이 문제를 해결하고 위의 절차를 반복해야 합니다.
4.4.5 총괄 프로세스 전환 기준 (Integration Process Transition Criteria)	총괄 프로세스 전환 기준에 대해 기술합니다.

4.4.5.1. 총괄 프로세스 진입 전환 기준 (Transition Criteria for Entering into Integration Process)	총괄 프로세스 진입 전환 기준에 대해 기술합니다. 예시) 품질 보증 회의 검토 및 검증 활동이 통과되었습니다. 다음과 같은 산출물이 생산, 기준 검토, 검토 및 형상 관리 통제 하에 있습니다. • 소스 코드 • SC 의 검증 결과 • SC (RR_SC) 보고서 검토 컴파일러는 형상 관리하에 있고, 베이스라인 되고, 수정으로부터 보호됩니다. C 소스 코드가 변경된 경우 총괄 프로세스를 다시 수행하거나 다른 프로세스의 피드백을 실행 코드 수정이 필요하면 총괄 프로세스를 다시 시작해야 합니다. SCMP 에서 변경 제어 활동을 참조합니다.
4.4.5.2. 총괄 프로세스 종료 전환 기준 (Transition Criteria for Exiting from Integration Process)	총괄 프로세스 종료 전환 기준에 대해 기술합니다. 예시) 이 총괄 프로세스의 결과는 형상 관리의 통제 하에 있습니다. 호스트의 실행 파일 코드는 경고나 오류 없이 실행될 수 있습니다. 대상의 실행 가능 객체 코드는 경고나 오류 없이 실행할 수 있습니다.
5. 소프트웨어 개발 환경 (Software Development Environment)	소프트웨어 개발 환경에 대해 기술합니다.
5.1 요구사항 개발 방법 및 도구 (Requirements Development Methods and Tools)	요구사항 개발 방법 및 도구에 대해 기술합니다. 예시) 소프트웨어에 할당된 요구사항은 사람의 언어로 설명되고 Microsoft Word 파일에 저장되는 상위 요구사항으로 분석 및 개선됩니다. 모든 이슈의 정확하고 자연스러운 추적성: 요구사항, 설계, 테스트; 문서는 항상 동기화되어 있습니다.

	인증 프로세스를 용이하게 하는 보고서를 생성합니다: 추적성 매트릭스, 범위 분석, 영향 분석. HLR 은 인식될 수 있으며, 업 스트림 및 다운 스트림 요구사항에 따라 HLR 사이의 추적성이 가능합니다.
5.1.1 요구사항 관리 도구 자격 (Requirement Management Tool Qualification)	요구사항 관리 도구 자격에 대해 기술합니다. 예시) 이 프로젝트의 요구사항에는 소프트웨어, HLR 및 LLR 에 할당된 시스템 요구사항이 포함되며 형식에는 Word 파일, 모델 파일이 포함됩니다. 이 프로젝트의 모든 요구사항은 요구사항 관리 도구를 통해 관리됩니다. 생성된 보고서는 추적 가능성 검토 및 요구사항 범위에 대한 보고서를 얻을 수 있도록 도와줍니다. 검증된 검증 도구로서 일부 검증 활동을 제거하는데 도움이 됩니다.
5.2 소프트웨어 설계 방법 및 도구 (Software Design Method and Tools)	소프트웨어 설계 방법 및 도구에 대해 기술합니다.
5.2.1 하향식 개발 접근법 (Top-Down Development Approach)	하향식 개발 접근법에 대해 기술합니다. 예시) 소프트웨어 설계는 하향식 개발 방식으로 구현됩니다. 소프트웨어 설계의 모델 개발 부분에 대해서는 다음과 같은 프로세스가 있습니다. 1. 주요 기능의 아키텍처는 모델로 구성되어 생성됩니다. 데이터 흐름 및 제어 흐름과 함께 정의됩니다. 이 단계에서 모델은 불완전하며 다음을 식별합니다. a)　　　상위 기능, 데이터 흐름 및 제어 흐름 b)　　　높은 수준의 활성화 도메인 c)　　　루트 서브 시스템 인터페이스 2. 응용 프로그램의 기능적 분해 a)　　　시스템의 입력/출력 식별 b)　　　주요 기능, 모드 및 상태 식별

	c) 기능적 아키텍처 i. 서브 시스템의 분해 ii. 데이터 분해 iii. 네트워크 보기의 정의 iv. 대규모 프로젝트를 위해 팀 구성원에게 하위 시스템 배포 3. 정제 과정: 분열과 정복 • 확인된 기능 • 데이터 구조화 • 시간적 측면 • 활성화 구조 • 재사용성 (라이브러리 운영자를 대상으로 함) • 설명의 가독성 (문서) • 테스트 가능성 • 모델 제약 • 기타 등등. 4. 설계 완료하기 • 기본 컴포넌트의 알고리즘 개발: - 데이터 흐름 설명 - 가져온 연산자를 사용하여 순차적으로 라이브러리를 선택하고 (다시) 사용합니다. - 일관성 및 품질 향상 소프트웨어 설계의 수동 부분은 다음과 같습니다. • 소프트웨어 요구사항을 하나씩 분석합니다. • 각 요구사항에 대해 인터페이스와 해당 유형을 설정합니다. • 비교적 복잡한 요구사항의 경우 설계 모델을 분해해야 합니다. • 정제 프로세스: 간단하고 실현 가능한 설계 모델이 발생하지 않는 한 분할하고 정복합니다.
5.2.2 개발 도구 (Development Tools)	개발 도구에 대해 기술합니다. 예시)

	소프트웨어 설계에 사용됩니다.
	편집기, 시뮬레이터, 모델 차이 및 기타 설계 지원 기능 컴포넌트로 구성됩니다. 상위 요구사항과 관련된 제어 논리는 데이터 흐름 또는 상태 시스템에서 표기법을 사용하여 정제되고 표현될 수 있습니다.
5.2.3 도구 사용자 가이드, 교정 시트 및 제한사항 (Tool Users Guides, Errata Sheets and Limitations)	도구 사용자 가이드, 교정 시트 및 제한사항에 대해 기술합니다. 예시) 도구 사용자 안내서로 참조됩니다. 또한 SDS 에는 모델링의 정확성을 보장하는 설계 제약이 포함되어 있어 소프트웨어 품질을 신뢰할 수 있습니다.
5.2.4 개발 팀 경험 (Development Team Experience)	개발 팀 경험에 대해 기술합니다. 예시) 개발 팀은 모델 도구 사용에 대한 깊은 경험을 가지고 있습니다. 모든 팀 구성원은 실제 프로젝트에서 지원하는 항공 및 우주 항공 고객의 경험을 보유하고 있습니다.
5.3 프로그래밍 언어 및 개발 도구 (Programming Languages and Development Tools)	프로그래밍 언어 및 개발 도구에 대해 기술합니다. 예시) 이 프로젝트의 대부분의 코드는 코드 품질을 보장하고 소스 코드 검토 및 분석을 제거할 수 있는 모델 도구를 통해 생성됩니다.
5.3.1 프로그래밍 언어 및 환경 (Programming Languages and Environment)	프로그래밍 언어 및 환경에 대해 기술합니다. 예시) 이 프로젝트에서 사용된 프로그래밍 언어는 C.
5.3.2 코딩 도구 (Coding Tools)	코딩 도구에 대해 기술합니다. 예시) 모델의 경우, 자동 코드 생성기는 C 소스 코드를 생성하는데 사용됩니다.

	비 모델 LLR 의 경우 상대 소스 코드가 수동으로 개발됩니다. 메모장은 편집자로 사용됩니다. 그리고 GCC 는 의미를 검사하고 디버깅할 실행 코드를 생성하는데 사용됩니다.
5.3.3 개발 도구 자격 (Development Tool Qualification)	개발 도구 자격에 대해 기술합니다. 예시) 자동 코드 생성기는 국제 안전 표준에 따라 자격이 부여됩니다: 등급 A 까지 DO-178B 자격.
5.3.4 도구 사용자 가이드, 교정 시트, 및 제한사항 (Tool Users Guides, Errata Sheets and Limitations)	도구 사용자 가이드, 교정 시트, 및 제한사항에 대해 기술합니다. 예시) 자세한 모델 개발 도구 사용법은 개발 도구 도움말에서 찾을 수 있습니다. 이 프로젝트에서는 코딩 프로세스 활동에 설명된 사용법을 따라야 합니다.
5.3.5 개발 팀 경험 (Development Team Experience)	개발 팀 경험에 대해 기술합니다. 예시) 개발 팀은 모델 개발 도구를 사용하고 C 언어로 코딩하는데 심오한 경험을 가지고 있습니다. 모든 팀 구성원은 실제 프로젝트에서 지원하는 항공 및 우주 항공 고객의 경험을 보유하고 있습니다.
5.4 도구에 대한 하드웨어 플랫폼 (Hardware Platform for the tools)	도구에 대한 하드웨어 플랫폼에 대해 기술합니다. 예시) 모든 도구는 Windows XP 가 설치된 PC 에서 사용됩니다.

3. 소프트웨어 검증 계획 (Software Verification Plan)

SVP 의 주요 대상은 테스팅을 포함하여 검증 활동을 수행할 팀 구성원입니다. SVP 는 SDP 와 밀접한 관련이 있습니다. 검증 작업에는 개발 단계에서 생성된 데이터 평가가 포함되기 때문입니다. SDP 는 종종 요구사항, 설계, 코드 및 통합 검증 (예: 동료 검토)에 대한 상위 수준의 요약을 제공합니다. SVP 는 일반적으로 검토 프로세스 세부사항, 체크리스트, 필수 참여자 등 검토에 대한 추가 세부 정보를 제공합니다. 검토 세부사항을 SDP 에 포함시키고 SVP 를 사용하여 테스트 및 분석에 집중할 수 있습니다. 포장에 관계없이 어떤 계획이 어떤 활동을 다루고 있는지 분명해야 합니다.

모든 계획 중에서 SVP 는 소프트웨어 Level 에 따라 가장 많이 달라지는 경향이 있습니다. 이는 DO-178C 등급 차이의 대부분이 검증 목표에 있기 때문입니다. 일반적으로 SVP 는 팀이 DO-178C 표 A-3 에서 A-7 까지의 목표를 어떻게 준수해야 할지 설명합니다.

SVP 는 검증 팀 조직 및 구성은 물론 DO-178C 독립성이 어떻게 준수되는지를 설명합니다. 필수는 아니지만 대부분의 프로젝트에는 테스트 개발 및 실행을 수행할 별도의 검증 팀이 있습니다. DO-178C 는 독립성을 요구하는 몇 가지 검증 목적을 확인합니다 (그들은 DO-178C Annex A 표에 ○으로 표시). DO-178C 검증 독립성은 별도의 조직이 필요하지 않지만 검증 중인 데이터를 개발하지 않은 한 명 이상의 사람 (또는 도구)이 검증을 수행하도록 요구합니다. 독립성은 기본적으로 눈과 두뇌의 다른 세트 (도구가 수반될 수 있음)가 데이터의 정확성, 완전성, 표준 준수 등을 검사하는데 사용된다는 것을 의미합니다.

DO-178C 검증에는 검토, 분석 및 테스트가 포함됩니다. SVP 는 검토, 분석 및 테스트 수행 방법을 설명합니다. 검증을 수반하는 모든 체크리스트는 SVP 에 포함되거나 SVP 에서 참조됩니다.

많은 DO-178C 목표는 검토를 통해 만족될 수 있습니다. 표 A-3, A-4 및 A-5 의 대부분은 동료 검토 프로세스를 통해 준수하는 경향이 있습니다. 또한 표 A-7 목표 중 일부 (예: 목표 1 과 2)는 검토를 통해 준수됩니다. SVP 는 검토 프로세스 (자세한 검토 절차 포함 또는 참조), 검토를 위한 전환 기준, 검토 기록에 사용된 검사 목록 및 기록을 설명합니다. SVP 또는 표준은 일반적으로 요구사항, 설계 및 코드를 검토하기 위한 체크리스트를 포함 (또는 참조)합니다. 체크리스트는 검토 과정에서 중요한 기준을 간과하지 않도록 엔지니어가 사용합니다. 간단한 체크리스트는 가장 효과적인 경향이 있습니다. 그들이 너무 상세하다면, 그들은 일반적으로 완전히 활용되지 않습니다. 간결하면서도 포괄적인 체크리스트를 만들려면 체크리스트 항목과 자세한 지침을 별도의 열로 구분하는 것이 좋습니다. 체크리스트 열은 간단하지만 지침 열에는 검토자들이 각 체크리스트 항목의 의도를 이해할 수 있도록 자세한 정보가 나와 있습니다. 이 방법은 대규모 팀, 새로운 엔지니어가 있는 팀 또는 외주 자원을 사용하는 팀에 특히 유용합니다. 리뷰의 기준을 설정하고 일관성을 유지하는 데 도움이 됩니다. 체크리스트에는 일반적으로 DO-178C 요구사항이 평가되고 (추적성, 정확성 및 일관성을 포함하여) 요구되는 기준을 만족시킬 수 있는 항목이 포함되지만 DO-178C 지침에 국한되지는 않습니다.

DO-178C 표 A-6 은 일반적으로 테스트 개발 및 실행에 의해 준수됩니다. SVP 는 테스트 방법을 설명합니다. 정상 및 강건성 테스트가 개발되는 방법, 테스트를 실행하기 위해 어떤 환경이 사용될 것인가? 요구사항, 검증 사례, 검증 절차 간에 어떻게 추적성이 발생할 것인가? 검증 결과가 어떻게 유지될 것인가? 합격/불합격 기준을 식별하는 방법; 대부분의 경우 SVP 는 소프트웨어 검증 사례 및 절차 문서를 참조하여 테스트 계획, 특정 테스트 케이스 및 절차, 테스트 장비 및 설정 등을 자세히 설명합니다.

예시 목차

1. 서론 (Introduction)
1.1 목적 (Purpose)
1.2 약어 및 용어 (Acronyms and Abbreviations)
1.2.1 조건 (Terms)
1.2.2 용어 (Abbreviations)
1.3 적용 문서 (Applicable Documents)
1.3.1 외부 문서 (External Documents)
1.3.2 내부 문서 (Internal Documents)
1.4 다른 계획과의 관계 (Relation with Other Plans)
1.5 SVP 의 진화 (Evolution of SVP)
2. 조직 (Organization)
2.1 책임 (Responsibilities)
2.2 독립성 (Independence)

3. 검증 목적 및 방법 (Verification Objectives and Methods)

3.1 소프트웨어 계획 프로세스 검증 (Verification of Software Planning Process)

3.1.1 목표 (Objective)

3.1.2 입출력 (Inputs and Outputs)

3.1.3 절차 (Procedure)

3.1.4 검증 환경 (Verification Environment)

3.1.5 전환 기준 (Transition Criteria)

3.2 소프트웨어 요구사항 프로세스 검증 (Verification of Software Requirements Process)

3.2.1 목표 (Objective)

3.2.2 입출력 (Inputs and Outputs)

3.2.3 절차 (Procedure)

3.2.4 SRD 테스트 케이스 및 절차(Test Cases and Procedure of SRD)

3.2.5 검증 환경 (Verification Environment)

3.2.6 전환 기준 (Transition Criteria)

3.3 소프트웨어 설계 검증 (Verification of Software Design Process)

3.3.1 목표 (Objective)

3.3.2 입출력 (Inputs and Outputs)

3.3.3 절차 (Procedure)

3.3.4 DD 테스트 케이스 및 절차 (Test Cases and Procedure of DD)

3.3.5 검증 환경 (Verification Environment)

3.3.6 전환 기준 (Transition Criteria)

3.4 소프트웨어 코딩 프로세스 검증 (Verification of Software Coding Process)

3.4.1 목표 (Objective)

3.4.2 입출력 (Inputs and Outputs)

3.4.3 절차 (Procedure)

3.4.4 검증 환경 (Verification Environment)

3.4.5 전환 기준 (Transition Criteria)

3.5 총괄 프로세스 검증 (Verification of Integration Process)

3.5.1 목표 (Objective)

3.5.2 입출력 (Inputs and Outputs)

3.5.3 절차 (Procedure)

3.5.4 검증 환경 (Verification Environment)

3.5.5 전환 기준 (Transition Criteria)

3.6 총괄 프로세스 출력 테스팅 (Testing of Outputs of Integration Process)

3.6.1 서론 (Introduction)

3.6.2 목표 (Objective)

3.6.3 입출력 (Inputs and Outputs)

작성법

1. 서론 (Introduction)	소프트웨어 검증 계획 서론을 기술합니다.
1.1 목적 (Purpose)	소프트웨어 검증 계획 목적을 기술합니다.
1.2 약어 및 용어 (Acronyms and Abbreviations)	소프트웨어 검증 계획 약어 및 용어에 대해 기술합니다.
1.2.1 조건 (Terms)	소프트웨어 검증 계획 조건을 기술합니다.
1.2.2 용어 (Abbreviations)	소프트웨어 검증 계획 용어를 기술합니다.
1.3 적용 문서 (Applicable Documents)	소프트웨어 검증 계획 적용 문서를 기술합니다.

1.3.1 외부 문서 (External Documents)	소프트웨어 검증 계획 외부 문서를 기술합니다.
1.3.2 내부 문서 (Internal Documents)	소프트웨어 검증 계획 외부 문서를 기술합니다.
1.4 다른 계획과의 관계 (Relation with Other Plans)	다른 계획과의 관계에 대해 기술합니다. 예시) 이 문서에서는 소프트웨어 검증 활동 및 방법에 대해 자세히 설명합니다. PSAC SDP SVP SCMP SQAP
1.5 SVP 의 진화 (Evolution of SVP)	SVP 의 진화에 대해 기술합니다. 이 파일은 다음과 같은 이유로 업데이트 될 수 있습니다. CR 에 따른 시정 조치. 프로세스 진화 SVE 는 SVP 의 수정을 담당합니다. 새로운 버전은 PM 에 의해 발표되기 전에 SQA 에 의해 승인되어야 합니다.
2. 조직 (Organization)	소프트웨어 검증 계획 조직에 대해 기술합니다.
2.1 책임 (Responsibilities)	소프트웨어 검증 계획 책임에 대해 기술합니다.
2.2 독립성 (Independence)	소프트웨어 검증 계획 독립성에 대해 기술합니다.
3. 검증 목적 및 방법 (Verification Objectives and Methods)	검증 목적 및 방법에 대해 기술합니다. 예시) 검증은 단순한 테스트가 아닙니다. 테스트는 일반적으로 오류가 없음을 보여주지 못합니다. 따라서 다음 소단원에서는 논의되는 소프트웨어

	검증 프로세스 목표가 일반적으로 검토, 분석 및 테스트의 조합인 경우 "테스트" 대신 "검증" 이라는 용어를 사용합니다. 이 장에서는 VCDS 에 대한 검증 목표를 요약하고 이러한 목적을 위해 어떤 검증 방법을 사용해야 하며 어떤 결과가 생성되는지를 정의합니다.
3.1 소프트웨어 계획 프로세스 검증 (Verification of Software Planning Process)	소프트웨어 계획 프로세스 검증에 대해 기술합니다.
3.1.1 목표 (Objective)	소프트웨어 계획 프로세스 검증 목표에 대해 기술합니다. 예시) 소프트웨어 계획 프로세스의 검증 목표는 다음을 평가하는 것입니다. • 소프트웨어 개발 및 총괄 프로세스 활동이 정의됩니다. • 전환 기준, 프로세스 간의 상호 관계 및 순서가 정의됩니다. • 소프트웨어 수명주기 환경이 정의됩니다. • 추가 고려사항이 다루어 집니다. • 소프트웨어 표준이 정의됨 • 소프트웨어 계획은 DO-178C 를 따릅니다. • 소프트웨어 계획이 조정됩니다.
3.1.2 입출력 (Inputs and Outputs)	소프트웨어 계획 프로세스 검증 입출력에 대해 기술합니다. 예시) 입력: • 가상 제어 및 표시 시스템에 대한 기술 • 인증의 소프트웨어 측면 계획 • 소프트웨어 품질 보증 계획 • 소프트웨어 형상 관리 계획 • 소프트웨어 개발 계획 • 소프트웨어 검증 계획

	• 소프트웨어 요구사항 표준
	• 소프트웨어 설계 표준
	• 소프트웨어 코드 표준
	출력:
	• 계획 및 표준 보고서 검토
3.1.3 절차 (Procedure)	소프트웨어 계획 프로세스 검증 절차에 대해 기술합니다. 예시) 소프트웨어 계획 프로세스 데이터 검증은 다음 단계로 구성됩니다. SVE 는 계획 및 표준에 대한 내부 검토를 구성할 책임이 있습니다. SDE, SQAE, SCME, PM 을 포함한 모든 팀 구성원은 [RR_PS]에 제공된 체크리스트를 사용하여 검토를 수행하고 검토 결과를 기록합니다. 문제 보고서 [PR]는 필요하다면 소프트웨어 형상 관리 운영자에게 보고됩니다. 프로젝트 관리자는 모든 문제가 해결되고 검증될 때 검토를 완료 할 책임이 있습니다.
3.1.4 검증 환경 (Verification Environment)	소프트웨어 계획 프로세스 검증 환경에 대해 기술합니다. 예시) SVE 는 소프트웨어 계획 프로세스 검증을 위한 검토 보고서를 사용할 것입니다.
3.1.5 전환 기준 (Transition Criteria)	소프트웨어 계획 프로세스 검증 전환 기준에 대해 기술합니다. 예시) 모든 계획과 표준이 소프트웨어 계획 프로세스에서 생성되면 소프트웨어 계획 프로세스의 검증을 시작할 수 있습니다.
3.2 소프트웨어 요구사항 프로세스 검증 (Verification of Software Requirements Process)	소프트웨어 요구사항 프로세스 검증에 대해 기술합니다.

3.2.1 목표 (Objective)	소프트웨어 요구사항 프로세스 검증 목표에 대해 기술합니다. 예시) 소프트웨어 요구사항 프로세스의 검증 목표는 다음을 평가하는 것입니다. • 소프트웨어 요구사항 데이터는 시스템 요구사항을 준수합니다. • 소프트웨어 요구사항 데이터는 정확하고 일관성이 있습니다. • 소프트웨어 요구사항 데이터는 대상 컴퓨터와 호환됩니다. • 소프트웨어 요구사항 데이터를 검증할 수 있어야 합니다. • 소프트웨어 요구사항 데이터는 표준을 준수합니다. • 소프트웨어 요구사항 데이터는 시스템 요구사항을 추적할 수 있습니다. • 알고리즘은 정확합니다.
3.2.2 입출력 (Inputs and Outputs)	소프트웨어 요구사항 프로세스 검증 입출력에 대해 기술합니다. 예시) 입력: • 소프트웨어에 할당된 시스템 요구사항 • 소프트웨어 요구사항 데이터 • 소프트웨어 요구사항 표준 • 소프트웨어 검증 계획 • 소프트웨어 및 SRD에 할당된 시스템 요구사항 간의 추적성 매트릭스 출력: • SRD 검토 보고서 • 테스트 케이스 및 절차 • SRD와 TCP 사이의 추적성 매트릭스
3.2.3 절차 (Procedure)	소프트웨어 요구사항 프로세스 검증 절차에 대해 기술합니다. 예시) • 소프트웨어 요구사항 프로세스 데이터 검증은 다음 단계로 구성됩니다.

	• 프로젝트 관리자는 성숙한 초안이 작성되는 즉시 SVE 에 문서를 배포할 책임이 있습니다. • SVE 는 [RR_SRD]에 제공된 체크리스트를 사용하여 검토를 수행하고 검토 결과를 기록합니다. • 문제 보고서는 필요한 경우 소프트웨어 구성 관리 운영자에게 보고됩니다. • 프로젝트 관리자는 모든 문제가 해결되고 검증될 때 검토를 완료할 책임이 있습니다. • 동료 검토가 끝나면 SVE 는 SRD 의 TCP 를 정의하고 추적성을 확립합니다. • SIGH 는 SRD 기반 테스트 케이스 (정상 범위 검증 케이스와 강건한 검증 케이스 모두)를 작성하고, 실행 가능한 객체 코드 장의 검증에서 나중에 설명될 절차를 정의합니다. • SRD 와 TCP 사이의 추적 성 매트릭스 도구의 SVE 에 의해 관리됩니다.
3.2.4 SRD 테스트 케이스 및 절차(Test Cases and Procedure of SRD)	SRD 테스트 케이스 및 절차에 대해 기술합니다.
3.2.5 검증 환경 (Verification Environment)	검증 환경에 대해 기술합니다. 예시) SVE 는 소프트웨어 요구사항 프로세스에 대한 검증 활동을 위해 검토 보고서와 모델 개발 도구를 사용할 것입니다. 3.2.5.1 Review Reports of SRD 3.2.5.2 SCADE RM Tool
3.2.6 전환 기준 (Transition Criteria)	전환 기준에 대해 기술합니다. 예시) 모든 SRD 와 해당 추적성이 소프트웨어 요구사항 프로세스에서 생성되면 소프트웨어 요구사항 프로세스의 검증을 시작할 수 있습니다. 늦게 도착한 SRD 가 이전 검증 결과에 영향을 미치는지 확인해야 합니다. 그렇다면, 그러한 검증 활동은 재검토되어야 합니다.

3.3 소프트웨어 설계 검증 (Verification of Software Design Process)	소프트웨어 설계 검증에 대해 기술합니다.
3.3.1 목표 (Objective)	소프트웨어 설계 검증 목표에 대해 기술합니다. 예시) 소프트웨어 설계 프로세스의 검증 목표는 다음을 평가하는 것입니다. • 소프트웨어 요구사항 데이터를 준수하는 설계 설명 • 설계 설명은 정확하고 일관성이 있습니다. • 설계 설명이 검증 가능합니다. • 표준을 준수하는 설계 설명 • 설계 설명서는 대상 컴퓨터와 호환됩니다. • 소프트웨어 요구사항 데이터에 대한 설계 설명을 추적할 수 있습니다. • 설계 설명서는 대상 컴퓨터와 호환됩니다. • 소프트웨어 아키텍처는 소프트웨어 요구사항 데이터와 호환됩니다. • 소프트웨어 아키텍처는 정확하고 일관성이 있습니다. • 소프트웨어 아키텍처 검증 가능 • 소프트웨어 아키텍처는 표준을 준수합니다. • 소프트웨어 아키텍처는 대상 컴퓨터와 호환됩니다. • 소프트웨어 파티션 무결성 확인 (N / A)
3.3.2 입출력 (Inputs and Outputs)	소프트웨어 설계 검증 입출력에 대해 기술합니다. 예시) 입력: • 설계 설명 • 소프트웨어 검증 계획 • 소프트웨어 설계 표준 • 소프트웨어 요구사항 데이터

	• SRD 의 사례 및 절차 테스트
	• SRD 와 DD 간의 추적 성 매트릭스
	출력:
	• DD 의 보고서 검토
	• DD 의 사례와 절차를 시험한다.
	• DD 와 TCP 간의 추적 성 매트릭스
	• 설계 모델의 테스트 결과
3.3.3 절차 (Procedure)	소프트웨어 설계 검증 절차에 대해 기술합니다.
	예시)
	설계 설명 검증은 다음 단계로 구성됩니다.
	• 프로젝트 관리자는 성숙한 초안이 작성되는 즉시 SVE 에 데이터를 배포할 책임이 있습니다.
	• SAG 는 [RR_DD]에 제공된 체크리스트를 사용하여 검토를 수행하고 검토를 기록합니다
	• SAD 는 모델에 대한 의미 및 구문 검사를 수행합니다.
	• 문제 보고서는 필요한 경우 소프트웨어 형상 관리 운영자에게 보고됩니다.
	• 프로젝트 관리자는 모든 문제가 해결되고 검증될 때 검증을 완료할 책임이 있습니다.
	검증이 끝나면 SVE 는 DD 의 TCP 를 정의하고 DD 와 TCP 사이의 추적성을 확립합니다.
	• SIGH 는 DD 기반 검증 케이스 (정상 범위 검증 케이스와 강건한 검증 케이스 모두)를 작성하고 절차를 정의합니다.
	• SVE 는 DD & TCP 의 추적성 매트릭스를 관리합니다.
3.3.4 DD 테스트 케이스 및 절차 (Test Cases and Procedure of DD)	DD 테스트 케이스 및 절차에 대해 기술합니다. 하위 목차로는 다음이 사용될 수 있습니다.
	3.3.4.1 Requirement based Test Cases Selection
	3.3.4.1.1. Test Cases Description
	3.3.4.1.2. Test Cases Category

	3.3.4.1.2.1. Normal Range test cases
	3.3.4.1.2.2. Robustness test cases
	3.3.4.1.3. Test Cases Definition
	3.3.4.2 Test Procedure of DD
3.3.5 검증 환경 (Verification Environment)	소프트웨어 설계 검증 환경에 대해 기술합니다. 예시) SVE 는 다음과 같은 기법과 도구를 사용합니다. • 보고서 도구 • 생성 보고서의 동료 검토를 위한 검토 보고서 • 요구사항 관리 도구
3.3.6 전환 기준 (Transition Criteria)	소프트웨어 설계 검증 전환 기준에 대해 기술합니다. 예시) 모든 설계 설명서 및 해당 추적 성이 소프트웨어에서 생성된 경우 소프트웨어 설계 프로세스의 검증을 시작할 수 있습니다. 늦게 도착한 DD 가 이전 검증 결과에 영향을 미치는지 확인해야 합니다. 검증 활동은 재 입력되어야 합니다. 모든 검증 도구는 형상 관리, 베이스라인 및 보호 기능에 입력됩니다. 수정에서부터 다음과 같은 산출물이 생산, 기준 검토, 검토 및 형상 관리하에 있습니다. 통제: • SRD 의 테스트 케이스 및 절차
3.4 소프트웨어 코딩 프로세스 검증 (Verification of Software Coding Process)	소프트웨어 코딩 프로세스 설계 검증에 대해 기술합니다.

3.4.1 목표 (Objective)	소프트웨어 코딩 프로세스 설계 검증 목표에 대해 기술합니다.
3.4.2 입출력 (Inputs and Outputs)	소프트웨어 코딩 프로세스 설계 검증 입출력에 대해 기술합니다.
3.4.3 절차 (Procedure)	소프트웨어 코딩 프로세스 설계 검증 절차에 대해 기술합니다.
3.4.4 검증 환경 (Verification Environment)	소프트웨어 코딩 프로세스 설계 검증 환경에 대해 기술합니다.
3.4.5 전환 기준 (Transition Criteria)	소프트웨어 코딩 프로세스 설계 검증 전환 기준에 대해 기술합니다.
3.5 총괄 프로세스 검증 (Verification of Integration Process)	소프트웨어 총괄 프로세스 검증에 대해 기술합니다.
3.5.1 목표 (Objective)	소프트웨어 총괄 프로세스 검증 목표에 대해 기술합니다.
3.5.2 입출력 (Inputs and Outputs)	소프트웨어 총괄 프로세스 검증 입출력에 대해 기술합니다.
3.5.3 절차 (Procedure)	소프트웨어 총괄 프로세스 검증 절차에 대해 기술합니다.
3.5.4 검증 환경 (Verification Environment)	소프트웨어 총괄 프로세스 검증 환경에 대해 기술합니다.
3.5.5 전환 기준 (Transition Criteria)	소프트웨어 총괄 프로세스 검증 전환 기준에 대해 기술합니다.
3.6 총괄 프로세스 출력 테스팅 (Testing	총괄 프로세스 출력 테스팅에 대해 기술합니다.

of Outputs of Integration Process)	
3.6.1 서론 (Introduction)	총괄 프로세스 출력 테스팅 서론에 대해 기술합니다.
3.6.2 목표 (Objective)	총괄 프로세스 출력 테스팅 목표에 대해 기술합니다.
3.6.3 입출력 (Inputs and Outputs)	총괄 프로세스 출력 테스팅 입출력에 대해 기술합니다.
3.6.4 절차 (Procedure)	총괄 프로세스 출력 테스팅 절차에 대해 기술합니다.
3.6.5 검증 환경 (Verification Environment)	총괄 프로세스 출력 테스팅 검증 환경에 대해 기술합니다.
3.6.6 전환 기준 (Transition Criteria)	총괄 프로세스 출력 테스팅 전환 기준에 대해 기술합니다.
3.7 소프트웨어 검증 프로세스 검증 (Verification of Software Verification Process)	소프트웨어 검증 프로세스 검증에 대해 기술합니다.
3.7.1 목표 (Objective)	소프트웨어 검증 프로세스 검증 목표에 대해 기술합니다.
3.7.2 입출력 (Inputs and Outputs)	소프트웨어 검증 프로세스 검증 입출력에 대해 기술합니다.
3.7.3 절차 (Procedure)	소프트웨어 검증 프로세스 검증 절차에 대해 기술합니다.
3.7.4 검증 환경 (Verification Environment)	소프트웨어 검증 프로세스 검증 환경에 대해 기술합니다.

3.7.5 전환 기준 (Transition Criteria)	소프트웨어 검증 프로세스 검증 전환 기준에 대해 기술합니다.
4. 기타 (Miscellaneous)	소프트웨어 검증 프로세스 검증 기타사항에 대해 기술합니다.
4.1 파티셔닝 고려사항 (Partitioning considerations)	파티셔닝 고려사항에 대해 기술합니다.
4.2 컴파일러 가정 (Compiler assumptions)	컴파일러 가정에 대해 기술합니다. 예시) 호스트 및 타겟 컴파일러는 항상 동일한 옵션으로 사용됩니다.
4.3 재검증 지침 (Re-verification Guideline)	재검증 지침에 대해 기술합니다. 예시) 수정된 소프트웨어 검증 지침은 다음과 같습니다. • 계획이 수정되면 새로운 프로젝트 계획 검토가 수행됩니다 • HLR 이 변경되면 새로운 HLR 검토가 수행됩니다 • 설계가 수정되면 새로운 설계 검토가 수행됩니다 • 수정된 소스 코드 검토 • 소프트웨어 수정을 위한 테스트의 수정 또는 생성 원점은 테스트 설명에서 추적됩니다. • 신규 또는 수정된 검사가 검토됩니다. • 요구사항 기반 테스트 커버리지 및 구조적 범위가 측정됩니다. • 검증 결과 (테스트 검토 데이터, 코드 검토 데이터, 코드 분석 결과, 테스트 결과, 커버리지 분석 결과)는 형상 관리되며 소프트웨어 검증 보고서에 표시됩니다.
4.4 이전 개발된 소프트웨어 (Previous Developed Software)	이전 개발된 소프트웨어에 대해 기술합니다.

4.5 다중 버전 이종 소프트웨어 (Multiple-version dissimilar software)	다중 버전 이종 소프트웨어의 방안에 대해 기술합니다.
5. 일정 (Schedule)	소프트웨어 검증 계획 일정에 대해 기술합니다.

4. 소프트웨어 형상 관리 계획 (Software Configuration Management Plan)

1. 소프트웨어 형상 관리란 무엇입니까?

소프트웨어 형상 관리 (SCM)는 요람에서 소프트웨어 수명주기의 무덤으로 가는 필수 프로세스입니다. 소프트웨어 수명주기의 모든 영역에 걸쳐 있으며 모든 데이터 및 프로세스에 영향을 미칩니다.

SCM 은 일반적으로 믿을 만한 소스 코드가 아닙니다. 모든 소프트웨어 수명주기 데이터에 필요합니다. 소프트웨어를 생산하고, 소프트웨어를 검증하며, 소프트웨어 준수를 입증하는 데 사용된 모든 데이터 및 문서는 일정 수준의 형상 관리를 필요로 합니다. 즉, DO-178C 11 절에 나열된 모든 소프트웨어 수명주기 데이터에는 SCM 이 필요합니다. 적용되는 SCM 프로세스의 엄격함은 소프트웨어 Level 및 이슈의 특성에 따라 다릅니다. DO-178C 는 CC1/CC2 (제어 범주 # 1 또는 제어 범주 # 2)의 개념을 사용하여 데이터 항목에 얼마만큼의 형상 통제가 적용되는지 식별합니다. CC1 로 분류된 데이터 항목은 모든 DO-178C SCM 활동을 적용해야 합니다. 그러나 CC2 데이터 항목은 단지 부분 집합을 적용할 수 있습니다.

이 장에서는 DO-178C 에서 요구하고 안전에 중대한 영역에서 모범 사례로 간주되는 SCM 활동을 검토합니다. 기업이 종종 실제 세계에서 어려움을 겪는 중요한 SCM 프로세스이기 때문에 문제보고, 변경 영향 분석 (CIA) 및 환경 제어 프로세스에 특별한 주의를 기울입니다.

2. 소프트웨어 형상 관리가 필요한 이유는 무엇입니까?

안전에 필수적인 도메인을 포함하여 모든 영역에서의 소프트웨어 개발은 높은 압력 활동입니다. 소프트웨어 엔지니어는 엄격한 일정과 예산으로 컴퓨터 시스템을 개발해야 합니다. 이들은 신속하게 업데이트하고 표준 및 규정을 준수하는 고품질 소프트웨어를 유지 관리해야 합니다.

제대로 구현된 소프트웨어 형상 관리 (SCM) 시스템은 소프트웨어 개발 팀이 혼란 없이 최고의 품질의 소프트웨어를 만드는데 도움이 되는 메커니즘입니다.

*좋은 SCM 은 소스 코드 모듈 누락, 최신 버전의 파일 찾기 불가능, 수정된 실수의 재현, 요구사항 누락, 변경 시 결정할 수 없음, 두 프로그래머가 업데이트할 때 서로 작업을 덮어쓰는 등의 문제를 방지하는 데 도움이 됩니다. 공유 파일 등이 포함됩니다. SCM 은 동일한 프로젝트에서 작업하는 여러 사람의 작업과 노력을 조율하여 이러한 문제를 줄입니다. SCM 을 적절히 구현하면 기술 무정부 상태를 방지하고 고객 불만을 해소하며 제품과 제품의 일관성을 유지합니다.

SCM 을 사용하면 효과적인 변경 관리가 가능합니다. 소프트웨어 집약적 인 시스템은 변화할 것입니다. 이는 소프트웨어 특성의 일부입니다. Pressman 은 "당신이 변화를 통제하지 않으면, 당신을 통제합니다. 그리고 그것은 결코 좋지 않습니다. 통제되지 않은 변화로 인해 잘 운영되는 소프트웨어 프로젝트가 혼란에 빠지기 쉽습니다." 변화가 자주 일어나기 때문에 효과적으로 관리해야 합니다. 올바른 SCM 은

(1) 변경될 가능성이 있는 데이터 항목 식별

(2) 데이터 항목 간의 관계 정의

(3) 데이터 수정 제어 방법 식별

(4) 구현 변경 제어

(5) 변경 사항보고

효과적인 SCM 은 다음을 포함하여 소프트웨어 팀, 전체 조직 및 고객에게 많은 이점을 제공합니다.

- 조직된 작업과 활동을 사용하여 소프트웨어의 무결성을 유지합니다.
- 인증 기관 및 고객에 대한 신뢰를 구축합니다.
- 고품질의 소프트웨어를 지원함으로 보다 안전합니다.
- DO-178C 가 요구하는 수명주기 데이터를 관리할 수 있습니다.
- 소프트웨어 형상이 알려져 있고 올바른 지 확인합니다.
- 프로젝트의 일정 및 예산 요구사항을 지원합니다.
- 기본 소프트웨어 및 데이터 항목에 대한 기능을 제공합니다.
- 베이스라인에 대한 변경 내용을 추적하는 기능을 제공합니다.

- 데이터 관리에 체계적인 접근 방식을 제공함으로써 개발 팀 구성원 간의 혼란을 피하고 의사소통을 향상시킵니다.

- 놀라움과 낭비되는 시간을 피하거나 줄입니다.

- 코드 및 지원 수명주기 데이터의 문제를 식별, 기록 및 해결할 수 있는 방법을 제공합니다.

- 소프트웨어 개발, 검증, 테스트 및 재생을 위한 통제된 환경을 장려합니다.

- 초기 개발 이후에도 소프트웨어를 재 생성할 수 있습니다.

- 프로젝트 전반에 걸쳐 상태 계산 기능을 제공합니다.

3. 누가 소프트웨어 형상 관리를 구현할 책임이 있습니까?

SCM 은 소프트웨어 개발 프로세스에 관련된 모든 사람의 책임입니다. 안전에 필수적인 도메인을 포함하여 모든 영역에서의 소프트웨어 개발은 높은 압력 활동입니다. 모든 개발자는 좋은 SCM 의 이점, 열악한 SCM, SCM 모범 사례 및 특정 회사 SCM 절차의 위험에 대해 교육 받아야 합니다. 이러한 교육을 통해 엔지니어는 전반적으로 더 나은 업무를 수행할 수 있습니다. 제대로 구현되고 자동화되면 SCM 은 개발자가 매일 수행하는 것이 어렵지 않아야 합니다.

과거 SCM 은 수작업으로 시간을 소비하는 과정이었습니다. 그러나 이제는 좋은 SCM 도구를 사용할 수 있게 됨에 따라 SCM 프로세스가 개발자에게 과중한 부담을 주지 않으면 서 구현될 수 있습니다.

그러나 SCM 도구가 모든 것을 처리할 것이라고 생각하면 재앙을 위한 방법이 될 수 있습니다. 변경 관리, 빌드 및 배포 관리, 형상 감사를 비롯한 많은 SCM 활동에는 사람의 개입과 판단이 필요합니다. SCM 도구로 이러한 작업을 보다 쉽게 수행할 수 있지만 사람의 지능과 의사 결정을 대체 할 수는 없습니다.

SCM 은 모든 사람의 책임입니다. 소프트웨어와 데이터를 원하는 사람들, 소프트웨어와 데이터를 만드는 사람들, 소프트웨어와 데이터를 사용하는 사람들 사이의 의사 소통과 팀웍이 필요합니다. 좋은 SCM 은 통신으로 시작하고 끝납니다. 다음은 효과적인 SCM 을 가능하게 하는 의사 소통을 장려하기 위한 몇 가지 제안입니다.

- 목표와 목적이 명확하게 기술되어 있는지 확인합니다.

- 모든 이해 관계자가 목표와 목적을 이해하는지 확인합니다.

- 모든 이해 관계자가 협력하고 협력을 방해하는 문제를 해결하도록 보장합니다.

- 모든 프로세스가 문서화되고 모든 이해 관계자가 명확하게 이해하는지 확인합니다.

- 피드백을 자주 제공합니다.

- 의사 결정에 필요한 데이터가 있는지 확인합니다.

- 문제가 발생할 때 해결합니다.

  4. 소프트웨어 구성 관리는 무엇을 포함합니까?

DO-178C 표 A-1 목표의 산출물 인 SCM 계획의 개발 외에도 DO-178C 는 표 A-8 의 SCM 프로세스에 대한 6 가지 목표를 정의합니다. 각 목표는 모든 소프트웨어 등급에 필요합니다. 여섯 가지 목표는 다음과 같습니다.

- DO-178C, 표 A-8, 목적 1: "형상 항목이 식별됩니다."

- DO-178C, 표 A-8, 목표 2: "기본 및 추적 성이 확립되었습니다."

- DO-178C, 표 A-8, 목표 3: "문제 보고, 변경 제어, 변경 검토 및 구성 상태 계산이 설정되었습니다."

- DO-178C, 표 A-8, 목적 4: "아카이브, 검색 및 배포가 설정되었습니다."

- DO-178C, 표 A-8, 목표 5: "소프트웨어로드 제어가 설정되었습니다."

- DO-178C, 표 A-8, 목표 6: "소프트웨어 수명주기 환경 제어가 수립되었습니다."

이러한 목표는 소프트웨어 수명주기 데이터의 진실성, 책임 성, 재현성, 가시성, 조정 및 제어를 위해 적용됩니다. DO-178C 의 목표를 달성하기 위해서는 구성 확인, 베이스라인 조사, 추적 가능성, 문제 보고, 변경 제어, 변경 검토, 상태 계산, 배포, 보관 및 검색, 부하 제어 및 환경 제어 등 여러 가지 작업이 필요합니다.

예시 목차

1.4 용어 및 정의 (Terms and Definitions)

1.5 명령형 조건 (Imperative Terms)

2. 환경 (Environment)

2.1 조직의 책임과 인터페이스 (Organizational Responsibilities and Interfaces)

2.2 도구 (Tools)

2.2.1 데이터 접근 (Data Access)

3. 형상 (Configuration)

3.1 형상 식별 (Configuration Identification)

3.1.1 문서 개정 식별 (Document Revision Identification)

3.1.2 문서 변경 정보 (Document Change Information)

3.1.3 도구 형상 식별 (Configuration Identification of Tools)

3.1.4 CVS 에서 파일 형상 식별 (Configuration Identification of Files in CVS)

3.1.5 DOORS 에서 형상 식별 (Configuration Identification in DOORS)

3.1.6 수신된 납품 형상 식별 (Configuration Identification of Received Deliveries)

3.1.7 미디어에서 형상 식별 (Configuration Identification in the Media Shelf)

3.2 베이스라인 및 추적성 (Baselines and Traceability)

3.2.1 태그 사용법 (Tag Usage)

3.2.2 DOORS 에서 베이스라인 (Baselines in DOORS)

3.2.3 베이스라인 추적성 (Traceability of Baselines)

3.3 문제점 보고 (Problem Reporting)

3.3.1 문제점 보고 및 변경 요청 (Problem Reports and Change Requests)

3.3.2 문제점 보고 전파 (Problem Report Propagation)

3.3.3 변경 통제/변경 검토 (Change Control/Change Review)

3.3.4 유지보수 (Maintenance)

3.4 형상 상태 계산 (Configuration Status Accounting)

3.4.1 형상 감사 (Configuration Audits)

3.5 보관, 검색 및 배포 (Archival, Retrieval and Release)

3.5.1 배포 보관 및 검색 (Archival and Retrieval of Releases)

3.5.2 배포 통제 (Release Control)

3.5.3 배포 범주 (Release Categories)

3.5.4 데이터 보안 고려사항 (Data Security Considerations)

3.6 소프트웨어 로드 통제 (Software Load Control)

4. 공급 통제 (Supplier Control)

5. SCMP 변경 절차 및 이력 (SCMP Change Procedure and History)

작성법

1. 서론 (Introduction)	소프트웨어 형상 관리 계획 서론에 대해 기술합니다.
1.1 문서의 목적 (Purpose of this Document)	소프트웨어 형상 관리 계획 목적에 대해 기술합니다.
1.2 문서 참조 (Document References)	소프트웨어 형상 관리 계획 문서 참조에 대해 기술합니다.
1.2.1 적용 문서 (Applicable Documents)	적용 문서를 기술합니다.
1.2.2 참조 문서 (Referenced Documents)	참조 문서를 기술합니다.
1.3 약어 (Abbreviations and Acronyms)	사용된 약어를 기술합니다.
1.4 용어 및 정의 (Terms and Definitions)	사용된 용어 및 정의를 기술합니다.
1.5 명령형 조건 (Imperative Terms)	명령형 조건을 기술합니다.
2. 환경 (Environment)	소프트웨어 형상 관리 환경을 기술합니다.
2.1 조직의 책임과 인터페이스 (Organizational	프로젝트를 위한 조직도와 개인의 역할 및 책임을 정의하고 인터페이스를 기술합니다.

Responsibilities and Interfaces)	
2.2 도구 (Tools)	소프트웨어 형상 관리 계획 도구에 대해 기술합니다.
2.2.1 데이터 접근 (Data Access)	데이터 접근에 대해 기술합니다.
3. 형상 (Configuration)	프로젝트에서 어떤 형상을 관리할 것인지에 대한 대상을 기술합니다.
3.1 형상 식별 (Configuration Identification)	프로젝트에서 식별된 형상에 대해 기술합니다. 예시) 형상 식별은 이 프로젝트의 소프트웨어 개발 및 검증 활동을 위해 수행됩니다. 형상 식별은 프로젝트 시작과 함께 시작됩니다. 형상 항목은 다른 소프트웨어 수명주기 프로세스에서 항목을 사용하기 전에 구성 관리 아래에 있어야 하며 항목은 다른 소프트웨어 수명주기 데이터에 의해 참조되거나 항목이 소프트웨어 빌드 또는 소프트웨어 로드에 사용됩니다. 형상 통제 하에 있는 항목은 고유한 이름과 고유한 버전 식별로 식별됩니다. 모든 변경 사항은 새로운 버전 번호로 이어집니다. 소프트웨어의 전달로 사용되는 각 매체는 개별적으로 레이블을 붙여야 합니다. 레이블에는 프로젝트 번호, 제목 (식별 코드), 버전 식별 (CVS 개정판, CVS 태그 또는 제품 개정판일 수 있음) 및 기타 필요한 정보가 포함됩니다. 형상 항목의 모든 변경사항은 변경 관리의 적용을 받습니다.
3.1.1 문서 개정 식별 (Document Revision Identification)	문서 개정 식별에 대해 기술합니다. 예시) 각 문서는 특정 개정판으로 식별됩니다. 개정 번호 매기기는 항상 00.1 로 시작합니다.
3.1.2 문서 변경 정보 (Document Change Information)	문서 변경 정보에 대해 기술합니다. 예시) 정식 문서 버전 간의 변경사항에는 다음 규칙이 적용됩니다.

	• 각 문서에는 승인된 버전에 대한 자세한 개정 내역 정보가 있는 테이블이 있습니다. • 정식으로 제공되는 버전 간의 각 변경사항은 문서 페이지 여백에 있는 변경 표시줄에 의해 추적됩니다. 정식으로 제공되는 개정판이 도입된 후 첫 번째 변경 전에 변경 표시 줄이 재설정됩니다. • 기본 문서에 필요한 변경사항은 승인된 버전으로 식별되는 검토 프로세스에 재 발행해야 하는 새 버전의 문서가 됩니다. 다음과 같은 문서 상태가 정의됩니다.
3.1.3 도구 형상 식별 (Configuration Identification of Tools)	도구 형상 식별에 대해 기술합니다. 예시) 검증 및 개발 도구는 특정 버전 번호로 식별되는 CVS 의 구성 관리에 있습니다. 도구 패치는 CVS 를 통한 형상 제어 하에 있습니다. CD/DVD 에서만 사용할 수 있는 도구의 경우 특정 도구 상자가 특정 레이블에 저장되는 특정 미디어가 사용됩니다.
3.1.4 CVS 에서 파일 형상 식별 (Configuration Identification of Files in CVS)	CVS 에서 파일 형상 식별에 대해 기술합니다. 예시) 소프트웨어 버전은 고유한 개정 번호로 식별되어야 합니다. 이 버전 번호는 버전 통제 시스템 CVS 에서 데이터를 체크인할 때 자동으로 생성됩니다. CVS 버전 번호의 형식은 주 개발 브랜치의 경우 M.m (M: major, n: minor)이고 개발 브랜치 (m: major 분기 번호, n: 분기 패치 버전)의 경우 M.m.N.n 입니다. 리비전 1.1 은 주요 개발 브랜치 인 리비전 1.1.1.1 과 동일합니다. 다음 CVS 버전은 주요 개발을 위해 1.2 입니다. 영향을 받는 파일은 다음과 같습니다. • 소스 코드 • 시험 절차 및 시험 결과 • 기록 검토 • 품질 보증 기록 • 파일 만들기 및 구성 • 실행 가능한 이미지 파일

	• 빌드 프로세스의 제품 별
	• Microsoft Office 형식 및 PDF 형식의 문서
	다음 요구사항은 최소한 준수되어야 합니다.
	• 각 문서는 버전 식별 (문서 개정)으로 설명됩니다. 추가 CVS 태그는 프로젝트 베이스라인에 대한 적용 가능성을 나타냅니다.
	• 각 QA 기록은 버전 식별 (검토 식별 번호)으로 설명됩니다.
	• 다른 모든 파일은 버전 식별 (CVS 개정 또는 CVS 태그)에 의해 설명됩니다.
	• 파일의 각 변경 (체크 인)은 자동으로 새 버전 식별 (CVS 개정)으로 바뀝니다. 체크인 작동 중에 변경 사항에 대한 추가 정보가 사용자에 의해 추가됩니다.
	• 하나의 파일에서 동시 수정을 수행하면 CVS 도구가 병합 충돌을 표시합니다. 이러한 충돌은 추가 개발 활동에 사용하기 위해 컴포넌트를 배포하기 전에 해결되어야 합니다.
	• 형상 통제 하에 있는 각 소프트웨어 항목은 식별 코드 (항목 제목 및 부품 번호)로 고유하게 식별되어야 합니다. 이는 고유한 제품 및 버전 식별을 허용하기 위한 것입니다. 해당 항목이 CVS 통제 하에 있는 경우 버전 식별은 CVS 개정입니다.
	• 형상 통제 하에 있는 각 항목은 전체 파일 이름으로 고유하게 식별됩니다. 이는 형상 항목이 버전 통제 데이터베이스에 체크인 될 때 자동으로 수행됩니다.
	• 인증 변경 또는 기능적 비 교환 기능의 변경을 초래하는 소프트웨어 변경은 새 버전 번호가 필요합니다.
3.1.5 DOORS 에서 형상 식별 (Configuration Identification in DOORS)	DOORS 에서 형상 식별에 대해 기술합니다. 예시) 도구 DOORS 는 DOORS 에서 유지 관리되는 소프트웨어 개발 및 기타 프로젝트 관련 데이터베이스 모듈의 요구사항 관리 도구로 사용됩니다. 다음 요구사항은 최소한 준수되어야 합니다. • 각 단일 개체는 고유한 ID 로 식별됩니다. • 개체의 각 변경 내용은 자동으로 새 세션 번호로 변경됩니다. • 동시 수정은 불가능합니다.

	• 개체 변경 시 변경 사항과 개체 상태의 변경 내용을 보여주는 기록 항목이 생성됩니다. 변경 사항은 검토 및 승인 프로세스의 적용을 받습니다.
3.1.6 수신된 납품 형상 식별 (Configuration Identification of Received Deliveries)	수신된 납품 형상 식별에 대해 기술합니다. 예시) 형상 관리는 외부 당사자가 제공한 모든 데이터에 대해 수행됩니다. 제공된 데이터는 형상 관리 시스템 CVS 에 저장됩니다.
3.1.7 미디어에서 형상 식별 (Configuration Identification in the Media)	미디어에서 형상 식별에 대해 기술합니다. 예시) 미디어에 소프트웨어를 보관하는데 사용되는 각 매체는 개별적으로 레이블을 붙여야 합니다. 레이블에는 프로젝트 번호, 제목 (식별 코드) 및 고유 버전 식별 (소프트웨어 빌드 또는 배포)이 포함되어야 합니다. 추가 정보는 공급 업체, 보관 날짜 등과 같이 추가될 수 있습니다.
3.2 베이스라인 및 추적성 (Baselines and Traceability)	소프트웨어 형상 관리의 베이스라인 및 추적성에 대해 기술합니다. 예시) 이 프로젝트에서 태그 및 베이스라인은 소프트웨어 버전 및 배포를 식별하는 데 사용됩니다. • 태그는 형상 관리 시스템 CVS 에 체크인 되는 파일 개정을 식별하는데 사용됩니다. • 베이스라인은 다음을 수행하는 데 사용됩니다. a) DOORS 문서의 버전을 확인합니다. b) 배포의 컴포넌트를 식별합니다. 다음 하위 절에서는 이 프로젝트의 태그 및 베이스라인 사용을 정의합니다.
3.2.1 태그 사용법 (Tag Usage)	태그 사용법에 대해 기술합니다. 예시) 태그는 하나의 상징적 이름, 즉 기술자와 객체의 연관을 포함하는 메타 데이터의 유형으로 소스 개정의 그룹을 식별하는데 사용됩니다.

3.2.2 DOORS 에서 베이스라인 (Baselines in DOORS)	DOORS 에서 베이스라인에 대해 기술합니다. 예시) 베이스라인은 항목 및 링크를 하나의 상징적인 이름으로 식별하는 데 사용되는 특정 DOORS 베이스라인입니다.
3.2.3 베이스라인 추적성 (Traceability of Baselines)	베이스라인 추적성에 대해 기술합니다. 예시) 각 베이스라인은 베이스라인까지 추적 가능해야 합니다. 각 형상 항목은 데이터가 이전 형상 항목의 개발과 관련되어 있는 경우 형상 항목을 추적할 수 있어야 합니다. 각 형상 항목이 파생된 형상 항목에 대해 추적 가능하도록 하려면 변경 관리를 사용해야 합니다.
3.3 문제점 보고 (Problem Reporting)	문제점 보고에 대해 기술합니다. 예시) 문제점 보고는 버그 추적 도구 GNATS 을 통해 수행됩니다.
3.3.1 문제점 보고 및 변경 요청 (Problem Reports and Change Requests)	문제점 보고 및 변경 요청에 대해 기술합니다. 예시) 문제점 보고 및 버그 데이터베이스 요청에 대한 변경은 GNATS 가 사용됩니다. 소프트웨어 계획 및 표준의 프로세스 불이행, 소프트웨어 수명주기 프로세스의 출력 부족 또는 소프트웨어 제품의 비정상적인 작동과 관련된 문제가 제기될 때마다 GNATS 데이터베이스 내에 문제점 보고서 (PR)가 작성됩니다. 변경이 고객 또는 내부 설계 결정에 의해 요청된 경우 변경 요청 (CR)이 GNATS 데이터베이스 내에 작성됩니다. PR 이나 CR 을 작성하기 위해 특별한 양식이 제공됩니다. PR 또는 CR 에는 적어도 다음 항목이 포함되어야 합니다. • 고유 식별 번호 • 작성자 • 영향을 받는 시스템/컴포넌트/문서 • 문제/변경에 대한 설명. • 수행할 행동.

	• 관련 객체 목록 • 변경 요청 또는 PR 인 경우 정의할 클래스 고유 식별 번호와 발신자는 자동으로 설정되고 다른 항목은 발신자가 버그 데이터베이스에 제공해야 합니다.
3.3.2 문제점 보고 전파 (Problem Report Propagation)	문제점 보고 전파에 대해 기술합니다. 예시) 이미 제공된 소프트웨어 (코드 변경)에 영향을 미치는 홍보는 승인을 위해 고객에게 보내야 합니다. 출시 시 고객이 볼 수 있는 기능은 사전 통보 없이 변경되지 않습니다.
3.3.3 변경 통제/변경 검토 (Change Control/Change Review)	변경 통제/변경 검토에 대해 기술합니다. 예시) 소프트웨어 변경 통제 보드 (CCB)는 각 소프트웨어 배포의 통제, 변경 및 승인과 정의된 베이스라인에 도달하는데 필요한 단계를 감독하는 프로젝트 수준에서 수립되어야 합니다. CCB 는 프로젝트 리더, QA 및 프로젝트 내의 특정 작업 패키지에 대한 책임이 있는 일부 프로젝트 엔지니어로 구성됩니다. 정식으로 공개된 소프트웨어 데이터에 대한 모든 변경사항 (즉, 승인된 소프트웨어 베이스라인에 대한 변경사항)은 프로젝트 레벨에서 설정된 변경 통제위원회 (CCB)가 합의한 문제 보고서/변경 요청에 의해 시작됩니다. CCB 는 또한 PR/CR 의 우선 순위를 정하고 특정 PR/CR 의 정의된 심각도를 검토합니다. 변경 통제 시스템에 추가된 모든 항목은 문제점 보고서 (PR)로 정의됩니다. PR 은 개발 또는 변경 요청 중에 발견된 버그일 수 있습니다. 변경 요청은 새 기능 요청 또는 기존 기능 적용으로 정의됩니다. PR/CR 은 편집 수준에 따라 다른 상태를 채택할 수 있습니다.
3.3.4 유지보수 (Maintenance)	유지보수에 대해 기술합니다. 예시) 유지 보수는 관련 표준 및 표준에 정의된 요구사항에 따라 적용되어야 합니다.

	버그 추적 도구인 Gnats 는 다음을 포함하는 수정 설명에 필요한 정보를 제공하는데 사용됩니다. • 승인된 계획 및 표준의 변경 제안 • 개발 환경에서 제안된 변경 사항 • 변경 사항에 대한 기능 설명 및 구현할 문제점 보고서 더욱이, 수정 분석이 개발되어야 한다. • 영향을 받은 항목 목록 • 계획 검증 활동 • 계획 소프트웨어 품질 보증 활동 • 시스템 동작에 대한 예상 영향 • 사용 가능한 마진 (시간, 메모리, 스택 등)에 대한 예상 영향 • 소프트웨어 수정 일정
3.4 형상 상태 계산 (Configuration Status Accounting)	형상 상태 계산에 대해 기술합니다. 예시) 형상 관리자는 프로젝트 관리자나 소프트웨어 품질 보증 (QA)이 요구할 때마다 구성 상태 계산 정보를 준비해야 합니다. 형상 상태 계산 활동에는 형상 항목 식별, 기본 식별, 문제점 보고서 상태, 변경 내역, 배포 상태 및 배포 비교에 대한 보고가 포함됩니다. 문제점 보고 상태는 Gnats 와 CCB 절차에 의해 관리되어야 합니다. 변경 내역 확인은 CVS 및 DOORS 에 의해 수행됩니다.
3.4.1 형상 감사 (Configuration Audits)	형상 감사에 대해 기술합니다. 예시) 형상 상태 계정 범위에서 형상 감사는 QA 에 의해 수행됩니다. 여기에는 적어도 다음이 포함됩니다. • CVS 체크인 및 로그 메시지의 샘플 검사 • Gnats 에서 올바른 상태 변화의 샘플 검사 • 형상관리 도구에서 정확한 보관 프로세스 점검

3.5 보관, 검색 및 배포 (Archival, Retrieval and Release)	보관, 검색 및 배포에 대해 기술합니다.
	예시)
	아카이브, 검색 및 배포 활동의 목적은 소프트웨어 제품을 복제, 재생성, 수정 또는 다시 테스트할 필요가 있는 경우 소프트웨어 수명주기 데이터를 검색할 수 있도록 보장하는 것입니다. 아카이빙 및 검색 가능 외에도 배포 활동의 목적은 특히 소프트웨어 제조의 경우 승인된 소프트웨어만 사용하도록 보장하는 것입니다.
	이는 다음에 의해 보증되어야 합니다.
	• 소프트웨어 제품과 관련된 소프트웨어 수명주기 데이터는 정보 출처에서 검색 가능해야 합니다. 여기에는 추적 가능한 문서의 소스로서 DOORS 데이터베이스의 유지 관리와 CVS 관리 문서 및 파일의 접근 가능성이 포함됩니다.
	• 저장된 데이터의 무결성을 보장하기 위한 절차가 수립되어야 합니다.
	• 무단 변경을 할 수 없도록 합니다 (예: PR/CR 참조 없이 CVS 를 변경하지 않습니다).
	• 사용된 저장 매체는 재생 오류 또는 기능저하 현상을 최소화해야 합니다 (예: RAID 저장 장치 사용).
	• 물리적으로 분리된 아카이브에 중복 사본을 저장합니다 (백업 전략에서 설정).
	• 모든 소프트웨어가 분산 사본을 로드 하도록 적절하게 식별합니다.
	• 복제 과정은 정확한 사본이 만들어 지는지 확인하기 위해 체크썸 비교 등과 같이 검증되어야 합니다.
	• 실행 가능 객체 코드의 오류 없는 복사는 비교/체크썸에 의해 보증되어야 합니다.
	• 형상 항목은 소프트웨어 제조업체가 사용하기 전에 식별하고 배포해야 합니다. 또한 배포 권한이 있어야 합니다. 이는 대개 CVS 배포 식별 태그를 사용하여 수행됩니다.
	SW 산출물의 생산은 구성 관리자 또는 권한을 위임 받은 대리인이 수행해야 합니다.

데이터 매체의 도움을 받아 데이터가 전달되는 경우 각 매체는 고유하게 식별되고 개별적으로 라벨이 붙어 있어야 합니다.

- 소프트웨어 버전

- 프로젝트 번호

- 작성자

출시된 모든 소프트웨어 제품 및 배포 설명서는 책임 프로젝트 부서로 전달됩니다. 형상 관리자는 다음을 담당합니다.

- 프로젝트 형상 관리 시스템에서 소프트웨어 제품 아카이빙

- 자격을 갖춘 도구인 경우 자격 데이터로 도구 보관

- 도구 환경 보관

- 소프트웨어 제품을 고객에게 제공

- 소프트웨어 제품을 복제, 재생성, 수정 또는 재 테스트해야 할 경우 형상 관리 시스템에서 소프트웨어 제품 검색

3.5.1 배포 보관 및 검색 (Archival and Retrieval of Releases)	배포 보관 및 검색에 대해 기술합니다. 예시) 보관 및 검색 프로세스는 형상 관리 도구를 사용하여 수행됩니다. 이 도구는 배포를 아카이브하고 아카이브 된 배포를 다시 검색하는 데 사용됩니다. 모든 엔지니어링 및 공식 배포는 릴리스 프로세스의 일부로 형상 관리 도구에 추가됩니다.
3.5.2 배포 통제 (Release Control)	배포 통제에 대해 기술합니다. 예시) 소프트웨어 제품 및 문서의 배포는 소프트웨어 형상 관리로 제어해야 합니다. 이는 승인된 소프트웨어만 배포된다는 것을 보장해야 합니다. 소프트웨어 배포는 문서화되어야 하며 형상 관리 및 소프트웨어 품질 보증에 의해 승인되어야 합니다.
3.5.3 배포 범주 (Release Categories)	배포 범주에 대해 기술합니다. 예시)

	소프트웨어 배포 범주는 이 프로젝트에서 정의됩니다. 이러한 소프트웨어 배포 범주는 배포하기 전에 필요한 문서 및 테스트 수준에서 다릅니다.
	소프트웨어 수명주기에 대해 설정된 모든 적용 가능한 표준 및 프로세스, 형상 통제 및 소프트웨어 품질 모니터링은 모든 배포에서도 유효합니다. 고객이 특정 배포 범주를 요구하지 않는 한 이 프로젝트에 대해 다음 배포 범주가 정의됩니다.
3.5.4 데이터 보안 고려사항 (Data Security Considerations)	데이터 보안 고려사항에 대해 기술합니다. 예시) • 데이터베이스는 서버에서 실행되며 권한이 부여된 직원만 접근할 수 있습니다. 데이터에 대한 접근은 선택된 사용자로만 제한됩니다. • 안티 바이러스 검사는 클라이언트 안티 바이러스 도구와 선택한 저장 영역의 야간 검사로 수행됩니다. • 매일 밤 데이터베이스의 백업이 만들어지고 30 일 동안 저장됩니다. • 1 일의 백업은 180 일 추가로 저장됩니다. 이 월간 백업 복사본은 장기간 보관을 위해 테이프에 저장됩니다.
3.6 소프트웨어 로드 통제 (Software Load Control)	소프트웨어 로드 통제에 대해 기술합니다. 예시) 소프트웨어 로드 통제는 이 프로젝트 개발의 범위를 벗어납니다. 정식 테스트를 위해서는 올바른 바이너리가 로드 되었는지 확인해야 합니다. 형상 관리 프로세스는 고유 식별을 보장하며 테스트 절차에는 로드 할 바이너리 버전에 대한 참조가 포함됩니다.
4. 공급 통제 (Supplier Control)	공급 통제에 대해 기술합니다. 예시) 이 프로젝트에는 소프트웨어 개발 공급 업체가 관여하지 않습니다.
5. SCMP 변경 절차 및 이력 (SCMP Change Procedure and History)	SCMP 변경 절차 및 이력에 대해 기술합니다. 예시)

	SCMP (이 문서)는 프로젝트 관련 형상 관리자의 책임하에 있습니다. SCMP 는 설명된 방법이 프로젝트 개발 과정에서 사용된 방법의 범위를 벗어나는 경우 변경될 수 있습니다. 발견된 모든 편차는 CCB 에 의해 처리되는 문제점 보고서를 가져와야 합니다. SCMP 는 이 프로젝트와 관련된 모든 엔지니어링 자원뿐만 아니라 품질 자원 및 관련 프로젝트 관리자에게도 배포되어야 합니다.

5. 소프트웨어 품질 보증 계획 (Software Quality Assurance Plan)

1. 소개: 소프트웨어 품질 및 소프트웨어 품질 보증 (SQA)

1.1 소프트웨어 품질 정의

안전에 필수적인 영역의 요구를 준수하기 위해 소프트웨어 개발자는 품질에 전념해야 합니다. 고품질의 제품은 단순히 발생하지 않습니다. 이들은 재능 있고 양심적이며 훈련된 엔지니어와 품질에 대한 의지를 가진 잘 관리된 조직의 결과입니다.

소프트웨어 공학에서는 두 가지가 보편적 인 경향이 있는 품질에 대한 여러 견해가 있습니다. 첫 번째는 개발자의 관점입니다. 소프트웨어가 정의된 요구사항을 준수하는 경우 우수한 품질의 제품입니다. 두 번째는 고객의 관점입니다. 소프트웨어가 고객의 요구를 준수하는 경우 고품질의 제품입니다. 정의된 요구사항을 준수하지만 고객의 요구사항을 준수하지 않는 제품은 고객이 고품질로 간주하지 않습니다. 요구사항은 개발자와 고객의 품질 관점 간 격차를 해소하는데 중요합니다. 개발자의 요구사항을 준수하는 소프트웨어를 생성하고 검증할 수 있도록 요구사항을 개발하여 고객의 요구를 준수해야 합니다. 고객이 요구사항 정의 프로세스에 참여하게 하는 것이 중요합니다. 요구사항 정의 단계에서 긴밀한 고객 및 개발자 조정이 없으면 품질은 파악하기 어려운 목표입니다.

1.2 고품질 소프트웨어의 특성

품질 속성은 종종 고품질 소프트웨어의 목표를 식별하는 데 사용됩니다. 이러한 특성에는 정확성, 효율성, 유연성, 기능성, 통합성, 상호 운용성, 유지 보수성, 이식성, 재사용 가능성, 테스트 가능성 및 유용성이 포함됩니다. ISO (International Standards Organization) 및 IEC (International Electrical Technical Commission) 표준 9126 (ISO / IEC 9126)은 특성 및 하위 특성이라는 일련의 품질 속성을 정의합니다. 이러한 특성과 하위 특성은 다음에 요약되어 있습니다.

- 기능성 (Functionality): 소프트웨어가 특정 조건 하에서 사용될 때 명시되고 암시된 요구를 준수하는 기능을 제공하는 소프트웨어 제품의 기능. 기능의 하위 특성에는 적합성, 정확성, 상호 운용성, 보안 및 기능 준수가 포함됩니다.

- 신뢰성 (Reliability): 소프트웨어 제품이 특정 조건 하에서 사용될 때 명세 된 수준의 성능을 유지하는 능력. 안정성의 하위 특성에는 성숙도, 내결함성, 복구 가능성 및 안정성 준수가 포함됩니다.

- 유용성 (Usability): 소프트웨어 제품이 특정 조건 하에서 사용될 때 사용자에게 이해되고, 학습되고, 사용되고 매력적이 될 수 있는 기능. 유용성의 하위 특성에는 이해 가능성, 학습 가능성, 조작 가능성, 매력 및 유용성 준수가 포함됩니다.

- 효율성: 명시된 조건 하에서 사용된 자원의 양에 비례하여 적절한 성능을 제공하는 소프트웨어 제품의 기능. 효율성의 하위 특성에는 시간 동작, 자원 활용 및 효율성 준수가 포함됩니다.

- 유지 보수성 (Maintainability): 소프트웨어 제품이 수정할 수 있는 기능. 수정에는 환경, 요구사항 및 기능 사양의 변경에 대한 소프트웨어의 수정, 개선 또는 적용이 포함될 수 있습니다. 유지 보수의 하위 특성에는 분석 가능성, 변경 가능성, 안정성, 테스트 가능성 및 유지 보수 준수가 포함됩니다.

- 이식성: 한 환경에서 다른 환경으로 소프트웨어 제품을 전송할 수 있는 기능. 하위 호환성에는 적응성, 설치 가능성, 공존 성, 대체 성 및 이식성 준수가 포함됩니다.

1.3 소프트웨어 품질 보증

대부분의 회사는 필요한 품질 속성이 준수되고 소프트웨어가 요구사항을 준수하는지 확인하는 데 도움이 되는 SQA 프로세스를 구현합니다. Software Quality Assurance 의 공식적인 정의는 전체 소프트웨어 제품 사용에 대한 적합성에 대한 증거를 제공하는 체계적인 활동이라는 것입니다.

DO-178C SQA 프로세스는 소프트웨어 계획, 개발, 검증 및 최종 호환 노력을 통해 지속적으로 실행되는 필수 프로세스입니다. 하나 이상의 소프트웨어 품질 엔지니어 (SQE)는 계획 및 표준이 구현되는 동안 개발되고 준수되도록 합니다. SQE 는 또한 호환을 확인하기 위해 적합성 검토를 수행합니다.

DO-178C 는 SQA 프로세스가 필요하지만 품질은 전적으로 SQA 담당자의 책임이 아니라는 점에 유의해야 합니다. 또한 소프트웨어 품질은 일부 엔지니어링 분야의 경우와 마찬가지로 프로젝트가 끝날 때 평가할 수 없습니다. 품질은 지속적인 프로세스이며 전체 소프트웨어 팀의 책임입니다. DO-178C 는 소프트웨어 수명주기 전반에 걸쳐 표준 및 검증 활동을 통해 품질을 장려합니다.

DO-178C 는 모든 SQA 목표가 독립성에 만족되어야 한다고 요구합니다. DO-178C 는 검증보다 SQA 에 대한 독립성에 대해 약간 다른 정의를 제공합니다. DO-178C 는 독립성을 다음과 같이 정의합니다.

객관적인 평가의 성취를 보장하는 책임의 분리. (1) 소프트웨어 검증 프로세스 활동의 경우, 검증 활동이 검증되는 항목의 개발자가 아닌 사람에 의해 수행되고 독립 실행은 인간 검증과 동등한 도구를 사용할 수 있을 때 달성됩니다. (2) 소프트웨어 품질 보증 프로세스의 경우, 독립성에는 시정 조치를 보장하는 권한도 포함됩니다.

정의의 전반부는 검증 독립성과 관련이 있습니다. 후반부는 SQA 프로세스에 적용되며 조직 구조에 존재합니다. 필수는 아니지만 대부분의 기업은 엔지니어링 부서에 보고하지 않는 별도의 SQA 조직을 보유함으로써 독립 요구사항을 준수합니다. 이 절에서는 SQA 라는 용어를 사용하여 SQA 활동을 수행하는 그룹을 지칭합니다. SQA 는 하나 이상의 SQE 를 포함하는 별도의 조직 (엔지니어링 조직 내 별도의 기능 포함)이 될 수 있습니다.

DO-178C 는 프로세스 중심의 SQA 접근법을 장려합니다. SQA 는 주로 승인된 계획 및 표준의 프로세스를 준수할 책임이 있습니다. 그러나 일부 조직에서는 프로세스만으로는 충분하지 않다는 사실을 깨닫기 시작했습니다. 일부 회사는 SEI (Software Engineering Institute) 개념인 제품 품질 보증 (PQA)을 채택하고 있으며, 엔지니어가 프로세스와 제품의 품질을 보장할 책임이 있습니다. PQA 접근 방식을 통해 제품 품질 엔지니어 (PQE)와 SQE 는 긴밀하게 협력하여 제품 및 프로세스 품질을 보장합니다. 프로세스 평가는 프로세스가 수행되었음을 보여줍니다. 제품 평가는 프로세스 산출물의 정확성을 입증합니다. 이것은 항상 DO-178C 에서의 검증 개념이었으며, 그러나 PQE 는 엔지니어링과 SQA 사이의 격차를 해소하는데 도움이 될 수 있습니다. PQE 를 사용하려면 개발중인 제품에 대한 도메인 지식과 경험이 있는 PQE 가 필요합니다.

ISO 는 ISO 9000 으로 불리는 일련의 문서를 포함하여 훌륭한 SQA 프랙티스를 정의하기 위한 많은 문서를 개발했습니다.

ISO-9000 은 품질 경영 시스템 - 기초 및 어휘 (Fundamentals and Vocabulary)라는 제목을 가지고 있습니다. ISO-9001 은 품질 경영 시스템 - 요구사항입니다. ISO-9004 는 조직의 지속적인 성공을 위한 관리 - 품질 관리 접근법입니다.

ISO 9000, 9001 및 9004. ISO 9000 은 품질 시스템에 관한 일련의 표준의 어휘 및 기본을 제공합니다. ISO 9001 은 ISO 9001, 9002 및 9003 으로 알려진 이전 표준을 통합합니다. ISO 9001 은 일반적이며 모든 제품에 적용할 수 있습니다. ISO 9001 은 다음과 같은 기본 요소를 포함합니다:

- 품질 경영 시스템의 요소를 수립합니다.

- 품질 시스템을 문서화합니다.

- 품질 관리 및 보증을 지원합니다.

- 품질 경영 시스템을 위한 검토 메커니즘을 수립한다.

- 인력, 교육 및 인프라 요소를 포함한 우수한 자원을 확인합니다.

안전에 중요한 소프트웨어의 대부분의 개발자는 ISO 9000 등록을 추구하고 유지합니다. ISO 9000 등록은 공인된 제 3 자 기관에 의해 부여됩니다. 6 개월마다 감사가 이루어집니다. 재 등록은 매 3 년마다 요구됩니다.

예시 목차

작성법

1. 서론 (Introduction)	소프트웨어 품질 보증 계획 서론에 대해 기술합니다.
1.1 문서 목적 (Purpose of this Document)	소프트웨어 품질 보증 계획 목적에 대해 기술합니다.
1.2 프로젝트 범위 (Project Scope)	소프트웨어 품질 보증 계획 범위에 대해 기술합니다.
1.3 문서 참조 (Document References)	소프트웨어 품질 보증 계획 문서 참조에 대해 기술합니다.
1.3.1 적용 문서 (Applicable Documents)	프로젝트에 적용된 문서에 대해 기술합니다.
1.3.2 참조 문서 (Referenced Documents)	프로젝트 참조된 문서에 대해 기술합니다.
1.3.3 내부 프로세스 작업 지침 (Internal Process Work Instructions)	내부 작업 프로세스를 기술합니다.
1.4 약어 (Abbreviations and Acronyms)	소프트웨어 품질 보증 계획에서 사용된 약어에 대해 기술합니다.
1.5 용어 정의 (Terms and Definitions)	소프트웨어 품질 보증 계획에서 사용된 용어에 대해 기술합니다.

1.6 명령형 조건 (Imperative Terms)	명령형 조건에 대해 기술합니다.
	예시)
	이 문서에서 'shall', 'should', 'may' 및 'will'이라는 단어를 사용하면 다음 규칙을 준수합니다.
	본문에서 'shall' 이라는 단어는 필수적인 정의를 나타냅니다.
	본문에서 'should' 와 'may'이라는 단어는 필수가 아닌 정의를 표현합니다. 비 필수 규정이 권고될 때 'should'가 사용되고, 그렇지 않으면 'may'이 사용됩니다.
	본문에서 'will' 이라는 단어는 단순한 미래가 요구되는 경우에 정의를 나타냅니다. 'will' 은 또한 이 문서에 의해 통제되지 않는 (개인 또는 조직에 의해 수행되는) 작업을 표현하는데 사용됩니다.
2. QA 권한, 책임 및 독립성 (QA Authority, Responsibility and Independence)	QA 권한, 책임 및 독립성에 대해 기술합니다.
2.1 권한 (Authority)	소프트웨어 품질 보증 권한에 대해 기술합니다.
	예시)
	소프트웨어 품질 보증 부서는 소프트웨어 배포를 승인하거나 거부할 수 있는 권한을 가지고 있습니다. 품질 문제가 발견되면 전달을 중단하고 정정된 프로세스에 따라 수정 조치 프로세스가 수행되었는지 확인할 수 있는 권한이 있습니다.
2.2 책임 (Responsibility)	소프트웨어 품질 보증 책임에 대해 기술합니다.
	예시)
	소프트웨어 품질 보증 프로세스는 소프트웨어 요구사항이 준수되고 결함이 발견, 평가, 추적 및 해결되고 소프트웨어 제품 및 소프트웨어 수명주기 데이터가 계획 및 요구사항을 준수한다는 보증을 얻기 위해 소프트웨어 수명주기 프로세스 및 결과를 평가해야 합니다.
	• QA 는 해당 소프트웨어 계획 및 표준에 대한 소프트웨어 수명주기 프로세스의 준수를 보장해야 합니다.

	• QA 는 소프트웨어 품질 보증 활동이 이 문서를 준수하여 수행되도록 보장하기 위해 소프트웨어 수명주기 동안 적극적인 역할을 해야 합니다. • QA 는 적용 가능한 계획 및 표준 준수를 위해 소프트웨어 수명주기 프로세스를 모니터링 해야 합니다. • QA 는 소프트웨어 적합성 검토를 수행해야 합니다. • 수행된 소프트웨어 품질 보증 활동은 감사 결과 및 각 정식 소프트웨어 제공에 대한 소프트웨어 적합성 검토 완료 증거를 포함하여 기록되어야 합니다.
2.3 독립성 (Independence)	소프트웨어 품질 보증 독립성에 대해 기술합니다. 예시) 표준에 따라 소프트웨어 품질 보증은 소프트웨어 수명주기 프로세스에서 적극적인 역할을 해야 합니다. 소프트웨어 품질 보증 목표를 준수하도록 소프트웨어 품질 보증은 이러한 작업을 수행하는 데 필요한 권한, 책임 및 독립성을 갖추어야 합니다. 또한 독립 조직으로서의 Software Quality Assurance 는 소프트웨어 계획이 해당 표준을 준수하고 소프트웨어 계획이 조정 및 구현된다는 계획 프로세스를 보장해야 합니다.
3. 조직 (Organization)	소프트웨어 품질 보증 조직에 대해 기술합니다.
3.1 프로젝트 역할 및 책임 (Project Roles and Responsibilities)	소프트웨어 품질 보증 프로젝트 역할 및 책임에 대해 기술합니다. 예시) 품질 보증: 품질 보증 팀은 독립된 품질 보증 활동을 수행합니다. 품질 보증 관리자는 올바른 조치를 취할 수 있는 권한을 가지며 관리 조직 내에서 독립적이며 CEO 에게 직접보고 합니다. QA 관리자의 역할은 다른 팀의 관리자 또는 엔지니어링 책임자인 동일한 개인에게 할당될 수 없습니다. 품질 보증 관리자의 책임은 다음과 같습니다. • 전체 수명주기 동안 모든 품질 보증 활동이 올바르게 수행되도록 보장합니다 • 품질 보증 팀 구성원 조정

	• 품질 보증 팀의 활동 모니터링 및 제어 • QA 팀과 프로젝트 관리자 간의 정확한 의사 소통을 보장합니다. • 프로젝트 관리자에게 보고 품질 보증 담당자의 책임은 다음과 같습니다. • 프로젝트 별 소프트웨어 품질 보증 계획 수립 • 품질 보증을 위한 체크리스트 작성 • 프로젝트 프로세스의 정확한 성능 감사. 검증 팀: 검증 팀은 검증 독립성을 갖추고 있습니다. 즉, 검증 활동은 개발팀이 아닌 다른 팀이 수행합니다. 검증 관리자의 책임은 다음과 같습니다. • 필요한 모든 확인 작업이 올바르게 수행되는지 확인합니다. • 확인 멤버들의 조정 • 검증 팀의 활동 모니터링 및 통제 • 검증 팀과 프로젝트 관리자 간의 적절한 의사소통을 보장합니다. • 프로젝트 관리자에게 보고 검증 팀의 책임은 다음과 같습니다. • 테스트 계획 작성 • 테스트 사양 작성 • 테스트 케이스 생성 • 수동 및 자동 테스트 실행의 설계 및 구현 • 테스트 프로토콜 평가 • 소프트웨어 테스트 계획 및 구현 • 테스트 환경 정의 • 테스트 도구의 평가 및 적용 • 테스트 주기, 테스트 방법 및 품질 속성 정의 • 결함 분석 및 테스트 보고서 작성 • 검토 계획 및 수행

유효성 검사: 유효성 검사 엔지니어의 책임은 다음과 같습니다.

- 확인이 올바르게 수행되었는지 확인합니다.
- 소프트웨어가 소프트웨어 요구사항의 범위에 있음을 확인합니다.
- 요구사항이 소프트웨어가 실행될 계획 환경을 정확하게 지정하는지 확인합니다
- 소프트웨어가 계획된 사용에 적합하다는 권고

개발 팀: 개발 팀의 책임은 다음과 같습니다.

- 높은 수준의 요구사항 개발 지원
- 파생된 상위 요구사항 식별
- 소프트웨어 아키텍처 개발
- 상세 요구사항 개발
- 파생된 상세 요구사항 식별
- 소스 코드 개발
- 실행 가능한 개체 코드 생성
- WCET (Worst Case Execution Time) 및 파티셔닝 분석 수행
- 검토 계획 및 수행

안전 관리자: 안전 관리자의 책임은 다음과 같습니다.

- 모든 안전 관련 측면에서 계획 수립을 담당하는 팀 지원
- 안전 개념 감사 및 관련 문서 승인.
- 안전 관련 활동과 소프트웨어 수명주기 단계의 인터페이스 조정
- 기능 안전성 평가의 조정 (커뮤니케이션, 계획, 문서, 판단 및 권고의 통합 포함)
- 기능적 안전성 달성 보장

프로젝트 관리자: 프로젝트 관리자의 책임은 다음과 같습니다.

- 프로젝트 계획
- 개발 팀 내의 활동 모니터링
- 개발 팀 내의 활동 제어

	• 고객과의 적절한 커뮤니케이션 보장 • 팀과 고객 간의 조정
3.2 소프트웨어 QA 인터페이스 및 관련 업무 (Software QA Interfaces and Related Tasks)	소프트웨어 QA 인터페이스 및 관련 업무에 대해 기술합니다.
3.2.1 외부 인터페이스 및 업무 (External Interfaces and Tasks)	외부 인터페이스 및 업무에 대해 기술합니다. 예시) QA 프로세스에는 다음 외부 항목에 대한 인터페이스가 있습니다. 1) 고객: 고객이 프로젝트의 주요 이해관계자입니다. 개발사와 고객 간의 관계를 제어하는 주요 문서는 프로젝트 계약 문서입니다. 고객은 요구사항, 규범 및 표준 및 기타 적용 가능한 문서 (공개된 인증 표준 제외)와 같은 입력 문서를 적시에 및 해당 버전으로 제공해야 할 책임이 있습니다. 고객은 검토 (예비 및 공식 검토) 및 기타 조정 회의를 예약합니다. 또한 고객은 프로젝트 진행 상태를 모니터링 해야 합니다. 계약에 따라 또는 나중에 개발사와 고객 간에 합의한 소프트웨어 개발 제품 및 컨설팅 서비스를 제공합니다. 개발사는 검토 지원을 위한 자원을 제공할 책임이 있습니다. 고객과의 인터페이스와 관련된 QA 작업은 다음과 같습니다. • 소프트웨어 품질 보증 계획 (이 문서)을 제공합니다. • 계획 문서 및 표준의 생산 및 검토 프로세스 모니터링. • 입력 문서가 합의된 일정에 따라 고객이 올바른 버전과 충분한 품질로 제공하는지 확인합니다. 필요한 경우 품질 보증 담당자는 전달된 문서를 승인하는 다른 이해관계자 (예: 소프트웨어 개발)를 참여시켜야 합니다. • 새로운 문서와 문서 업데이트가 형상 관리 하에 있는지 확인합니다. • 고객으로부터 받은 문서 업데이트가 프로젝트의 영향을 받는 이해관계자에게 발표되도록 합니다.

	• 고객이 예약한 검토가 개발사 QA 요구사항과 일치하는지 확인합니다. 예를 들어 검토 준비 시간이 충분하면 일정은 프로젝트 계획과 일치해야 합니다. • 개발사가 제 시간에 소프트웨어 제품 및 서비스를 제공하는지 (프로젝트 관리자와 함께) 확인합니다. 제품이 제 시간에 제공되지 않으면 지연이 검출되는 즉시 고객에게 알려줍니다. • 제공된 제품의 품질이 제공 유형과 일치하는지 확인합니다. • 제공 유형에 따라 고객 제공이 형상 관리하에 있는지 확인합니다. • 문제점 보고서가 프로젝트 또는 제품 버그 추적 시스템에 입력되었는지 확인합니다. • 기능상의 문제점 보고서가 계약에 따라 고객에게 제공되는지 확인합니다. 2) 공급 업체: 공급 업체는 이 프로젝트의 일부가 아닙니다.
3.2.2 내부 인터페이스 및 업무 (Internal Interfaces and Tasks)	프로젝트 내부의 역할 별로 기술합니다.
4. 문서 (Documentation)	사용된 문서에 대해 기술합니다.
4.1 목적 (Purpose)	사용된 문서의 목적에 대해 기술합니다. 예시) 이 프로젝트 동안 개발된 문서는 사용된 방법, 관습 및 관행 및 생애주기 데이터를 요약해야 합니다.
4.2 일반적인 문서 구조 (General Documentation Structure)	일반적인 문서 구조에 대해 기술합니다.
4.2.1 소프트웨어 수명주기 표준	소프트웨어 수명주기 표준에 대해 기술합니다. 예시)

(Software Lifecycle Standards)	소프트웨어 수명주기 표준은 이 프로젝트 동안 수행된 다양한 개발 및 검증 및 검증 활동을 위한 프레임 워크를 제공합니다. 최소한 다음 개발사 내부 표준이 이 프로젝트에 적용됩니다. • 소프트웨어 요구사항 표준 [RSTD]: 소프트웨어 요구 사항을 개발하는데 사용되는 프로세스 개요, 방법 및 지침, 소프트웨어 요구사항을 표현하는데 사용되는 표기, 파생된 요구사항을 처리하기 위한 지침, 추적 가능성을 표시하는데 사용되는 방법, 요구사항 개발 도구, 문서 내용 및 형식, 형상 관리 제약 조건, 검사 목록 사용 • 소프트웨어 설계 표준 [DSTD]: 소프트웨어 아키텍처 및 상세 요구사항을 개발하는데 사용되는 방법, 규칙 및 도구를 정의합니다. 특정 프로젝트의 소프트웨어 아키텍처 및 기능적 소프트웨어 설계를 설명하는 프로젝트의 소프트웨어 설계 설명을 만드는 지침을 설명합니다. 여기에는 사용되는 소프트웨어 설계 방법, 명명 규칙, 허용되는 설계 도구 및 소프트웨어 설계 및 소프트웨어 설계 프로세스에 대한 기타 제한 사항 (예: 설계 엔티티의 복잡성 제한)에 대한 제약사항이 포함됩니다 • 소프트웨어 코딩 표준 [CSTD]: C 코드 생성 규칙과 각 규칙에 대한 설명을 정의합니다. • 소프트웨어 코딩 스타일 [CSTY]: 특정 C 코딩 제한 및 스타일 문제를 설명합니다.
4.2.2 프로젝트 계획 (Project Plans)	프로젝트 계획에 대해 기술합니다.
4.2.3 사용자 문서 (User Documentation)	사용자 문서에 대해 기술합니다.
4.3 기록 수집, 유지보수 및 보유 (Records Collection, Maintenance and Retention)	기록 수집, 유지보수 및 보유에 대해 기술합니다.

5. 소프트웨어 수명주기 (Software Lifecycle)	소프트웨어 수명주기에 대해 기술합니다.
5.1 소프트웨어 수명주기 모델 (Software Lifecycle Model)	소프트웨어 수명주기 모델에 대해 기술합니다. 예시) 소프트웨어 개발 프로세스는 개발사가 개발한 소프트웨어의 경우 (1) Agile 개발 프로세스에 따라 프로토타이핑 단계를 거친 증분 V 모델이거나 (2) 이전에 개발된 타사 소프트웨어의 경우 알 수 없는 개발 프로세스 (예: Open 소스 소프트웨어). 증분 접근법은 최종 제품 유효성 검증을 통해 최종 제품이 고객 요구사항 및 사용자 요구사항을 충족시킬 수 있도록 합니다. 이 수명주기의 모든 단계를 여러 번 다시 수행할 수 있습니다. 다른 수명주기 프로세스와의 병합은 특정 전환 기준에 의해 정의됩니다. 개발 프로세스는 각 주요 컴포넌트에 적용됩니다. 그러나 이러한 컴포넌트의 프로세스를 병렬로 실행할 필요는 없습니다. 이는 컴포넌트 간의 인터페이스가 잘 정의되어 있고 성숙되어 있으며, 경우에 따라 이미 산업 표준에 의해 정의되어 있기 때문에 수행할 수 있습니다. 모듈러 아키텍처로 인해 한 컴포넌트에 대한 수정의 영향은 다른 컴포넌트에 비해 매우 작습니다.
5.2 프로세스 내의 전환 기준 (Transition Criteria within Processes)	프로세스 내의 전환 기준에 대해 기술합니다. 예시) 전환 기준은 일반적으로 입력하는 프로세스에 따라 다르지만 일부 일반적인 기준을 식별할 수 있습니다. 이 기준은 모두 검토 프로세스에서 확인됩니다. • 입력이 완료되었거나 잘 정의된 하위 집합이 완료되었으며 이 하위 집합이 프로세스를 입력하기에 충분합니다. 완료 수준은 입력 문서에서 수행된 기능 또는 검증 활동을 나타낼 수 있습니다. 필요한 서비스의 일부만 지정하는 경우 요구사항 문서를 수락할 수 있습니다. 또한 모든 기능이 적용되지만 요구사항 표준에 대한 적합성이 아직 검증되지 않은 경우 허용될 수 있습니다. • 불완전한 입력에 대한 조작은 소프트웨어 수명주기의 여러 번 반복을 야기하므로 가능한 경우 피해야 합니다.

	• 모든 입력은 형상 관리 통제 하에 있어야 하며 명확한 기준으로 식별해야 합니다. • 프로세스 입력은 검토를 통해 승인된 것이어야 합니다 (제한이 있을 수 있음).
5.3 소프트웨어 계획 프로세스 (Software Planning Process)	소프트웨어 계획 프로세스에 대해 기술합니다.
5.3.1 이해관계자 (Stakeholders)	소프트웨어 계획 프로세스 이해관계자에 대해 기술합니다. 예시) 계획 활동은 주로 엔지니어링 팀과 QA 부서 관리자가 선택한 계획 팀에서 수행합니다. 팀 구성원은 소프트웨어 수명주기 및 전체 프로젝트 실행의 모든 측면을 계획하는데 필요한 기술, 책임 및 권한을 갖고 있습니다. • 프로젝트 관리자: 계획 프로세스 내에서 프로젝트 관리자는 계획 프로세스 조정, 리소스, 일정 및 비용과 관련된 프로젝트 계획, 고객, 계획 팀 및 관리 간의 의사소통을 담당합니다. 프로젝트 관리자는 소프트웨어 개발 환경을 정의합니다. • 안전 관리자: 모든 안전 관련 측면에서 계획 작성을 담당하는 팀 지원. 안전 개념 감사 및 관련 문서 승인. 안전 관련 활동과 소프트웨어 수명주기 단계의 인터페이스 조정. 기능 안전성 평가의 조정 (커뮤니케이션, 계획 및 문서, 판단 및 권고의 통합 포함) • 수석 소프트웨어 아키텍트: 수석 소프트웨어 설계자는 고객 요구사항을 평가하고 최상위 아키텍처 설명에 대한 설명을 제공합니다. 수석 소프트웨어 설계자는 기술 입력을 통해 계획 팀을 지원합니다. • 소프트웨어 검증 관리자: 계획 프로세스에서 검증 관리자는 소프트웨어 검증 환경 및 소프트웨어 검증 방법을 정의할 책임이 있습니다. 검증 관리자는 SWVP (Software Verification and Validation Plan)의 관련 부분을 개발합니다. • 형상 관리자: 형상 관리자는 형상 관리 환경을 계획합니다. 형상 관리자는 소프트웨어 형상 관리 계획 [SCMP]을 개발합니다.

	• 품질 보증 대표: 품질 보증 담당자는 품질 보증 활동 및 방법을 계획할 책임이 있습니다. 품질 보증 담당자는 SQAP (이 문서)를 개발합니다. 고객: 고객은 예비 계획 검토 중에 계획 문서를 승인합니다.
5.3.2 입력 (Inputs)	소프트웨어 계획 프로세스 입력에 대해 기술합니다. 예시) 계획 프로세스의 입력은 다음과 같습니다. • 프로젝트 계약 • 인증 기준 • 고객이 제공한 기술 및 프로세스 관련 사양, 샘플 및 템플릿 • 평가, 선정 및 계획 단계에서 수행된 회의록 • 표준, 프로세스 매뉴얼, 템플릿 및 체크리스트
5.3.3 활동 (Activities)	소프트웨어 계획 프로세스 활동에 대해 기술합니다. 예시) 계획 프로세스 중에 예상되는 결과를 산출하기 위해 다음 활동이 수행됩니다. • 문서 저장소를 포함한 프로젝트 환경을 만듭니다. • 모든 프로젝트 입력 문서의 완성도를 평가하고 구성 관리하에 놓고 초기 기준선을 만들고 [HLDS]를 만들고 고객과 함께 문서 목록의 유효성을 검사합니다. • 기존 소프트웨어 수명주기 표준, 템플릿 및 검사 목록을 평가하고 이를 실제 프로젝트에 맞게 조정하고 검토 프로세스를 통해 승인합니다. • 확립된 도구를 평가하고 프로젝트 및 계획에 맞게 조정하고 필요한 경우 추가 도구를 도입합니다. 소프트웨어 개발에 사용되는 각 도구에 대해 도구 자격 요건을 평가합니다. • 고객 요구사항, 하드웨어 요구사항, 해당 산업 표준, 기존 제품 및 이전에 개발된 소프트웨어를 기반으로 최상위 아키텍처를 만듭니다. 이 아키텍처는 기술 회의 및 기능적 프로토타입을 통해 고객과 합의됩니다. 아키텍처에는 제품 분석이 포함됩니다.

	• 소프트웨어 아키텍처를 기반으로 전반적인 프로젝트 계획을 수립합니다. 처음부터 개발해야 하며 적응할 수 있고 재사용 할 수 있는 소프트웨어 컴포넌트를 결정합니다. 노력을 평가하기 위해 이전 인증 프로젝트의 측정을 적용합니다. 인증 노력이 프로젝트에서 가장 중요한 부분임을 인식합니다. • 이 프로젝트 내에서 사용하기 위해 오픈 소스 소프트웨어를 포함한 타사 소프트웨어를 평가합니다. 평가는 전반적인 품질, 요구사항 범위, 인증 측면, 자원 요구사항, 파티셔닝 및 실시간 측면, 표준 준수, 서비스 내역, 소스 코드 가용성, 잠재적 죽은 /비활성 코드 처리 방법, 라이센스 등을 다루어야 합니다. • 잠재적인 하청 업체를 평가하여 프로젝트를 지원합니다. 평가는 규범과 표준, 시장에서의 가시성, 참조 프로젝트에 따라 소프트웨어 개발 및 검증 경험을 다룹니다. • 예상 출력을 만듭니다. • 입력 문서와 계획 문서를 검토합니다.
5.3.4 출력 (Outputs)	소프트웨어 계획 프로세스 출력에 대해 기술합니다.
5.3.5 QA 활동 명세 (Specific QA Activities)	QA 활동 명세에 대해 기술합니다.
5.3.6 전환 기준 (Transition Criteria)	전환 기준에 대해 기술합니다.
5.3.7 수명주기 준수 (Life cycle compliance)	수명주기 준수에 대해 기술합니다.
5.4 소프트웨어 프로토타이핑 프로세스 (Software Prototyping Process)	소프트웨어 프로토타이핑 프로세스에 대해 기술합니다.
5.4.1 목표 (Objectives)	소프트웨어 프로토타이핑 프로세스 목표에 대해 기술합니다.

5.4.2 이해관계자 (Stakeholders)	소프트웨어 프로토타이핑 프로세스 이해관계자에 대해 기술합니다.
5.4.3 입력 (Inputs)	소프트웨어 프로토타이핑 프로세스 입력에 대해 기술합니다.
5.4.4 활동 (Activities)	소프트웨어 프로토타이핑 프로세스 활동에 대해 기술합니다.
5.4.5 출력 (Outputs)	소프트웨어 프로토타이핑 프로세스 출력에 대해 기술합니다.
5.4.6 전환 기준 (Transition Criteria)	소프트웨어 프로토타이핑 프로세스 전환 기준에 대해 기술합니다.
5.4.7 수명주기 준수 (Life cycle compliance)	소프트웨어 프로토타이핑 프로세스 수명주기 준수에 대해 기술합니다.
5.5 소프트웨어 요구사항 프로세스 (Software Requirement Process)	소프트웨어 요구사항 프로세스에 대해 기술합니다.
5.5.1 목표 (Objectives)	소프트웨어 요구사항 프로세스 목표에 대해 기술합니다.
5.5.2 이해관계자 (Stakeholders)	소프트웨어 요구사항 프로세스 이해관계자에 대해 기술합니다.
5.5.3 입력 (Inputs)	소프트웨어 요구사항 프로세스 입력에 대해 기술합니다.
5.5.4 활동 (Activities)	소프트웨어 요구사항 프로세스 활동에 대해 기술합니다.
5.5.5 변경 요청 명세 (Specification Change Request)	소프트웨어 요구사항 프로세스 변경 요청 명세에 대해 기술합니다.
5.5.6 출력 (Outputs)	소프트웨어 요구사항 프로세스 출력에 대해 기술합니다.

5.5.7 QA 활동 명세 (Specific QA Activities)	소프트웨어 요구사항 프로세스 QA 활동 명세에 대해 기술합니다.
5.5.8 전환 기준 (Transition Criteria)	소프트웨어 요구사항 프로세스 전환 기준에 대해 기술합니다.
5.5.9 수명주기 준수 (Life cycle compliance)	소프트웨어 요구사항 프로세스 수명주기 준수에 대해 기술합니다.
5.6 소프트웨어 설계 프로세스 (Software Design Process)	소프트웨어 설계 프로세스에 대해 기술합니다.
5.6.1 목표 (Objectives)	소프트웨어 설계 프로세스 목표에 대해 기술합니다.
5.6.2 이해관계자 (Stakeholders)	소프트웨어 설계 프로세스 이해관계자에 대해 기술합니다.
5.6.3 입력 (Inputs)	소프트웨어 설계 프로세스 입력에 대해 기술합니다.
5.6.4 소프트웨어 설계 프로세스 활동 (Software Design Process Activities)	소프트웨어 설계 프로세스 활동에 대해 기술합니다.
5.6.5 컴포넌트 및 모듈 설계 (Component and Module Design)	컴포넌트 및 모듈 설계에 대해 기술합니다.
5.6.6 변경 요청 설계 (Design Change Request)	소프트웨어 설계 프로세스 변경 요청에 대해 기술합니다.
5.6.7 출력 (Outputs)	소프트웨어 설계 프로세스 출력에 대해 기술합니다.

5.6.8 QA 활동 명세 (Specific QA Activities)	소프트웨어 설계 프로세스 QA 활동 명세에 대해 기술합니다.
5.6.9 전환 기준 (Transition Criteria)	소프트웨어 설계 프로세스 전환 기준에 대해 기술합니다.
5.6.10 수명주기 준수 (Life cycle compliance)	소프트웨어 설계 프로세스 수명주기 준수에 대해 기술합니다.
5.7 소프트웨어 코딩 프로세스 (Software Coding Process)	소프트웨어 코딩 프로세스에 대해 기술합니다.
5.7.1 목표 (Objectives)	소프트웨어 코딩 프로세스 목표에 대해 기술합니다.
5.7.2 이해관계자 (Stakeholders)	소프트웨어 코딩 프로세스 이해관계자에 대해 기술합니다.
5.7.3 입력 (Inputs)	소프트웨어 코딩 프로세스 입력에 대해 기술합니다.
5.7.4 활동 (Activities)	소프트웨어 코딩 프로세스 활동에 대해 기술합니다.
5.7.5 컴파일 플래그 고려사항 (Considerations about Compiler Flags)	컴파일 플래그 고려사항에 대해 기술합니다. 예시) GCC 컴파일러 경고 플래그는 컴파일 타임 동안 정적 코드 분석을 가능하게 합니다.
5.7.6 컴포넌트 식별 고려사항 (Considerations about Component Identification)	컴포넌트 식별 고려사항에 대해 기술합니다. 예시) 식별자는 어플리케이션에서 사용할 수 있는 모든 소프트웨어 컴포넌트에 추가되어야 합니다. 고유한 식별자는 객체가 라이브러리의 일부인지 아닌지 여부에 관계없이 각 라이브러리 아카이브 및 각 객체

	파일과 관련됩니다. 식별자는 소스 코드에 삽입되어야 합니다. 식별자는 버전 정보를 부호화해야 합니다.
5.7.7 출력 (Outputs)	소프트웨어 코딩 프로세스 출력에 대해 기술합니다.
5.7.8 QA 활동 명세 (Specific QA Activities)	소프트웨어 코딩 프로세스 QA 활동 명세에 대해 기술합니다.
5.7.9 전환 기준 (Transition Criteria)	소프트웨어 코딩 프로세스 전환 기준에 대해 기술합니다.
5.7.10 수명주기 준수 (Life cycle compliance)	소프트웨어 코딩 프로세스 수명주기 준수에 대해 기술합니다.
5.8 소프트웨어 총괄 프로세스 (Software Integration Process)	소프트웨어 총괄 프로세스에 대해 기술합니다.
5.8.1 목표 (Objectives)	소프트웨어 총괄 프로세스 목표에 대해 기술합니다.
5.8.2 이해관계자 (Stakeholders)	소프트웨어 총괄 프로세스 이해관계자에 대해 기술합니다.
5.8.3 입력 (Inputs)	소프트웨어 총괄 프로세스 입력에 대해 기술합니다.
5.8.4 활동 (Activities)	소프트웨어 총괄 프로세스 활동에 대해 기술합니다.
5.8.5 출력 (Outputs)	소프트웨어 총괄 프로세스 출력에 대해 기술합니다.
5.8.6 전환 기준 (Transition Criteria)	소프트웨어 총괄 프로세스 전환 기준에 대해 기술합니다.
5.8.7 수명주기 준수 (Life cycle compliance)	소프트웨어 총괄 프로세스 수명주기 준수에 대해 기술합니다.

5.9 소프트웨어 검증 및 확인 프로세스 (Software Verification and Validation Process)	소프트웨어 검증 및 확인 프로세스에 대해 기술합니다.
5.9.1 QA 활동 명세 (Specific QA Activities)	소프트웨어 검증 및 확인 프로세스 QA 활동 명세에 대해 기술합니다.
5.10 형상 관리 프로세스 (Configuration Management Process)	형상 관리 프로세스에 대해 기술합니다.
5.10.1 QA 활동 명세 (Specific QA Activities)	형상 관리 프로세스 QA 활동 명세에 대해 기술합니다.
5.11 제공 프로세스 (Delivery Process)	형상 관리 제공 프로세스에 대해 기술합니다.
5.11.1 목표 (Objectives)	형상 관리 프로세스 목표에 대해 기술합니다.
5.11.2 입력 (Inputs)	형상 관리 프로세스 입력에 대해 기술합니다.
5.11.3 활동 (Activities)	형상 관리 프로세스 활동에 대해 기술합니다.
5.11.4 출력 (Outputs)	형상 관리 프로세스 출력에 대해 기술합니다.
5.11.5 전환 기준 (Transition Criteria)	형상 관리 프로세스 전환 기준에 대해 기술합니다.
6 소프트웨어 검토 (Software Reviews)	형상 관리 소프트웨어 검토에 대해 기술합니다.

6.1 검토 (Reviews)	형상 관리 검토에 대해 기술합니다.
6.1.1 일반적인 검토 프로세스 (General Review Process)	형상 관리 일반적인 검토 프로세스에 대해 기술합니다. 예시) 해당 표준 및 계획에 대한 적합성을 검증하기 위해 검토가 수행되어야 하며 프로젝트의 전체 수명주기 동안 수행되어야 합니다.
6.2 감사 (Audits)	형상 관리 감사에 대해 기술합니다. 예시) 소프트웨어 수명주기 동안의 품질 보증 감사 및 검토는 • 표준 및 계획의 편차가 모니터링되고 보고되고 해결됩니다. 승인된 편차가 문서화되어 있습니다. • 소프트웨어 개발 환경은 [SP]에서 정의된대로 제공됩니다. • 문제점 보고, 추적 및 변경 관리는 [SCMP]에 정의 된대로 수행됩니다.
6.2.1 일반적인 감사 프로세스 (General Audit Process)	형상 관리 일반적인 감사 프로세스에 대해 기술합니다. 예시) 소프트웨어 수명주기 동안 품질 보증은 다양한 개발 및 검증 활동을 모니터링합니다. 이 모니터링 중에 공개된 일부 문제 또는 검토 결과는 감사 대상이 될 수 있습니다. 이러한 감사 대상은 검사의 기준으로 사용될 체크리스트를 기술합니다. 감사가 수행된 후 QA 는 결과를 감사 보고서에 문서화해야 합니다. 감사 보고서는 프로젝트의 기능적 리더가 확인하고 수락해야 합니다. 결과가 수용 가능하면 보고서가 보관됩니다. 결과가 만족스럽지 않으면 QA 부서에서 후속 감사를 요구할 수 있습니다.
6.2.2 감사 계획 (Audit Planning)	형상 관리 감사 계획에 대해 기술합니다.
6.2.3 모니터링 및 인스펙션 (Monitoring and Inspections)	형상 관리 모니터링 및 인스펙션에 대해 기술합니다.

6.3 소프트웨어 적합성 검토 (Software Conformity Review)	형상 관리 소프트웨어 적합성 검토에 대해 기술합니다. 예시) 소프트웨어 적합성 검토는 필요한 모든 소프트웨어 프로세스의 완료, 필요한 문서의 가용성 및 제공된 소스 코드의 완전성을 보장하기 위해 수행되어야 합니다. 이 검토는 인증 승인을 위해 제출될 모든 정식 릴리스에 대해 수행됩니다. 소프트웨어 적합성 검토의 목적은 다음과 같은 확신을 얻는 것입니다. • 소프트웨어 수명주기가 완료되고 소프트웨어 수명주기 데이터가 완료됩니다. • 이 소프트웨어는 해당 소프트웨어 표준 및 계획을 준수합니다. • 소프트웨어는 특정 요구사항을 추적할 수 있습니다. • 소스 코드 / 실행 가능 객체 코드는 형상 통제 하에 있으며 아카이브에서 다시 생성할 수 있습니다. • 변경 내역 및 열린 문제 보고서 목록을 제공할 수 있습니다. • 제공 재구성 지침을 이용할 수 있습니다. • 특정 요구사항에 대한 추적 가능성을 제공할 수 있습니다. • 소프트웨어는 형상 관리 하에 저장됩니다. • 소프트웨어 변경 요구사항이 문서화되어 있습니다. • 이전 소프트웨어 적합성 검토에서 열린 문제보고가 재평가되었으며 상태가 문서화되었습니다. • 미해결 문제 보고서가 검토되었으며 그 상태가 문서화되었습니다. • 이전에 개발된 소프트웨어 베이스라인은 현재 소프트웨어 제품 베이스라인까지 완전히 추적할 수 있습니다 (이전 개발 소프트웨어에 대한 인증 크레딧을 얻는 경우). • 배포된 지침을 사용하여 소프트웨어를 성공적으로 로드할 수 있습니다.
6.3.1 감사 일정 (Audit Schedule)	형상 관리 감사 일정에 대해 기술합니다.
7 문제점 보고, 추적, 시정 조치 (Problem	문제점 보고, 추적, 시정 조치에 대해 기술합니다.

Reporting, Tracking and Corrective Action)	
7.1.1 문제점 보고 및 추적 (Problem Reporting and Tracking)	문제점 보고 및 추적에 대해 기술합니다. 예시) 문제보고 및 추적은 [SCMP]에서 설명한 도구 및 프로세스를 통해 처리됩니다.
7.1.2 시정 조치 프로세스 (Corrective Action Process)	시정 조치 프로세스에 대해 기술합니다. 예시) 시정 조치는 프로젝트 매니저, QA 및 지정된 엔지니어가 구성하는 CCB (Configuration Control Board)에 의해 모니터링되고 추적됩니다. CCB 프로세스에 대한 자세한 설명은 [SCMP]에서 찾을 수 있습니다.
8. 도구, 기법 및 방법론 (Tools, Techniques and Methodologies)	도구, 기법 및 방법론에 대해 기술합니다.
8.1 도구 (Tools)	도구에 대해 기술합니다.
8.2 도구 자격 프로세스 (Tool Qualification Process)	도구 자격에 대해 기술합니다.
8.2.1 개발 도구 (Development Tools)	개발 도구에 대해 기술합니다.
8.2.2 검증 도구 (Verification Tools)	검증 도구에 대해 기술합니다.
8.3 프로그래밍 언어 (Programming Languages)	프로그래밍 언어에 대해 기술합니다.

8.4 코딩/통합 환경 (Coding/Integration Environment)	코딩/통합 환경에 대해 기술합니다.
8.4.1 사용자 수준 컴포넌트에 대한 코딩/통합 환경 (Coding/Integration Environment for User Level Components)	사용자 수준 컴포넌트에 대한 코딩/통합 환경에 대해 기술합니다.
8.4.2 컴포넌트에 대한 코딩/통합 환경 (Coding/Integration Environment for Component)	컴포넌트에 대한 코딩/통합 환경에 대해 기술합니다.
8.4.3 ROM 이미지 통합 (Integration of ROM Image)	ROM 이미지 통합 방안에 대해 기술합니다.
8.4.4 교차 개발 도구 체인 (Cross Development Toolchain, CDK)	교차 개발 도구 체인에 대해 기술합니다.
8.5 기법 자원 (Technical Resources)	기법 자원에 대해 기술합니다.
8.6 기법 및 방법론 (Techniques and Methodologies)	기법 및 방법론에 대해 기술합니다.
9 위험 관리 (Risk Management)	위험 관리에 대해 기술합니다. 예시) 위험 관리는 일정과 범위를 벗어나는 프로젝트의 위험을 최소화하기 위해 수행되어야 합니다.

	가능한 위험은 다음과 같습니다.
	• 외부 종속성 (고객 등) • 프로젝트 종속성 • 리소스 종속성 • 내부 종속성
10 교육 (Training)	교육에 대해 기술합니다.
11 공급 통제 (Supplier Control)	공급 통제에 대해 기술합니다.
11.1 소프트웨어 개발 (Software Development)	소프트웨어 개발에 대해 기술합니다.
11.2 소프트웨어 구매 (Software Purchase)	소프트웨어 구매에 대해 기술합니다.
12 SQAP 변경 절차 및 이력 (SQAP Change Procedure and History)	SQAP 변경 절차 및 이력에 대해 기술합니다. 예시) SQAP (이 문서)는 프로젝트와 관련된 품질 보증 담당자의 책임하에 있습니다. 설명 된 방법이 프로젝트 개발 과정에서 사용된 방법의 범위를 벗어나는 경우 SQAP가 변경될 수 있습니다. QA 작업 중 하나가 적용 가능한 표준 및 계획에 대한 적합성 체크이므로, 발견된 모든 편차는 CCB에 의해 처리되는 문제 보고서를 작성해야 합니다. SQAP는 이 프로젝트와 관련된 모든 엔지니어링 자원과 품질 자원 및 관련 프로젝트 관리자에게 배포되어야 합니다.

6. 소프트웨어 요구사항 표준 (software Requirement Standards)

소프트웨어 요구사항 표준은 소프트웨어 요구사항 개발을 위한 방법, 도구, 규칙 및 제약 조건을 정의합니다. 일반적으로 상위 요구사항에 적용됩니다. 그러나 일부 프로젝트는 상세 요구사항에 요구사항 표준을 적용합니다. 일반적으로 요구사항 표준은 팀이 요구사항을 작성하는 지침입니다.

예를 들어, 효과적이고 구현 가능한 요구사항을 작성하고, 요구사항 관리 도구를 사용하고, 추적성을 수행하고, 파생된 요구사항을 처리하고, DO-178C 기준을 준수하는 요구사항을 작성하는 방법을 설명합니다.

요구사항 표준은 요구사항 검토를 위한 성공 기준을 제공하는 것 외에도 엔지니어를 위한 교육 도구로 사용될 수도 있습니다.

다음은 요구사항 표준에 일반적으로 포함되는 항목의 목록입니다.

DO-178C 표 A-3의 기준 (DO-178C 기대치에 능동적으로 대처하기 위해).

- 상위 요구사항, 상세 요구사항 및 파생된 요구사항의 정의 및 예 (참조 용).

- 요구사항의 품질 속성 (검증 가능, 모호하지 않음, 일관성 있는 등).

- 추적성 접근 및 지침.

- 요구사항 관리 도구 사용에 대한 기준 (각 속성에 대한 설명 및 필수 및 선택 정보에 대한 지침 포함).

- 요구사항을 식별하는 기준 (번호 체계 또는 번호 재사용 금지).

- 요구사항을 나타내기 위해 테이블을 사용하는 경우, 테이블을 올바르게 사용하고 식별하는 방법에 대한 설명 (예: 각 행 또는 열의 번호 매기기).

- 그래픽이 요구사항을 나타내거나 보완하는데 사용되는 경우 각 그래픽 유형 및 기호를 사용하는 방법에 대한 설명. 또한 각 블록 또는 심볼을 식별하고 추적하는 방법을 지정해야 할 수도 있습니다.

- 요구사항과 설명 자료를 구분하는 기준.

- 파생된 요구사항을 문서화하는 기준 (안전 요원의 안전성 평가를 돕기 위해 파생된 요구사항에 대한 이론적 근거 포함).

- 사용되는 모든 도구에 대한 제약 또는 제한 사항.

- 견고한 요구사항을 개발하는 기준.

- 요구사항 내에서 허용 오차를 처리하는 기준.

- 인터페이스 통제 문서를 사용하고 인터페이스 통제 문서를 참조하는 요구사항을 문서화하는 기준.

- 적용 규칙 및 지침의 예.

예시 목차

작성법

이 문서의 작성법은 본문의 내용을 참조합니다.

7. 소프트웨어 설계 표준 (Software Design Standards)

소프트웨어 설계 표준은 소프트웨어 설계를 개발하기 위한 방법, 도구, 규칙 및 제약 조건을 정의합니다. DO-178C 에서 설계에는 상세 요구사항과 소프트웨어 아키텍처가 포함됩니다.

설계 기준은 설계를 개발팀을 위한 지침입니다. 표준은 효과적이고 구현 가능한 설계를 작성하고, 설계 도구를 사용하고, 추적성을 수행하고, 파생된 상세 요구사항을 처리하고 DO-178C 기준을 준수하는 설계 데이터를 작성하는 방법을 설명합니다. 설계 표준은 설계 검토를 위한 기준을 제공하고 엔지니어를 위한 교육 도구로도 사용될 수 있습니다.

설계가 다른 접근 방식을 사용하여 표현될 수 있기 때문에 일반적인 설계 표준을 개발하는 것은 어렵습니다. 많은 회사는 일반적인 설계 표준을 가지고 있지만 프로젝트 별 요구사항에는 효과가 없을 수 있습니다. 각 프로젝트는 원하는 방법론을 결정하고 설계자에게 방법론을 적절하게 사용하도록 지시해야 합니다. 회사 차원의 표준을 출발점으로 사용하는 것이 가능할 수 있지만 테일러링이 필요하기도 합니다. 테일러링이 미미한 경우 표준을 업데이트하는 대신 SDP에서 논의하는 것이 타당할 수 있습니다.

다음은 일반적으로 설계 표준에 포함된 항목 목록입니다.

- DO-178C 표 A-4의 기준 (DO-178C 목표를 능동적으로 다루기 위해).

- 설계 문서의 기본 레이아웃.

- 상세 요구사항에 대한 기준 (상세 요구사항은 상위 요구사항과 동일한 품질 특성을 갖지만 상세 요구사항은 설계이며 무엇(what)을 설명하기 보다는 어떻게(how)를 설명).

- 상위와 상세 요구사항 간의 추적성 접근법.

- 파생된 상세 요구사항과 그 이론적 근거를 문서화하는 기준.

- 블록 다이어그램, 구조 차트, 상태 전이 다이어그램, 제어 및 데이터 흐름 다이어그램, 플로우 차트, 호출 트리, 엔티티 관계 다이어그램 등의 효과적인 아키텍처에 대한 지침

- 모듈에 대한 명명 규칙은 코드에서 구현될 내용과 일치해야 합니다.

- 설계 제약 조건 (예: 제한된 수준의 중첩 조건 또는 재귀 함수 금지, 무조건 분기, 재진입 인터럽트 서비스 루틴 및 자체 수정 지침).

- 강건한 설계 지침.

- 설계에서 비활성화 코드를 문서화하는 방법에 대한 지침

예시 목차

1. 서론 (Introduction)
1. 목적 (Purpose)
1.2 범위 (Scope)
1.3 약어 (Acronyms and Abbreviations)
1.4 적용 문서 (Applicable Documents)
1.4.1 외부 문서 (External Documents)
1.4.2 내부 문서 (Internal Documents)
2. 소프트웨어 설계 표준 (Software Design Standards)
2.1 구조화된 설계 자료 (Structured Design Artifacts)
2.1.1 데이터 플로우 다이어그램 (Data Flow Diagram)

작성법

이 문서의 작성법은 본문의 내용을 참조합니다.

8. 소프트웨어 코드 표준 (Software Code Standards)

요구사항 및 설계 표준과 마찬가지로 코딩 표준은 코더에게 지침을 제공하는데 사용됩니다. 코딩 표준은 특정 언어를 올바르게 사용하는 방법을 설명하고, 안전에 필수적인 도메인에서 사용하기에 적합하지 않은 언어의 일부 구성을 제한하고, 명명 규칙을 식별하고, 전역 데이터 사용을 설명하고, 읽기 쉽고 유지보수가 가능한 코드를 개발합니다.

코딩 표준은 소프트웨어 개발에서 상대적으로 보편적이며 코딩 표준을 개발할 때 사용할 수 있는 업계 전역의 유용한 자원이 있습니다. 예를 들어, 자동차 산업 소프트웨어 신뢰성 협회의 C 표준 (MISRA-C)은 C 코딩 표준에 대한 입력으로 간주할 수 있는 훌륭한 표준입니다.

코딩 표준은 언어별로 다릅니다. 프로젝트에서 여러 언어를 사용하는 경우 각 언어를 표준에서 논의해야 합니다. 어셈블리 언어조차도 사용 지침을 가지고 있어야 합니다.

다음은 일반적으로 코딩 표준에 포함된 항목 목록입니다.

- DO-178C 표 A-5 기준(목표를 능동적으로 다루기 위한)
- 코드와 상세 요구사항 간의 추적성을 문서화하는 접근법.
- 모듈 및 함수 또는 프로시저 이름 지정 규칙.
- 로컬 및 전역 데이터 사용 지침.
- 코드의 가독성 및 유지보수성 (예: 주석 및 공백 사용, 추상화 적용, 파일 크기 제한 및 중첩된 조건의 깊이 제한)에 대한 지침.
- 모듈 구조에 대한 지침 (헤더 형식 및 모듈 절 포함).
- 기능 설계 지침 (예: 헤더 형식, 기능 레이아웃, 고유한 기능 식별/이름, 필수 비 재귀 및 비재진입 기능, 입력 및 종료 규칙).
- 조건부로 컴파일 된 코드에 대한 제약 조건.
- 매크로 사용 지침.
- 기타 제약 조건(예: 포인터 사용 제한 또는 금지, 재진입 및 재귀 코드 금지)

코딩 표준에서 식별된 각 지침에 대한 이론적 근거와 예제를 포함하는 것이 유용합니다. 코더가 원하거나 금지되어 있는지 이유를 이해하면, 지침을 적용하기가 용이합니다.

예시 목차

1. 서론 (INTRODUCTION)

1.1 목적 (Purpose)

1.2 범위 (Scope)

1.3 약어 (Acronyms and Abbreviations)

1.4 적용 문서 (Applicable Documents)

1.4.1 외부 문서 (External Documents)

1.4.2 내부 문서 (Internal Documents)

2. 프로그래밍 언어 (Programming Language)

2.1 ANCI C 또는 C++ 및 객체 지향 기술

2.2 어셈블러 (Assembler)

3. 소스 코드 표현 표준 (Source Code Presentation Standards)

3.1 지침 (Guidelines)

3.2 형식 예제 (Format Example)

4. 명명 규약 (Naming Conventions)

5. 소프트웨어 조건 및 제약사항 (Software Conditions and Constraints)

5.1 지침 (Guidelines)

5.2 형식 (Formatting)

5.3 디버깅 (Debugging)

5.4 주석 (Comments)

5.5 모듈 및 파일 (Modules and Files)

5.6 변수 (Variables)

5.7 통제 구조 (Control Structures)

5.8 함수 (Functions)

5.9 C++/객체 지향 기술 (C++/OOT)

작성법

이 문서의 작성법은 본문의 내용을 참조합니다.

9. 소프트웨어 요구사항 데이터 (Software Requirements Data)

개발할 소프트웨어 시스템에 대한 설명입니다. STS (Strictholder Requirements Specification)라고도 하는 비즈니스 요구사항 명세 (CONOPS)를 모델로 합니다. 소프트웨어 요구사항 데이터는 기능적 및 비 기능적 요구사항을 제시하며 소프트웨어가 제공해야 하는 사용자 상호 작용을 설명하는 일련의 유스케이스를 포함할 수 있습니다.

소프트웨어 요구사항 데이터는 고객과 계약자 또는 공급 업체 간에 소프트웨어 제품의 작동 방식에 대한 합의의 기반을 설정합니다 (시장 주도 프로젝트에서는 마케팅 및 개발 부서에서 이러한 역할을 수행할 수 있음). 소프트웨어 요구사항 데이터는 보다 구체적인 시스템 설계 단계 이전의 요구사항에 대한 엄격한 평가이며, 그 목표는 나중의 재설계를 줄이는 것입니다. 또한 제품 원가, 위험 및 일정을 추정하기 위한 현실적인 기초를 제공해야 합니다. 적절히 사용하면 소프트웨어 요구사항 데이터는 소프트웨어 프로젝트 오류를 예방하는데 도움이 될 수 있습니다.

소프트웨어 요구사항 문서에는 프로젝트 개발을 위한 충분하고 필요한 요구사항이 나열되어 있습니다. 요구사항을 도출하기 위해 개발자는 개발중인 제품에 대해 명확하고 철저한 이해가 필요합니다. 이는 소프트웨어 개발 프로세스 전반에 걸쳐 프로젝트 팀 및 고객과의 세부적이고 지속적인 커뮤니케이션을 통해 달성됩니다.

예시 목차

작성법

이 문서의 작성법은 본문의 내용을 참조합니다.

10. 소프트웨어 설계 설명 (Software Design Description)

소프트웨어 설계 설명은 또한 소프트웨어 설계자가 소프트웨어 프로젝트의 아키텍처에 대한 전반적인 지침을 소프트웨어 개발 팀에 제공하기 위해 작성하는 소프트웨어 제품에 대한 서면 설명입니다. SDD 는 일반적으로 아키텍처 다이어그램과 함께 설계의 더 작은 부분에 대한 자세한 기능 스펙에 대한 포인터를 제공합니다. 실질적으로 단일비전 하에 대규모 팀을 조정하고 안정적인 참조가 필요하며 소프트웨어의 모든 부분과 작동 방식을 설명하는 설명이 필요합니다.

예시 목차

1. Introduction
1.1 목적 (Purpose)
1.2 범위 (Scope)
1.3 약어 (Acronyms and Abbreviations)
1.4 적용 문서 (Applicable Documents)
1.4.1 외부 문서 (External Documents)
1.4.2 내부 문서 (Internal Documents)
2. 소프트웨어 개요 (Software Overview)
2.1 요구사항 할당 (Allocation of Requirements)
2.2 소프트웨어 아키텍처 (Software Architecture)
2.3 입력 및 출력 (Inputs and Outputs)
2.4 데이터 및 통제 흐름 (Data and Control Flow)
2.5 자원 제한사항 (Resource Limitations)
2.6 제작 일정 및 내부 작성 의사소통 (Scheduling Producers and Inter-Processor Task Communications)
2.7 설계 방법론 및 상세 구현 (Design Methods and Implementation Detail)
2.8 파티셔닝 방법론 (Partitioning Methods)
2.9 신규 및 이전 개발된 소프트웨어 컴포넌트 (New and Previously Developed Software Components)
2.10 파생 요구사항 (Derived Requirements)
2.11 비활성화된 코드 (Deactivated Code)
2.12 안전 관련 요구사항 추적성 (Traceability of Safety Related Requirements)

작성법

이 문서의 작성법은 본문의 내용을 참조합니다.

부록 2. DO-178C 10 OBJECTIVES 와 산출물

Table	No	Objective		Activity	Applicability by Software Level				Output		Control Category by Software Level			
		Description	Ref	Ref	A	B	C	D	Data Item	Ref	A	B	C	D
Table A-1 Software Planning Process	1	The activities of the SW life cycle processes are defined.	4.1.a	4.2.a 4.2.c 4.2.d 4.2.e 4.2.g 4.2.i 4.2.l 4.3.c	○	○	○	○	PSAC	11.1	1	1	1	1
									SDP	11.2	1	1	2	2
									SVP	11.3	1	1	2	2
									SCM Plan	11.4	1	1	2	2
									SQA Plan	11.5	1	1	2	2
	2	The SW life cycle(s), including the inter-relationships between the processes, their	4.1.b	4.2i 4.3.b	○	○	○		PSAC	11.1	1	1	1	
									SDP	11.2	1	1	2	
									SVP	11.3	1	1	2	

#	Objective	Ref	Sub-ref					Document	Section				
	sequencing, feedback mechanisms, and transition criteria, is defined.							SCM Plan	11.4	1	1	2	
								SQA Plan	11.5	1	1	2	
3	SW life cycle environment is selected and defined.	4.1.c	4.4.1 4.4.2.a 4.4.2.b 4.4.2.c 4.4.3	○	○	○		PSAC	11.1	1	1	1	
								SDP	11.2	1	1	2	
								SVP	11.3	1	1	2	
								SCM Plan	11.4	1	1	2	
								SQA Plan	11.5	1	1	2	
4	Additional considerations are addressed.	4.1.d	4.2.f	○	○	○	○	PSAC	11.1	1	1	1	1
			4.2.h					SDP	11.2	1	1	2	2
			4.2.i					SVP	11.3	1	1	2	2
			4.2.j					SCM Plan	11.4	1	1	2	2
			4.2.k					SQA Plan	11.5	1	1	2	2

		Objective	Ref	Ref					Output	Ref				
	5	SW development standards are defined.	4.1.e	4.2.b	○	○	○		SW Requirements Standards	11.6	1	1	2	
				4.2.g					SW Design Standards	11.7	1	1	2	
				4.5					SW Code Standards	11.8	1	1	2	
	6	SW plans comply with document.	4.1.f	4.3.a 4.6	○	○	○		SW Verification Results	11.14	2	2	2	
	7	Development and revision of software plans are coordinated.	4.1.g	4.2.g 4.6	○	○	○		SW Verification Results	11.14	2	2	2	
Table A-2 Software Development Processes	1	High-level requirements are developed.	5.1.1.a	5.1.2.a 5.1.2.b 5.1.2.c 5.1.2.d 5.1.2.e 5.1.2.f 5.1.2.g 5.1.2.j 5.5.a	○	○	○	○	SW Requirements Data	11.9	1	1	1	1
									Trace Data	11.21	1	1	1	2
	2	Derived high-level req are defined and provided to the system processes,	5.1.1.b	5.1.2.h 5.1.2.i	○	○	○	○	SW Requirements Data	11.9	1	1	1	1

	#	Objective							Output					
		including the system safety assessment process.												
	3	SW architecture is developed.	5.2.1.a	5.2.2.a 5.2.2.d	○	○	○	○	Design Description	11.1	1	1	1	2
	4	Low-level requirements are developed.	5.2.1.a	5.2.2.a 5.2.2.e 5.2.2.f 5.2.2.g 5.2.3.a 5.2.3.b 5.2.4.a 5.2.4.b 5.2.4.c 5.5.b	○	○	○		Design Description	11.1	1	1	1	
									Trace Data	11.21	1	1	1	
	5	Derived low-level req. are defined and provided to the system processes, including the system safety assessment process.	5.2.1.b	5.2.2.b 5.2.2.c	○	○	○		Design Description	11.1	1	1	1	
	6	Source Code is developed.	5.3.1.a	5.3.2.a 5.3.2.b 5.3.2.c 5.3.2.d 5.5.c	○	○	○		Source Code	11.11	1	1	1	
									Trace Data	11.21	1	1	1	

DO-178C 기반 항공 소프트웨어 개발 개론

		Objective	Ref	Ref	A	B	C	D	Output	Ref	A	B	C	D
	7	Executable Object Code and Parameter Data Item Files, if any, are produced and loaded in the target computer.	5.4.1.a	5.4.2.a 5.4.2.b 5.4.2.c 5.4.2.d 5.4.2.e 5.4.2.f	○	○	○	○	Executable Object Code	11.12	1	1	1	1
									Parameter Data Item File	11.22	1	1	1	1
Table A-3 Verification of Outputs of Software Requirements Process	1	High-level requirements comply with system requirements.	6.3.1.a	6.3.1	●	●	○	○	Software Verification Results	11.14	2	2	2	2
	2	High-level requirements are accurate and consistent.	6.3.1.b	6.3.1	●	●	○	○	Software Verification Results	11.14	2	2	2	2
	3	High-level requirements are compatible with target computer.	6.3.1.c	6.3.1	○	○			Software Verification Results	11.14	2	2		
	4	High-level requirements are verifiable.	6.3.1.d	6.3.1	○	○	○		Software Verification Results	11.14	2	2	2	
	5	High-level requirements conform to standards.	6.3.1.e	6.3.1	○	○	○		Software Verification Results	11.14	2	2	2	

	6	High-level requirements are traceable to system requirements.	6.3.1.f	6.3.1	○	○	○	○	Software Verification Results	11.14	2	2	2	2
	7	Algorithms are accurate.	6.3.1.g	6.3.1	●	●	○		Software Verification Results	11.14	2	2	2	
Table A-4 Verification of Outputs of Software Design Process	1	Low-level requirements comply with high-level requirements.	6.3.2.a	6.3.2	●	●	○		Software Verification Results	11.14	2	2	2	
	2	Low-level requirements are accurate and consistent.	6.3.2.b	6.3.2	●	●	○		Software Verification Results	11.14	2	2	2	
	3	Low-level requirements are compatible with target computer.	6.3.2.c	6.3.2	○	○			Software Verification Results	11.14	2	2		
	4	Low-level requirements are verifiable.	6.3.2.d	6.3.2	○	○			Software Verification Results	11.14	2	2		
	5	Low-level requirements conform to standards.	6.3.2.e	6.3.2	○	○	○		Software Verification Results	11.14	2	2	2	

6	Low-level requirements are traceable to high- level requirements.	6.3.2.f	6.3.2	○	○	○	Software Verification Results	11. 14	2	2	2	
7	Algorithms are accurate.	6.3.2. g	6.3.2	●	●	○	Software Verification Results	11. 14	2	2	2	
8	Software architecture is compatible with high- level requirements.	6.3.3. a	6.3.3	●	○	○	Software Verification Results	11. 14	2	2	2	
9	Software architecture is consistent.	6.3.3. b	6.3.3	●	○	○	Software Verification Results	11. 14	2	2	2	
1 0	Software architecture is compatible with target computer.	6.3.3. c	6.3.3	○	○		Software Verification Results	11. 14	2	2		
1 1	Software architecture is verifiable.	6.3.3. d	6.3.3	○	○		Software Verification Results	11. 14	2	2		
1 2	Software architecture conforms to standards.	6.3.3. e	6.3.3	○	○	○	Software Verification Results	11. 14	2	2	2	

Table A-5 Verification of Outputs of Software Coding & Integration Processes	1 3	Software partitioning integrity is confirmed.	6.3.3.f	6.3.3	●	○	○	○	Software Verification Results	11. 14	2	2	2	2
	1	Source Code complies with low-level requirements.	6.3.4. a	6.3.4	●	●	○		Software Verification Results	11. 14	2	2	2	
	2	Source Code complies with software architecture.	6.3.4. b	6.3.4	●	○	○		Software Verification Results	11. 14	2	2	2	
	3	Source Code is verifiable.	6.3.4. c	6.3.4	○	○			Software Verification Results	11. 14	2	2		
	4	Source Code conforms to standards.	6.3.4. d	6.3.4	○	○	○		Software Verification Results	11. 14	2	2	2	
	5	Source Code is traceable to low-level requirements.	6.3.4. e	6.3.4	○	○	○		Software Verification Results	11. 14	2	2	2	
	6	Source Code is accurate and consistent.	6.3.4.f	6.3.4	●	○	○		Software Verification Results	11. 14	2	2	2	

	7	Output of software integration process is complete and correct.	6.3.5.a	6.3.5	○	○	○		Software Verification Results	11.14	2	2	2	
	8	Parameter Data Item File is correct and complete	6.6.a	6.6	●	●	○	○	Software Verification Cases and Procedures	11.13	1	1	2	2
									Software Verification Results	11.14	2	2	2	2
	9	Verification of Parameter Data Item File is achieved.	6.6.b	6.6	●	●	○		Software Verification Results	11.14	2	2	2	
Table A-6 Testing of Outputs of Integration Process	1	Executable Object Code complies with high-level requirements.	6.4.a	6.4.2 6.4.2.1 6.4.3 6.5	○	○	○	○	Software Verification Cases and Procedures	11.13	1	1	2	2
									Software Verification Results	11.14	2	2	2	2
									Trace Data	11.21	1	1	2	2
	2	Executable Object Code is	6.4.b	6.4.2 6.4.2.2	○	○	○	○	Software Verification	11.13	1	1	2	2

		robust with high-level requirements.		6.4.3 6.5					Cases and Procedures					
									Software Verification Results	11. 14	2	2	2	2
		.							Trace Data	11. 21	1	1	2	2
3	Executable Object Code complies with low-level requirements.	6.4.c	6.4.2 6.4.2.1 6.4.3 6.5	●	●	○		Software Verification Cases and Procedures	11. 13	1	1	2	
								Software Verification Results	11. 14	2	2	2	
								Trace Data	11. 21	1	1	2	
4	Executable Object Code is robust with low-level requirements.	6.4.d	6.4.2 6.4.2.2 6.4.3 6.5	●	○	○		Software Verification Cases and Procedures	11. 13	1	1	2	
								Software Verification Results	11. 14	2	2	2	
								Trace Data	11. 21	1	1	2	
5	Executable Object Code is	6.4.e	6.4.1.a 6.4.3.a	○	○	○	○	Software Verification	11. 13	1	1	2	2

		compatible with target							Cases and Procedures					
									Software Verification Results	11.14	2	2	2	2
Table A-7 Verification of Verification Process Results	1	Test procedures are correct.	6.4.5.b	6.4.5	●	○	○		Software Verification Results	11.14	2	2	2	
	2	Test Resultsare correct and discrepancies explained.	6.4.5.c	6.4.5	●	○	○		Software Verification Results	11.14	2	2	2	
	3	Test coverage of high-level requirements is achieved.	6.4.4.a	6.4.4.1	●	○	○	○	Software Verification Results	11.14	2	2	2	2
	4	Test coverage of low-level requirements is achieved.	6.4.4.b	6.4.4.1	●	○	○		Software Verification Results	11.14	2	2	2	
	5	Test coverage of software structure (MC/DC) is achieved.	6.4.4.c	6.4.4.2.a 6.4.4.2.b 6.4.4.2.d 6.4.4.3	●				Software Verification Results	11.14	2			

6	Test coverage of software structure (decision coverage) is achieved.	6.4.4. c	6.4.4.2. a 6.4.4.2. b 6.4.4.2. d 6.4.4.3	●	●		Software Verification Results	11. 14	2	2		
7	Test coverage of software structure (statement coverage) is achieved.	6.4.4. c	6.4.4.2. a 6.4.4.2. b 6.4.4.2. d 6.4.4.3	●	●	○	Software Verification Results	11. 14	2	2	2	
8	Test coverage of software structure (data coupling and control coupling) is achieved.	6.4.4. d	6.4.4.2. c 6.4.4.2. d 6.4.4.3	●	●	○	Software Verification Results	11. 14	2	2	2	
9	Verification of additional code, that cannot be traced to Source Code, is achieved.	6.4.4. c	6.4.4.2. b	●			Software Verification Results	11. 14	2			

Table A-8 Software Configuration Management Process	1	Configuration items are identified.	7.1.a	7.2.1	○	○	○	○	SCM Records	11.18	2	2	2	2
	2	Baselines and traceability are established.	7.1.b	7.2.2	○	○	○	○	Software Configuration Index	11.16	1	1	1	1
									SCM Records	11.18	2	2	2	2
	3	Problem reporting, change control, change review, and configuration status accounting are established.	7.1.c 7.1.d 7.1.e 7.1.f	7.2.3 7.2.4 7.2.5 7.2.6	○	○	○	○	Problem Reports	11.17	2	2	2	2
									SCM Records	11.18	2	2	2	2
	4	Archive, retrieval, and release are established.	7.1.g	7.2.7	○	○	○	○	SCM Records	11.18	2	2	2	2
	5	Software load control is established.	7.1.h	7.4	○	○	○	○	SCM Records	11.18	2	2	2	2

		Objective	Ref	Ref	A	B	C	D	Output	Ref	A	B	C	D
	6	Software life cycle environment control is established.	7.1.i	7.5	○	○	○	○	Software Life Cycle Environment Configuration Index	11.15	1	1	1	2
									SCM Records	11.18	2	2	2	2
Table A-9 Software Quality Assurance Process	1	Assurance is obtained that SW plans and standards are developed and reviewed for compliance with this document and for consistency.	8.1.a	8.2.b 8.2.h 8.2.i	●	●	●	○	SQA Records	11.19	2	2	2	
	2	Assurance is obtained that SW life cycle processes comply with approved software plans.	8.1.b	8.2.a 8.2.c 8.2.d 8.2.f 8.2.h 8.2.i	●	●	●	●	SQA Records	11.19	2	2	2	2
	3	Assurance is obtained that SW life cycle processes	8.1.b	8.2.a 8.2.c 8.2.d 8.2.f	●	●	●	○	SQA Records	11.19	2	2	2	

		comply with approved software standards.		8.2.h 8.2.i										
	4	Assurance is obtained that transition criteria for the SW life cycle processes are satisfied.	8.1.c	8.2.e 8.2.h 8.2.i	●	●	●	○	SQA Records	11. 19	2	2	2	
	5	Assurance is obtained that SW conformity review is conducted.	8.1.d	8.2.g 8.2.h 8.3	●	●	●	●	SQA Records	11. 19	2	2	2	2
Table A-10 Certificatio n Liaison Process	1	Communication and understanding between the applicant and the certification authority is established.	9.a	9.1.b 9.1.c	○	○	○	○	Plan for Software Aspects of Certification	11. 1	1	1	1	1
	2	The means of compliance is proposed and agreement with the Plan for Software Aspects	9b	9.1.a 9.1.b 9.1.c	○	○	○	○	Plan for Software Aspects of Certification	11. 1	1	1	1	1

		of Certification is obtained.												
	3	Compliance substantiation is provided.	9c	9.2.a 9.2.b 9.2.c	○	○	○	○	Software Accomplishment Summary	11.2	1	1	1	1
									Software Configuration Index	11.16	1	1	1	1

부록 3. 약어 및 용어 정리

약어 정리

ARP	Aerospace Recommended Practice
ATM	Air Traffic Management
CAST	Certification Authorities Software Team
CC1	Control Category 1
CC2	Control Category 2
CNS	Communication, Navigation and Surveillance
COTS	Commercial-Off-The-Shelf
CRC	Cyclic Redundancy Check
DO	Document
EASA	European Aviation Safety Agency
EUROCAE	European Organization for Civil Aviation Equipment
FAA	Federal Aviation Administration
IDAL	Item Development Assurance Level
I/O	Input/Output
MC/DC	Modified Condition/Decision Coverage
PMC	Program Management Committee

PSAC	Plan for Software Aspects of Certification
RTCA	RTCA, Inc.
SAE	Society of Automotive Engineers
SC	Special Committee
SCI	Software Configuration Index
SCM	Software Configuration Management
SDP	Software Development Plan
SECI	Software Life Cycle Environment Configuration Index
SQA	Software Quality Assurance
SVP	Software Verification Plan
SW	Software
TOR	Terms of Reference
TQL	Tool Qualification Level
U.S.A.	United States of America
WG	Working Group

용어 정리

Activity (활동)
목표를 달성하기 위한 수단을 제공하는 작업.

Aeronautical data
(항공 데이터)
탐색, 비행 계획, 비행 시뮬레이터, 지형 인식 및 기타 목적과 같은 항공 애플리케이션에 사용되는 데이터

Airborne (항공)
항공기에 탑재 된 소프트웨어, 장비 또는 시스템을 나타내는 데 사용되는 한정어

Algorithm
(알고리즘)
특정 작업을 수행하기 위한 일련의 작업을 제공하는 잘 정의 된 규칙의 유한 집합.

Alternative method
(대체 방법)
문서(DO-178C 표준)의 하나 이상의 목적을 충족시키기 위한 다른 접근법

Anomalous
behavior
(비정상적인 행동)
특정 요구 사항과 일치하지 않는 행동.

Applicant (신청자)
인증 기관의 승인을 구하는 개인 또는 조직

Approval (승인)
공식 승인 또는 공식적인 제재를 하는 행위 또는 사례

Approved source
(승인 된 원본)
소프트웨어 형상 색인에서 검색 할 소프트웨어 수명주기 데이터의 위치가 식별되고, 승인 된 소스는 소프트웨어 형상 관리 라이브러리에 보관하여야 함

Assurance (보증)
제품이나 프로세스가 주어진 요구 사항을 충족 시킨다는 적절한 확신과 증거를 제공하기 위해 필요한 계획되고 체계적인 조치.

Audit (감사)
필수 속성을 확인하기 위해 소프트웨어 수명주기 프로세스 및 산출물을 독립적으로 검사

Auto Code Generator (자동 코드 생성기)	낮은 수준의 요구 사항에서 소스 코드 또는 개체 코드를 자동으로 생성하는 코딩 도구
Baseline (베이스라인)	이후에 개발의 기초가 되며 변경 통제 절차를 통해서만 변경되는 하나 이상의 형상 항목에 대해 승인되고 기록 된 형상
Boolean expression (부울 식)	2 진 값을 갖는 부울 변수와 부울 연산자로 표현된 식. 부울식으로 표현된 모든 식을 디지털 회로로 구현할 수 있음
Boolean operator (부울 연산자)	부울 대수학에서 사용하는 AND, OR, NOT 연산자로 산술 연산과 논리 연산을 수행함.
Certification (인증)	제품, 서비스, 조직 또는 사람이 요구 사항을 준수 함을 인증 기관이 법적으로 인정하는 것. 이러한 인증은 제품, 서비스, 조직 또는 사람을 기술적으로 검사하는 활동과 국가 법 및 절차에서 요구하는 인증서, 라이센스, 승인 또는 기타 문서 발행으로 해당 요구 사항을 준수 하는지를 공식적으로 인정하는 것임.
Certification authority (인증 기관)	요구 사항에 따라 제품의 인증 또는 승인과 관련된 주나 국가 또는 기타 관련 기관의 조직 또는 책임자.
Certification credit (인증 신용)	프로세스, 제품 또는 데모가 인증 요구 사항을 충족시키는 인증 기관의 인정.

Certification liaison process (인증 연락 프로세스)	신청자와 인증 기관 간의 통신, 이해 및 계약을 설정하는 프로세스
Change control (변경 통제)	형상 확인을 공식적으로 수립 한 후 또는 설립 후, 베이스 라인에 이르기까지 형상 항목에 대한 변경 사항을 기록, 평가, 승인 또는 거부하고 조정하는 프로세스.
Code Coverage (코드 커버리지)	소프트웨어 테스트로 검사된 소스 코드의 양을 표현하는 지표. Statement (구문) Coverage, Decision (결정) Coverage, Condition (조건) Coverage 로 구성.
Commercial-Off-The-Shelf (COTS) software (상용 소프트웨어)	업체가 판매하는 상용 프로그램. 특정 응용 프로그램 용으로 개발 된 계약 협상 소프트웨어는 COTS 소프트웨어가 아님
Compiler (컴파일러)	FORTRAN 이나 Pascal 과 같은 고급 언어의 소스 코드 문장을 오브젝트 코드로 변환하는 프로그램
Condition (조건)	조건이란 관계연산자 (==, !=, >, <) 로 구성된 부울 대수식. 부울 연산자 (&&, ||, ~)로 구성된 부울식은 Decision (결정). (예: A==B, C)
Condition Coverage (조건 커버리지)	조건 커버리지는 각 조건이 모든 가능한 조합을 시험한다. 예로 (A or B) 의 조건 커버리지는 (TF) 와 (FT)가 된다.
Condition/Decision Coverage	결정 커버리지와 조건 커버리지 요구사항을 결합한 것. 코드의 모든 조건을 '참/거짓'으로 토글하고 모든 결정을 '참/거짓'으로 토글하는 테스트 케이스가 필요함.

(조건/결정 커버리지)	예제 (A or B) 의 CDC 의 테스트케이스는 (TT)와 (FF)이다. 그러나 이는 (A and B)와 구별하지 못한다.
Configuration identification (형상 식별)	시스템에서 형상 항목을 지정하고 특성을 기록하는 프로세스
Configuration item (형상 항목)	형상 관리 목적으로 하나의 단위로 취급되는 하나 이상의 하드웨어 또는 소프트웨어 형상 요소.
Configuration management (형상 관리)	(1) 시스템의 형상 항목 식별 및 정의; (2) 소프트웨어 수명주기 전반에 걸쳐 항목의 릴리스 및 변경 제어 (3) 형상 항목 및 문제 보고의 상태를 기록하고 보고하는 것.
Configuration status accounting (형상 상태)	계산 승인 된 형상 ID 목록, 형상에 제안 된 변경 상태 및 승인 된 변경 사항의 구현 상태를 포함하여 형상을 효과적으로 관리하는 데 필요한 정보를 기록 및 보고함
Control category (제어 범주)	소프트웨어 수명주기 데이터 관리 방법. 두 가지 범주 인 CC1 과 CC2 는 소프트웨어 프로세스와 소프트웨어 수명주기 데이터를 제어하는데 적용되는 활동을 정의함
Control coupling (제어 커플 링)	하나의 소프트웨어 구성 요소가 다른 소프트웨어 구성 요소의 실행에 영향을 주는 방식 또는 정도
Control program (제어 프로그램)	컴퓨터 시스템에서 프로그램의 실행을 예약하고 감독하도록 설계된 컴퓨터 프로그램
Coverage analysis (적용 범위 분석)	제안 된 소프트웨어 검증 프로세스 활동이 그 목적을 충족시키는 정도를 결정하는 프로세스.

Data coupling (데이터 결합)	소프트웨어 구성 요소가 독점적으로 소프트웨어 구성 요소의 제어를 받지 않고 데이터에 종속 됨
Data dictionary (데이터 사전)	시스템에서 사용하는 데이터, 매개 변수, 변수 및 상수에 대한 자세한 설명.
Database (데이터베이스)	주어진 목적이나 주어진 데이터 처리 시스템에 충분한 하나 이상의 파일로 구성된 다른 데이터 세트의 일부 또는 전체 데이터 세트.
Deactivated code (비활성화 된 코드)	요구사항/설계 내역을 추적 할 수 있는 실행 가능한 코드(또는 데이터)로 사용하지 않는 레거시 코드. 과거에 개발되었으나 사용하지 않은 코드이거나, 프로그래밍 옵션 활성화 시에만 실행되는 코드
Dead code (데드 코드)	타겟 컴퓨터에서 실행될수 없는 코드 또는 사용될 수 없는 데이터.
Decision (결정)	결정(Decision)은 조건(Condition)과 논리 연산자 && 또는 ||로 구성된 부울식임.
Decision coverage (결정 커버리지)	결정 커버리지 (DC)는 결과가 '참'인 경우, '거짓'인 경우의 테스트 케이스가 필요하다. 예를들면 (A or B) 의 DC 테스트 케이스는 (TF) 하고 (FF) 가 된다. 그러나 이 경우 B 가 테스트 되지 않은 문제점이 있다
Derived requirements (파생 된 요구 사항)	상위 요구 사항으로 직접 추적 할 수 없는 하위 수준에서 생성된 요구 사항

Emulator (에뮬레이터)	동일한 입력을 받아들이고 동일한 객체 코드를 사용하여 주어진 시스템과 동일한 출력을 생성하는 장치, 컴퓨터 프로그램 또는 시스템.
Error (에러)	소프트웨어와 관련하여 요구 사항, 설계 또는 코드의 실수
Executable Object Code (실행 가능 목적코드)	컴퓨터의 CPU가 직접 처리할 수 있는 코드. 컴퓨팅 CPU 전용 컴파일, 어셈블 및 링크 과정을 수행한 바이너리 이미지 데이터.
Extraneous code (외래 코드)	시스템 또는 소프트웨어 요구 사항에 대해 추적 할 수 없는 코드 (또는 데이터). 관계없는 코드의 예는 요구 사항과 테스트 사례가 제거되었지만 잘못 보존 된 레거시 코드입니다. 외부 코드의 다른 예는 데드 코드임.
Failure (고장)	시스템 또는 시스템 구성 요소가 지정된 제한 내에서 필요한 기능을 수행 할 수 없음. 오류가 발생하면 오류가 발생할 수 있음.
Failure condition (고장 조건)	관련 불리한 운영 및 환경 조건을 고려하여 직접 및 간접적으로 발생하는 항공기 및 탑승자에 대한 영향. 고장 조건은 인증 기관에서 발행 한 자문 자료에 정의 된 대로 영향의 심각도에 따라 분류됨.
Fault (결함)	소프트웨어 에러가 하드웨어 또는 시스템으로 전파되어 나타나는 현상. 결함(Fault)는 하드웨어/시스템의 고장(Failure)의 원인으로 계속 진행되면 사고 (Accident) 및 상해 (Harm) 이 발생함. (그림 4 참조)
Fault tolerance (결함 감내)	하드웨어 또는 소프트웨어 결함이 발생하여도 그 영향을 제거 또는 완화할 수 있음. Fault tolerant computer 는 결함감내 컴퓨터를 의미함

Formal methods (형식 기법)	시스템 동작을 수학적 언어/수식/모델로 표현하여 그의 특성을 언어/수식으로 증명하여 입증하는 방법론. 학술적으로는 다양한 기법이 존재하지만, 산업적으로는 제한적으로 사용됨.
Hardware/software integration (하드웨어 / 소프트웨어 통합)	대상 컴퓨터에 소프트웨어를 결합하는 프로세스.
High-level requirements (고수준 요구 사항)	시스템 수준에서 개발된 요구 사항을 이용하여 하드웨어/소프트웨어를 개발하기 위하여 작성된 요구 사항. 상세설계 이전에 수행되는 개념설계 (Conceptual Design)의 기초자료임.
Host computer (호스트 컴퓨터)	소프트웨어가 개발 된 컴퓨터
Independence (독립)	객관적인 평가의 성취를 보장하는 책임의 분리. (1) 소프트웨어 검증 프로세스 활동의 경우, 검증 활동이 검증되는 항목의 개발자가 아닌 사람에 의해 수행되고 독립 실행은 인간 검증과 동등한 도구를 사용할 수 있을 때 달성됨. (2) 소프트웨어 품질 보증 프로세스의 경우, 독립성에는 시정 조치를 보장하는 권한도 포함.
Integral process (총괄 프로세스 (Integral process))	소프트웨어 개발 프로세스 및 기타 총괄 프로세스를 지원하므로 소프트웨어 수명주기 전반에 걸쳐 활성 상태를 유지하는 프로세스. 총괄 프로세스는 소프트웨어 검증 프로세스, 소프트웨어 품질 보증 프로세스, 소프트웨어 구성 관리 프로세스 및 인증 연락 프로세스.

Integrity (무결성 (Integrity))	시스템 또는 항목의 속성으로, 필요할 때 올바르게 작동하기 위해 의지 할 수 있음
Interrupt (Interrupt (인터럽트))	컴퓨터 프로그램 실행과 같은 작업 일시 중지로, 해당 작업 외부의 이벤트로 인해 발생하며 작업을 다시 시작할 수 있는 방식으로 수행.
Low-level requirements (저수준 요구 사항)	고수준 요구사항을 이용하여 개발된 상세한 요구사항. 상세요구사항을 기준으로 이용하여 상세설계를 개발함. 상세설계는 별도의 추가 정보 없이 소스 코드를 직접 구현할 수 설계자료를 의미함.
Means of compliance (준수 입증 수단)	항공기 시스템의 인증을 받기위해 필요한 증거 데이터를 의미. 하드웨어는 설계도, 시뮬레이션 결과, 시험결과 등을 의미. 소프트웨어는 정확하게 기술된 개발 데이터 및 단위 시험 데이터가 MOC 가 됨.
Media (미디어)	프로그램 가능한 읽기 전용 메모리, 자기 테이프 또는 디스크, 종이와 같은 소프트웨어 전송 또는 저장 수단으로 사용되는 장치 또는 재료.
Memory device (메모리 장치)	컴퓨터가 읽을 수 있는 컴퓨터 프로그램 및 관련 데이터를 저장할 수 있는 하드웨어 부품.
MC/DC (Modified condition/decision coverage, 수정조건 / 결정 커버리지)	DO-178C level A 가 요구하는 가장 복잡한 최상위 수준의 시험방법. 각 조건이 결정 결과에 독립적으로 영향을 미치도록 테스트 케이스를 제작함. 예를 들면, (A or B) 의 MC/DC 테스트 케이스는 (TF), (FT), (FF) 이다. 일반적인 코드에서 MC/DC 는 n 개의 조건에 대하여 n+1 개의 많은 테스트 케이스가 발생함.

Monitoring (모니터링)	검사, 검사 또는 기타 활동의 선택된 사례를 관찰 및 검사하는 활동.
Multiple-version dissimilar software (다중 버전 이기종 소프트웨어)	동일한 기능 요구 사항을 충족하지만 서로 의도적으로 다른 두 개 이상의 소프트웨어 구성 요소. 예제 접근법은 별도의 개발 조직을 사용하거나 다른 개발 기술을 사용하는 것을 포함. 공통 모드 오류는 다중 버전이 아닌 다른 소프트웨어 기술을 사용하여 최소화 함.
Object code (목적 코드)	일반적으로 대상 컴퓨터에서 직접 사용할 수 있는 형식이 아닌 컴퓨터 프로그램의 저수준 표현이지만 프로세서 지침 정보와 함께 재배치 정보가 포함 된 형식임.
Objective (목표)	이 문서가 규정을 준수하는 수단으로 확인되면, 목표는 준수를 입증하기 위해 충족되어야 하는 요구사항.
Parameter data item (매개 변수 데이터 항목)	매개 변수 데이터 항목 파일의 형태로 있을 때 실행 가능 개체 코드를 수정하지 않고 소프트웨어 동작에 영향을 미치고 별도의 구성 항목으로 관리되는 데이터 집합. 예에는 데이터베이스 및 구성 테이블이 포함.
Parameter Data Item File (매개 변수 데이터 항목 파일)	대상 컴퓨터의 처리 장치가 직접 사용할 수 있는 매개 변수 데이터 항목의 표현. 매개 변수 데이터 항목 파일은 각 데이터 요소에 대해 정의 된 값을 포함하는 매개 변수 데이터 항목의 인스턴스.
Part number (부품 번호)	구성 항목을 식별하는 데 사용되는 일련의 숫자, 문자 또는 기타 문자.
Partitioning (파티셔닝)	고장영향을 국소화 하기위해 구성 요소 들을 분리하는 기술.

Patch (패치)	재 컴파일, 재구성 또는 재 링크 계획 단계 중 하나 이상을 우회하는 실행 가능 개체 코드로의 수정. 여기에는 임베디드 식별자가 포함되지 않음.
Previously developed software (이전에 개발 된 소프트웨어)	사용을 위해 이미 개발 된 소프트웨어. 여기에는 이전 또는 현재 소프트웨어 안내로 개발 된 소프트웨어를 통한 COTS 소프트웨어를 포함하여 광범위한 소프트웨어가 포함.
Process (프로세스)	산출물을 생산하기 위해 소프트웨어 수명주기에서 수행 된 활동의 집합.
Product service history (제품 서비스 이력)	소프트웨어가 알려진 환경에서 운영되고 연속적인 고장이 기록되는 연속적인 시간.
Release (해제)	공식적으로 이용 가능하도록 공개하는 활동
Reverse engineering (역공학)	소프트웨어 데이터에서 소스코드를 개발하는 프로세스. 실행 가능한 코드에서 소스 코드를 개발하거나 저수준 요구 사항에서 높은 수준의 요구 사항을 개발하는 것.
Requirement Coverage Analysis (요구사항 커버리지 분석)	요구사항 개발과정에서 제작된 테스트 케이스들을 절차에 따라 시험하고 결과를 판정. 단위시험, 소프트웨어 통합시험, 소프트웨어 하드웨어 통합시험 과정에서 수행됨. 요구사항 커버리지 분석이 완료된 이후 소프트웨어 구조 커버리지 분석을 수행할 수 있음
Robustness (강건성)	비정상적인 입력 및 조건에도 불구하고 소프트웨어가 올바르게 작동 할 수 있는 범위.

Safety monitoring (안전 모니터링)	고장조건을 초래할 수 있는 기능을 직접 모니터링 하여 보호하기 위한 기능.
Service history data (서비스 내역 데이터)	서비스 기간 동안 수집 된 데이터.
Simulator (모의 실험 장치)	타겟 컴퓨터 대신 다른 기종의 컴퓨터로 타겟 컴퓨터의 프로그램 처리 과정과 동일한 처리를 하는 것처럼 모의 실험하는 장치. 프로그램의 오류 수정에 이용.
Single event upset (단일 이벤트 업셋)	방사선 등 고에너지 입자가 반도체에 충돌하여 반도체 구조가 파괴되어 발생하는 결함 (Fault), 결함발생 기간에 따라 과도결함 (Bit Flip) 또는 영구결함 (Stuck At Fault) 등 다양한 종류의 고장이 발생. 완벽한 소스코드에서도 고장이 발생할 수 있게 만드는 원인임.
Software (소프트웨어)	컴퓨터 프로그램 및 관련 문서 및 컴퓨터 시스템 작동 관련 데이터
Software architecture (소프트웨어 아키텍처)	소프트웨어 요구 사항을 구현하기 위해 설계된 소프트웨어의 구조
Software assurance (소프트웨어 보증)	소프트웨어 제품 또는 프로세스가 주어진 요구 사항을 충족 시킨다는 확신과 증거를 제공하기 위해 필요한 계획되고 체계적인 조치
Software change (소프트웨어 변경)	소스 코드, 객체 코드, 실행 가능한 객체 코드 또는 관련 문서를 기준선에서 수정 한 것
Software conformity review	일반적으로 소프트웨어 개발 프로세스가 끝날 때 소프트웨어 수명주기 프로세스가 완료되고 소프트웨어 수명주기 데이터가

(소프트웨어 적합성 검토)	완전하며 실행 가능 개체 코드가 제어되고 재생성 될 수 있도록 하기 위한 검토.
Software development standards (소프트웨어 개발 표준)	소프트웨어 개발 프로세스에 대한 규칙 및 제약 조건을 정의하는 표준. 소프트웨어 개발 표준에는 소프트웨어 요구 사항 표준, 소프트웨어 설계 표준 및 소프트웨어 코드 표준이 포함.
Software integration (소프트웨어 통합)	소프트웨어 요소나 하드웨어 요소 또는 두 가지 모두를 전체 시스템에 결합시키는 과정..
Software level (소프트웨어 수준)	시스템 안전 평가 프로세스에 의해 결정된 소프트웨어 구성 요소에 지정된 지정. 소프트웨어 Level 은 이 문서의 준수를 입증하는 데 필요한 엄격함을 수립.
Software library (소프트웨어 라이브러리)	소프트웨어 개발, 사용 또는 수정을 지원하는 관련 데이터 및 문서가 포함 된 소프트웨어 집합.
Software life cycle (소프트웨어 수명주기)	소프트웨어나 시스템의 개념 형성에서부터 사용 정지에 이르기까지의 발전상의 변화의 전 과정. 이를 소프트웨어 수명주기, 시스템 수명주기
Software partitioning (소프트웨어 파티셔닝)	상호 작용 간섭을 방지하기 위해 소프트웨어를 분리하는 활동
Software product (소프트웨어 제품)	소프트웨어, 관련 문서 및 데이터.

Software requirement (소프트웨어 요구사항)

소프트웨어 시스템이 문제 해결이나 목적 수행을 위하여 사용자가 요구하는 조건이나 능력. 소프트웨어 요구 사항에는 높은 수준의 요구 사항과 낮은 수준의 요구 사항이 모두 포함.

Software tool (소프트웨어 도구)

소프트웨어 작성 작업의 효율성을 높이기 위하여 사용될 수 있는 프로그램, 유틸리티, 라이브러리 및 기타 보조 자료. 도구로서 사용되는 이러한 소프트웨어로는 에디터 (편집기), 컴파일러 (번역기), 디버거 (결함 수정) 등이 포함된다.

Source Code (소스 코드)

고급 언어와 같은 소스 언어로 작성된 코드. 어셈블러 또는 컴파일러에 대한 입력을 위해 기계어로 변환.

Standard (표준)

시스템, 서비스 등의 특성, 구성 요소, 성능, 동작, 절차, 방법, 또는 안전성 등에 관한 기술적 사항을 규정한 규격서

Statement coverage (문장 커버리지)

문장 커버리지는 프로그램의 명령문을 1 번씩만 호출하면 됨. 이 커버리지는 제어구조에 민감하지 않으므로 가장 약한 기준으로 간주됨.

Structural coverage analysis (구조 커버리지 분석)

요구사항 기반 테스트완료 이후에 수행되는 화이트박스 시험. 요구사항기반 테스트가 모든 코드를 테스트했다고 할 수 없으므로 이 분석을 수행해서 요구사항과 코드 간의 관계를 분석함.

Structure (구조)

전체를 구성하는 파트의 특정 정렬 또는 상호 관계

Supplement (보충)

특정 접근법, 방법 또는 기법의 고유 한 특성을 다루는 이 문서와 함께 사용되는 지침. 보충 설명서는 이 문서의 목적, 활동, 설명 텍스트 및 소프트웨어 수명주기 데이터를 추가, 삭제 또는 수정

System (체계)	특정 기능 또는 기능 집합을 수행하도록 구성된 하드웨어 및 소프트웨어 구성 요소 모음
System architecture (시스템 구조)	시스템 요구 사항을 구현하기 위해 선택된 하드웨어 및 소프트웨어의 구조
System safety assessment process (시스템 안전 평가 프로세스)	관련 안전 관련 요구 사항에 따라서 시스템이 설계되었음을 검증하는 프로세스 FMEA 와 FTA 를 이용하여 안전요구사항을 충족하도록 설계된 내용을 검증함
Task (태스크)	제어 프로그램의 관점에서 작업의 기본 단위.
Test case (테스트 케이스)	특정 프로그램 경로를 사용하거나 특정 요구 사항을 준수하는지 확인하는 것과 같이 특정 목적에 대해 개발 된 테스트 입력, 실행 조건 및 예상 결과 집합.
Test procedure (시험 절차)	지정된 테스트 케이스 세트의 설정 및 실행에 대한 자세한 지침과 테스트 케이스 실행 결과 평가에 대한 지침.
Testing (테스트)	시스템 또는 시스템 구성 요소를 사용하여 지정된 요구 사항을 충족하는지 확인하고 오류를 탐지하는 과정.
Tool qualification (도구 자격)	특정 항공 시스템의 컨텍스트 내에서 소프트웨어 도구에 대한 인증 크레딧을 얻는 데 필요한 프로세스입니다.
Trace data (추적 데이터)	특정 유물 생산을 암시하지 않고 개발 및 검증 프로세스의 소프트웨어 수명주기 데이터의 추적 가능성에 대한 증거를 제공하는 데이터. 추적 데이터는 예를 들어 명명 규칙을 사용하거나 소프트웨어 생명주기 데이터 내부 또는 외부에 삽입 된 참조 또는 포인터를 사용하여 연결을 표시 할 수 있음.

Traceability (추적
성)

항목 간, 예를 들어 프로세스 출력 간, 출력과 원래 프로세스
간, 또는 요구 사항과 해당 구현 간의 연관성.

Transition criteria
(전환 기준)

프로세스를 입력하기 위해 소프트웨어 계획 프로세스에서
정의한 최소 조건을 만족해야 함.

Type design (유형
디자인)

이 문서의 목적을 위해 유형 설계는 다음 요구 사항을
준수하는 것으로 표시된 인증 제품의 구성 및 설계 기능을
정의하는 데 필요한 도면 및 사양과 해당 도면 및 사양 목록
(1) 해당 제품에 대한; (2) 동일 유형의 후기 제품의 내항성
결정을 비교하기 위해 필요한 다른 모든 자료.

User-modifiable
software (사용자가
수정할 수 있는
소프트웨어)

원래의 인증 프로젝트 중에 수립 된 수정 조항 내에서 인증
기관, 기체 제조업체 또는 장비 공급 업체가 검토하지 않고
수정하려는 소프트웨어.

Validation (확인)

요구 사항이 올바른 요구 사항이고 그것이 완료되었다는 것을
결정하는 프로세스.

Verification (검증)

요구사항, 개념설계, 상세설계 내용의 단위시험 및 통합시험
프로세스.

DO-178C 기반 항공 소프트웨어 개발 개론

부록 4. 요구사항 보충 설명

1. 개요

소프트웨어 요구사항은 DO-178C 준수 및 안전에 중요한 소프트웨어 개발에 기초합니다. 프로젝트의 성공 여부는 요구사항의 품질에 따라 달라집니다.

소프트웨어가 관련된 대부분의 사고는 요구사항의 결함, 구체적으로 구현된 소프트웨어 동작의 불완전성으로 이어질 수 있습니다. 즉, 제어 시스템의 작동 또는 시스템의 필수 작동에 대한 불완전하거나 잘못된 가정입니다. 컴퓨터 및 처리되지 않은 제어 시스템 상태 및 환경 조건, 코딩 오류가 종종 가장 주목을 받기는 하지만 안정성보다는 안정성 및 기타 특성에 더 많은 영향을 줍니다.

요구사항이 진행되면 프로젝트가 진행됩니다. 시스템 요구사항과 소프트웨어 요구사항 사이의 경계는 매우 모호합니다. 일반적으로 소프트웨어 요구사항은 검증된 시스템 요구사항을 수정하고 소프트웨어 개발자가 소프트웨어를 설계하고 구현하는데 사용됩니다. 또한 소프트웨어 요구사항은 시스템이 수행하는 것보다 소프트웨어가 수행하는 작업을 식별합니다. 소프트웨어 요구사항을 작성할 때 시스템 요구사항의 오류, 결함 및 누락이 식별될 수 있으므로 문제 보고서에 문서화하고 시스템 팀에서 해결해야 합니다.

2. 요구사항 정의

전기 전자 엔지니어 협회 (IEEE)는 다음과 같이 요구사항을 정의합니다.

가) 문제를 해결하거나 목표를 달성하기 위해 사용자가 필요로 하는 상태 또는 기능.

나) 계약, 표준, 명세 또는 기타 형식적으로 부과된 문서를 준수하기 위해 시스템 또는 시스템 컴포넌트가 준수하거나 소유해야 하는 조건 또는 기능.

다) 1 또는 2 에서와 같은 조건 또는 능력의 문서화된 문서 DO-178C 용어집은 다음과 같이 소프트웨어 요구사항, 상위 요구사항, 상세 요구사항 및 파생된 요구사항을 정의합니다.

- 소프트웨어 요구사항 - 입력 및 제약 조건을 고려할 때 소프트웨어가 생성 할 내용에 대한 설명. 소프트웨어 요구사항에는 상위 요구사항과 상세 요구사항이 모두 포함

- 상위 요구사항 - 시스템 요구사항 분석, 안전 관련 요구사항 및 시스템 아키텍처에서 개발된 소프트웨어 요구사항

- 상세 요구사항 - 상위 요구사항, 파생된 요구사항 및 추가 제한 없이 소스 코드를 직접 구현할 수 있는 설계 제약에서 개발된 소프트웨어 요구사항

-

- 파생 요구사항
  - 상위 요구사항으로 직접 추적되지 않는 소프트웨어 개발 프로세스에서 발생하는 요구사항
  - 시스템 요구사항 또는 상위 레벨의 소프트웨어 요구사항에 의해 지정된 이상의 행동을 명시
  -

소프트웨어 요구사항은 일반적으로 기능, 외부 인터페이스, 성능, 품질 속성 (예: 이식성 또는 유지보수성), 설계 제약, 안전 및 보안을 처리합니다.

좋은 요구사항은 설계 또는 구현 세부사항, 프로젝트 관리 세부사항 (예: 비용, 일정, 개발 방법론) 또는 테스트 세부사항을 다루지 않습니다.

3. 좋은 소프트웨어 요구사항의 중요성

요구사항이 안전성이 중요한 소프트웨어 개발에 너무 중요한 다섯 가지 이유를 고려해 보겠습니다.

소프트웨어 개발의 기초가 되는 요구사항

요구사항 근거가 약한 경우 장기적인 영향을 미치고 고객을 포함하여 모든 사람에게 설명할 수 없는 문제와 어려움을 낳습니다.

나쁜 요구사항을 초래하는 몇 가지 공통된 특징이 있습니다. 첫째, 소프트웨어 요구사항은 경험이 부족한 팀에 의해 개발되었습니다. 둘째, 팀은 준비되기 전에 고객에게 무언가를 보여주도록 강요받았습니다. 셋째, 시스템 요구사항은 소프트웨어를 제공하기 전에 검증되지 않았습니다.

이러한 특성 때문에 다음과 같은 공통적인 결과가 나타납니다.

- 고객은 만족하지 않았습니다.
- 제품에 극도로 많은 수의 문제점이 나타났습니다.
- 소프트웨어는 최소한 하나의 완전한 재설계가 필요했습니다 (몇 가지 상황에서 2 번의 추가 반복이 필요했습니다).
- 프로젝트는 상당한 시간과 예산으로 진행되었습니다.
- 여러 지도자가 재배치되었고 (다른 운명의 프로젝트로 바로 옮김) 경력이 손상되었습니다.

나쁜 요구사항의 결과는 내가 "눈덩이" 효과라고 부르는 것에 이르게 합니다. 프로젝트가 거대한, 관리하기 어려운 눈덩이가 될 때까지 문제와 복잡성이 누적됩니다. 개발 산출물이 검토되지 않고 개발 단계로 넘어 가기 전에 나중에 오류를 식별하고 제거하는 것이 더 어렵고 비용이 많이 듭니다. 어떤 경우에는 근본 원인이 데이터 (눈덩이)에 깊이 묻혀 있기 때문에 오류를 식별하는 것이 불가능해질 수도 있습니다. 모든 개발 단계는 반복적이며 프로젝트가 진행됨에 따라 변경될 수 있습니다. 그러나 불완전하고 잘못된 입력에 대한 연속적인 개발 활동을 구축하는 것은 소프트웨어 엔지니어링에서 가장 흔한 오류 및 비효율 중 하나입니다.

요구사항은 처음에는 완벽하지 않지만 목표는 가능한 한 완벽하고 정확한 요구사항의 일부를 받아들여 허용 가능한 Level에서 설계 및 구현을 진행하는 것입니다. 시간이 지남에 따라 요구사항은 기능을 추가 또는 수정하고 설계 및 구현 성숙도에 따라 변경되도록 업데이트됩니다. 이러한 반복적 접근 방식은 품질 요구사항을 파악하고 동시에 고객의 요구를 준수하는 가장 일반적인 방법입니다.

좋은 요구사항은 시간과 비용 절약

여러 연구에 따르면 가장 비싼 오류는 요구사항 단계에서 시작된 오류이며 소프트웨어 재작업의 가장 큰 이유는 나쁜 요구사항이라는 것을 보여줍니다. 한 연구에서 "요구사항 오류가 재 작업 비용의 70 ~ 85 %를 차지합니다" 라고 나타났습니다.

Standish Group의 조사에 따르면 소프트웨어 프로젝트의 실패에 대한 다음과 같은 이유가 있습니다 (몇 가지 이유는 요구사항과 관련이 있습니다).

- 불완전한 요구사항 - 13.1 %
- 사용자 참여 부족 - 12.4 %
- 자원/일정 부족 - 10.6 %
- 비현실적인 기대 - 9.9 %
- 경영 지원 부족 - 9.3 %
- 변화하는 요구사항 - 8.7 %
- 계획 불량 - 8.1 %
- 더 이상 필요하지 않은 소프트웨어 - 7.4 %

연방 항공 관리국 (FAA)의 요구 공학 관리 결과 보고서에 따르면 안전성이 중요한 시스템에 초점을 맞춘 조사자는 요구사항 오류가 설계 또는 구현 중에 도입된 오류보다 임베디드 시스템의 안전성에 영향을 미칠 가능성이 높다는 사실을 발견했습니다. 좋은 요구사항이 없으면 규정을 준수하는 것은 불가능합니다. FAA 및 기타 규제 당국은 항공기의 모든 시스템이 예측 가능한 작동 조건 하에서 의도된 기능을 준수해야 한다는 법적 구속력이 있는 규정을 가지고 있습니다. 이는 의도된 기능을 확인하고 입증해야 함을 의미합니다. 요구사항은 안전 고려사항과 의도된 기능을 전달하는 공식적인 방법입니다.

좋은 요구사항은 테스트에 중요합니다. 요구사항은 테스트 노력을 유도합니다. 요구사항이 잘못 작성되거나 불완전한 경우 다음 사항이 가능합니다.

- 요구사항 기반 테스트 결과는 잘못된 것을 테스트하고 잘된 것을 불완전하게 테스트할 수 있습니다.
- 실제 요구사항을 개발하고 평가하기 위해 테스트하는 동안 광범위한 노력이 필요할 수 있습니다.
- 의도된 기능을 증명하기가 어려울 것입니다.
- 의도하지 않은 기능이 없다는 것을 증명하는 것은 어렵거나 불가능합니다 (즉, 소프트웨어가 해야 할 일을 수행하고 실제로 수행해야 할 작업을 보여주는 것).
-

안전은 의도한 기능을 준수하고 의도하지 않은 기능이 안전에 영향을 미치지 않는다는 것을 보여주는 능력에 달려 있습니다.

4. 소프트웨어 요구사항 엔지니어

요구사항 개발은 일반적으로 하나 이상의 요구사항 엔지니어 (요구 분석가 라고도 함)가 수행합니다. 대부분의 성공적인 프로젝트에는 프로젝트 전체에서 긴밀하게 협력하는 선임 요구사항 엔지니어가 두 명 이상 있습니다. 이들은 요구사항을 개발할 때 함께 작업하며 진행되는 동안 상대방의 작업을 지속적으로 검토합니다. 또한 요구사항이 일관되고 실행 가능하도록 지속적인 전수 검사를 수행합니다. 조직적인 차원에서 미래의 요구사항 전문가를 개발해야 하기 때문에 선임 엔지니어와 일하는 후임 엔지니어가 있는 것이 좋습니다.

조직은 요구사항 개발을 통해 신뢰할 수 있는 엔지니어를 선택할 때 주의해야 합니다. 모든 사람이 좋은 요구사항을 개발하고 문서화할 능력이 없습니다. 효과적인 요구사항 엔지니어에게 필요한 기술은 다음에서 논의됩니다.

- 기술 1: 요구사항 작성 경험. 경험을 대체할 만한 것은 없습니다.

- 여러 프로젝트를 겪어 본 사람은 어떤 것이 효과적인지 그렇지 않은 지 알고 있습니다. 물론, 경험이 성공적인 프로젝트를 기반으로 하는 것이 가장 좋지만 성공하지 못한 프로젝트는 개인이 실수를 통해 기꺼이 배울 수 있다면 경험을 쌓을 수 있습니다.

- 기술 2: 팀웍. 요구사항 엔지니어는 팀 구성원 모두와 상호 작용하기 때문에 다른 사람과 잘 어울리는 팀원이 되는 것이 중요합니다. 소프트웨어 요구 엔지니어는 시스템 엔지니어 (및 고객), 설계자 및 코더, 프로젝트 관리자, 품질 보증 및 테스터와 긴밀하게 협력합니다.

- 기술 3: 듣기 및 관찰 기술. 요구사항 엔지니어링에는 종종 시스템 엔지니어나 고객의 미묘한 단서가 포함됩니다. 누락된 요소를 검출하고 조치할 수 있는 기능이 필요합니다. 거기에는 무엇이 있는지 이해하는 것뿐만 아니라 거기에 없는 것이 무엇인지 판단해야 합니다.

- 기술 4: 큰 그림과 세부사항에 주의를 기울이십시오. 요구사항 엔지니어는 소프트웨어, 하드웨어 및 시스템이 함께 어울리는 방식을 볼 수 있을 뿐만 아니라 세부사항을 시각화하고 문서화할 수 있어야 합니다. 요구사항 엔지니어는 하향식과 상향식을 모두 생각할 수 있어야 합니다.

- 기술 5: 의사소통 기술. 요구사항 엔지니어의 주요 역할 중 하나는 요구사항을 문서화하는 것입니다. 체계적이고 명확한 스타일로 글을 쓸 수 있어야 합니다. 성공적인 요구사항 엔지니어는 복잡한 아이디어와 문제를 명확하게 전달할 수 있는 엔지니어입니다. 또한 요구사항 엔지니어는 그래픽 기술을 사용하여 텍스트에서 설명하기 어려운 아이디어를 전달하는데 능숙해야 합니다. 사용되는 그래픽 기술의 예로 테이블, 플로우 차트, 데이터 흐름도, 제어 흐름도, 유스케이스, 상태도, 상태 차트 및 시퀀스 및 타이밍 다이어그램이 있습니다.

- 기술 6: 약속. 선임 요구사항 엔지니어는 프로젝트가 끝까지 같이 할 것을 약속한 사람이어야 합니다. 수석 엔지니어가 다른 일을 하고 머리에 중요한 지식을 많이 남겨 둔다면 여러 프로젝트가 어려움을 겪게 됩니다.

- 기술 7: 도메인 경험. 도메인에 대해 잘 알고 있는 요구사항 엔지니어를 배치하는 것이 좋습니다. 네비게이션 시스템에서 경험 있는 사람은 브레이크 또는 연료 시스템을 지정하는데 필요한 미묘한 점을 알지 못할 수 있습니다. 개발 팀의 절반 이상이 도메인 경험을 가지고 있다면 가장 좋습니다.

- 기술 8: 창의성. 무조건적인 강제 요구사항은 일반적으로 가장 효과적이지 않습니다. 잘된 요구사항은 예술과 과학이 혼합된 것입니다. 의도한 기능을 포착하고 의도하지 않은 기능을 방지하는 최적의 요구사항을 개발하기 위해서는 창의적인 사고 (상자 밖에서 생각할 수 있는 기능)가 필요합니다.

- 기술 9: 조직화. 요구사항 엔지니어가 조직화되어 있지 않으면, 자신의 산출물이 의도한 것을 효과적으로 전달하지 못할 수 있습니다. 또한 요구사항 엔지니어가 프로젝트에 중요하기 때문에 중요도가 낮은 작업으로 인해 산만해질 수 있습니다. 따라서 그들은 조직하고, 우선 순위를 정하고, 집중력을 유지할 수 있어야 합니다.

5. 소프트웨어 요구사항 개발 개요

요구사항 방법론 및 형식, 요구사항 관리 도구 사용, 개발팀 식별, 요구사항 검토 프로세스, 추적성, 요구사항 표준 정의 등을 계획하는 과정에서 고려해야 할 몇 가지 요구사항이 있습니다.

계획은 효과적인 요구사항 개발에 필수적입니다.

요구사항 개발 노력은 7 가지 활동으로 구성될 수 있습니다.

- 입력 수집 및 분석
- 요구사항 작성
- 요구사항 검토
- 베이스라인, 배포 및 아카이브 요구사항
- 요구사항 구현
- 요구사항 테스트
- 변경 관리 프로세스를 사용하여 요구사항을 변경합니다.

그림 8 에서는 이러한 활동을 보여줍니다.

각 프로젝트는 시스템 및 소프트웨어 요구사항 개발에 대해 약간 다른 방식으로 진행됩니다. 표 5 는 시스템 및 소프트웨어 요구사항을 개발하기 위한 가장 일반적인 접근법과 각 접근법의 장단점을 요약한 것입니다. 더 많은 시스템 팀과 인증 기관이 ARP4754A 를 채택함에 따라 시스템 요구사항의 상태가 개선될 것입니다. 상위 요구사항은 고객, 시스템 팀 (안전 요원 포함), 하드웨어 팀 및 소프트웨어 팀을 포함한 이해 관계자 간의 효율적인 의사소통 및 파트너 관계에 따라 달라집니다.

그림 7 요구사항 개발 활동

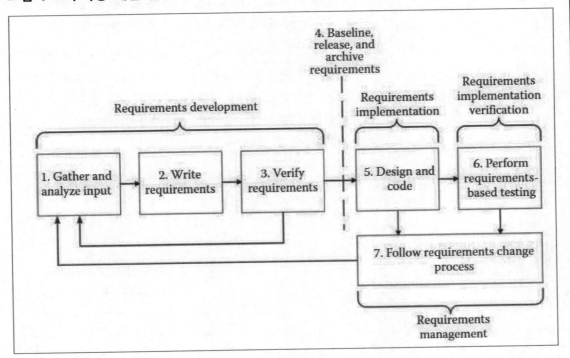

표 5 시스템 및 소프트웨어 요구사항 개발 접근

접근법	장점	단점
1. 공급자 중심 제품: 시스템 및 소프트웨어 요구사항은 동일한 회사에서 개발	• 더 개방된 의사소통 장려 • 일반적으로 시스템과 소프트웨어는 모두 동일한 (또는 매우 유사한) 검토 및 배포 프로세스를 가짐을 의미 • 공급 업체 내의 도메인 전문성. • 높은 재사용 및 재 적용 가능성.	• 고객 및 시스템 팀은 세부사항을 상세하게 지정할 수 없습니다. • 동일한 회사 (예: 다른 건물 또는 다른 지리적 위치)에 있더라도 팀이 공동으로 배치되지 않을 수 있습니다. • 종종 소프트웨어 팀은 DO-178C 요구사항 때문에 시스템 팀보다 요구사항을 문서화하는데 더 많은 노력을 기울입니다.

2. 고객 중심 제품: 시스템 요구사항은 고객 (예: 항공 회사)이 개발하고 소프트웨어 구현을 위해 공급 업체에 전달됩니다.	• 종종 아웃소싱을 할 때 고객 요구사항이 매우 자세합니다. • 고객이 사내에 존재하지 않는 적절한 도메인 전문 기술을 갖춘 공급 업체를 선택할 수 있습니다.	벽을 넘어가는 사고 방식이 있을 수 있습니다. • 시스템 요구사항은 잘못된 수준에서 작성되고 지나치게 처방되며 소프트웨어 설계 옵션이 제한될 수 있습니다. • 결함이 발견되면 고객은 시스템 요구사항을 업데이트하는 속도가 느리거나 내구성이 떨어질 수 있습니다. • 공급 업체는 모든 요구사항을 테스트할 능력이 없을 수도 있습니다.
3. 결합 요구사항: 시스템 및 소프트웨어 요구사항은 동일한 회사에서 단일 레벨로 결합됩니다.	• 시스템과 소프트웨어 요구사항 간에 일관성을 보장합니다. • 시험 노력의 중복 가능성을 줄일 수 있습니다. • 간단한 제품이라면 인공 요구사항 레이어를 제거할 수 있습니다.	• 적절한 수준의 세분성과 세부사항을 요구사항에 포함시키는 것은 어렵습니다. • 시스템 요구사항이 너무 세밀 해 지거나 소프트웨어 요구사항이 부적절하게 높은 수준으로 유지될 수 있습니다. • 하드웨어 및 소프트웨어 할당에 문제가 발생할 수 있습니다. • 단순한 제품 이외에 모든 목적이 포함된다는 것을 인증 기관에 보여주기가 어렵습니다.

6. 소프트웨어 요구사항 수집 및 분석

DO-178C 는 소프트웨어 팀에게 주어진 시스템 요구사항이 완벽하게 문서화되고 유효성이 있다고 가정합니다. 시스템 요구사항은 완전하고 정확하며 정확하고 일관성이 있어야 합니다. 소프트웨어 팀에서는 요구사항 결함이나 모호성을 식별하고 시스템 팀과 협력하여 시스템 검증 요구사항을 완벽하게 검증합니다.

요구사항 엔지니어가 처음에는 문제를 분석하는데 시간을 소비하지 않고도 요구사항 명세를 작성해야 한다는 상당한 부담이 있습니다. 그 결과 부피가 커지고 혼란스럽고 명확하지 않은 무차별 강제 요구사항이 발생합니다. 요구사항 엔지니어는 요구사항을 수집, 분석 및 구성하는데 시간이 필요합니다. 문제가 분명하게 시각화 되는 문제입니다. 이 작업이 완료되면 사양의 실제 작성이 상대적으로 신속하게 이루어지며 재 작업이 덜 필요합니다.

소프트웨어 요구사항 엔지니어는 일반적으로 소프트웨어 요구사항을 개발하기 위해 다음과 같은 수집 및 분석 활동을 수행합니다.

6.1 요구사항 수집 활동

하나의 요구사항을 작성하기 전에 요구사항 엔지니어는 지정한 제품을 이해하기 위해 데이터와 지식을 수집합니다. 모임 활동에는 다음이 포함됩니다.

가) 시스템 및 안전 요구사항을 검토하고 이를 철저히 이해하기 위해 노력합니다. 소프트웨어 엔지니어는 시스템 요구사항을 잘 알고 있어야 합니다. 예비 안전 평가를 이해하는 것도 필요합니다.

나) 고객, 시스템 엔지니어 및 도메인 전문가를 만나 시스템 요구사항에 대한 질문에 답하고 누락된 정보를 채웁니다.

다) 소프트웨어 요구사항을 개발하기 전에 성숙도, 시스템 완성도 및 안전 요구사항을 결정합니다.

라) 시스템 엔지니어와 협력하여 시스템 요구사항을 수정합니다. 소프트웨어 팀이 소프트웨어 요구사항에 맞게 시스템 요구사항을 조정할 수 있기 전에 시스템 요구사항은 상대적으로 성숙하고 안정적이어야 합니다. 일부 시스템 팀은 소프트웨어 팀과 긴밀하게 협력하여 시스템 요구사항을 업데이트 합니다. 그러나 많은 경우, 소프트웨어 팀은 시스템 엔지니어에게 필요한 변경 사항을 적극적으로 추진해야 합니다.

마) 관련 과거 프로젝트와 해당 프로젝트의 문제점 보고서를 고려합니다. 종종 고객, 시스템 엔지니어 또는 소프트웨어 개발자는 도메인 영역에서 과거 경험을 갖게 됩니다.

요구사항은 이전 형식으로는 사용할 수 없지만 구현된 내용, 작동한 내용 및 작동하지 않은 내용을 이해하는데 도움이 될 수 있습니다.

바) 요구사항 표준 및 인증 기대치에 대해 충분한 지식을 습득합니다.

6.2 요구사항 활동 분석

분석 프로세스는 엔지니어가 요구사항을 작성할 수 있도록 준비합니다. 때로는 요구사항 명세를 작성하는데 직접적으로 돌입하게 되는 경우가 있습니다. 그러나 먼저 분석을 수행하지 않고 여러 관점에서 문제를 고려하면 향후에 상당한 재 작업이 발생할 수 있습니다. 반복 및 미세 조정이 있을 수 있지만 분석 프로세스는 이를 최소화하는데 도움이 될 수 있습니다. 요구사항 분석 중에 다음을 고려합니다.

가) 수집 과정에서 얻은 의견을 가능한 한 명확하고 완전하게 정리합니다. 요구사항 엔지니어는 다양한 각도로 해결할 문제를 분석해야 합니다. 종종 유스케이스가 사용자의 관점에서 문제를 고려하는데 사용됩니다.

나) 요구사항 지정 작업을 위한 프레임 워크를 배치합니다. 목차가 될 항목을 식별함으로써 요구사항을 논리적 흐름으로 구성할 수 있습니다. 이 프레임 워크는 또한 완전성을 측정하는 역할을 합니다. 요구사항 프레임 워크를 결정하기 위한 한 가지 일반적인 전략은 제공될 안전 및 시스템 기능을 나열한 다음 각 기능이 의도한대로 작동하고 의도하지 않은 영향을 방지하기 위해 필요한 소프트웨어를 결정하는 것입니다.

다) 고객 요구사항을 이해하기 위해 소프트웨어 거동 모델을 개발합니다. 이 모델 중 일부는 소프트웨어 요구사항에 통합되며 일부는 요구사항 개발을 지원하는 수단입니다. 결함이 발견되면 일부 모델이 시스템 요구사항에 추가될 수도 있습니다.

라) 어떤 경우에는 요구사항 개발을 돕기 위해 프로토타입을 사용할 수 있습니다. 요구사항 분석가는 프로토타입을 개발하는데 도움이 되거나 요구사항을 문서화하기 위해 프로토타입을 사용할 수 있습니다. 빠른 프로토타입은 기능을 시연하고 요구사항 세부사항을 성숙시키는데 매우 유용할 수 있습니다. 프로토타입의 위험은 기본 설계와 코드가 좋지 않음에도 불구하고 표면적으로 인상적으로 보일 수 있다는 것입니다.

7 소프트웨어 요구사항 작성

수집 및 분석 활동이 진행 중입니다. 충분한 지식이 확보되고 문제가 충분히 분석되면 실제 요구사항 작성이 시작됩니다. 요구사항 작성에는 많은 병렬 및 반복 활동이 필요합니다. 이것은 일련의 활동이 아니기 때문에 작업으로 표시됩니다. 여섯 가지 작업을 설명합니다.

7.1 작업 1: 방법론 결정

요구사항을 문서화하는 데는 여러 가지 방법이 있습니다. 텍스트에서 그래픽으로, 텍스트와 그래픽을 결합하는 것입니다. 추적성 및 검증 가능성의 필요성 때문에 안전에 필수적인 많은 소프트웨어 요구사항은 텍스트를 자세히 설명하기 위해 주로 그래픽이 사용된 텍스트입니다. 그러나 그래픽은 요구사항 개발 노력에서 중요한 역할을 합니다. 그림은 (컴퓨터) 언어와 어휘 장벽의 교량 역할을 해줍니다. 이 단계에서 그래픽은 요구사항 (소프트웨어가 수행할 작업)이 아닌 설계 (소프트웨어가 수행하는 방식)에 중점을 둡니다. 그래픽의 대부분은 설계 단계에서 추가로 정교화 할 수 있지만 요구사항 단계에서는 구현이 필요하지 않습니다. 개발자는 요구사항을 작성할 때 일부 설계 개념을 문서화할 수 있지만 설계자 요구사항은 소프트웨어 요구사항 명세의 일부가 아니어야 합니다. 주의를 요하는 한마디로 테스트하기 어려운 사진에만 의존하지 않도록 주의합니다. 그래픽을 사용하여 요구사항을 설명할 때 요구사항의 테스트 가능성을 지속적으로 고려해야 합니다.

텍스트 설명을 향상시키는 그래픽 기술의 몇 가지 예는 다음과 같습니다.

- 컨텍스트 또는 유스케이스 다이어그램 - 외부 엔티티와의 인터페이스를 보여줍니다. 인터페이스의 세부사항은 일반적으로 인터페이스 제어 명세에서 식별됩니다.
- 상위의 데이터 사전 – 프로세스 간에 흐르는 데이터를 정의합니다. 데이터 사전은 설계 단계에서 더욱 정교해질 것입니다.
- 엔티티 관계 또는 클래스 다이어그램 - 엔티티 간의 논리적 관계를 보여줍니다.
- 상태 전환 다이어그램 - 소프트웨어 내의 상태 간 전환을 보여줍니다. 각주는 일반적으로 텍스트 형식으로 설명됩니다.
- 시퀀스 다이어그램 - 실행 중 이벤트 시퀀스와 일부 타이밍 정보를 보여줍니다.
- 논리 다이어그램 또는 의사 결정 테이블 - 기능요소의 결정을 식별합니다.
- 순서도 또는 액티비티 다이어그램 - 단계별 흐름과 결정을 식별합니다.
- 그래픽 사용자 인터페이스 - 텍스트에서 설명하기 어려운 관계를 명확히 합니다.

모델 기반 개발 접근법은 모델 사용을 통해 요구사항의 그래픽 표현을 향상시키기 위해 노력합니다. 그러나 지금까지 모델조차도 일부 텍스트 설명이 필요합니다. 선택한 기법은 텍스트와 그래픽 표현 간의 연결을 다루어야 합니다. 텍스트 요구사항은 일반적으로 그래픽 그림에 대한 컨텍스트와 참조를 제공합니다. 이는 추적성 및 완성도를 높이고 테스트를 용이하게 합니다. 때때로 그래픽은 요구사항을 지원하기 위한 참조용으로 제공됩니다. 이 경우 명확하게 기술해야 합니다.

요구사항을 작성하기 전에 고려해야 할 방법론의 또 다른 측면은 방법론에 영향을 줄 수 있으므로 컴퓨터 지원 소프트웨어 엔지니어링 (CASE) 도구와 요구사항 템플릿을 사용할지 여부입니다. 이상적으로, 선택된 방법론의 적용은 요구사항 표준에서 설명되고 설명됩니다. 이 표준은 요구사항 작성자를 안내하고 모두가 동일한 접근 방식을 따르도록 합니다.

요구사항 작성에 관련된 개발자가 여러 명 있는 경우 방법론 및 레이아웃 예제를 문서화하여 모두가 같은 방식으로 적용하도록 해야 합니다. 제공되는 예제와 세부사항이 많을수록 좋습니다.

7.2 작업 2: 소프트웨어 요구사항 문서 레이아웃 결정

소프트웨어 요구사항 문서화 프로세스의 최종 결과는 소프트웨어 요구사항 문서 (SWRD, Software Requirement Document)입니다. SWRD는 소프트웨어 시스템이 제공해야 하는 기능 및 준용해야 하는 제약사항을 기술합니다. SWRD는 모든 후속 프로젝트 기획, 설계 및 코딩과 시스템 테스트 및 사용자 문서화의 토대가 됩니다. 그것은 다양한 조건 하에서 소프트웨어 시스템의 거동을 완전히 완전하게 기술해야 합니다. 알려진 설계 및 구현 제약사항 이외의 설계, 구성, 테스트 또는 프로젝트 관리 세부사항을 포함하지 않아야 합니다.

SWRD는 소프트웨어 기능과 한계를 종합적으로 설명해야 합니다. 그것은 가정을 위한 여지를 남겨 두어서는 안됩니다. 일부 기능이나 품질이 SWRD에 나타나지 않으면 아무도 최종 결과물에 나타나지 않을 것이라고 기대해야 합니다.

요구사항 개발 프로세스 초기에 SWRD의 일반적인 레이아웃을 결정해야 합니다. 나중에 수정할 수는 있지만 일반적으로 여러 개발자가 참여하는 경우 시작하기 위한 일반적인 개요 또는 프레임 워크를 갖는 것이 중요합니다. 개요 또는 서식 파일은 모든 사람이 자신의 영역의 목표에 초점을 맞추고 다른 곳에서 적용될 내용을 이해할 수 있게 도와줍니다.

SWRD의 가독성과 유용성을 높이기 위해 다음 제안 사항이 제공됩니다.

- 목차를 하위 절과 함께 포함합니다.
- 각 절의 간략한 요약과 절 간의 관계를 포함하여 문서 레이아웃에 대한 개요를 제공합니다.
- 요구사항 전반에 걸쳐 사용될 핵심 용어를 정의하고 일관되게 사용합니다. 여기에는 위치 및 외부 피쳐 명명법이 포함될 수 있습니다. 요구사항이 언어나 도메인에 익숙하지 않은 사람에 의해 구현되거나 검증되는 경우 SWRD의 중요한 요소가 됩니다.
- 두 문자어의 완전하고 정확한 목록을 제공합니다.
- 문서의 요구사항 그룹화를 설명합니다 (컨텍스트 다이어그램과 같은 그래픽이 유용 할 수 있습니다).

논리적으로 문서를 구성하고 절/하위 절의 레이블과 번호를 사용합니다 (일반적으로 요구사항은 기능 또는 주요 기능별로 구성됩니다).

- 소프트웨어가 작동할 환경을 식별합니다.

- 가독성을 높이려면 여백을 사용합니다.

- 강조를 위해 굵게, 기울임 꼴 및 밑줄을 사용하고 전체적으로 일관되게 사용합니다. 모든 규칙, 텍스트 스타일 등의 의미를 설명해야 합니다.

- 기능 요구사항, 비 기능 또는 비 거동 요구사항 및 외부 인터페이스를 식별합니다.

- 적용할 모든 제약 조건 (예: 도구 제약 조건, 언어 제약 조건, 호환성 제약 조건, 하드웨어 제약 조건 또는 인터페이스 규칙)을 포함합니다.

- 숫자와 레이블의 숫자와 표를 표기하고 텍스트 요구사항을 명확하게 참고합니다.

- 사양 및 다른 데이터와의 상호 참조를 필요에 따라 제공합니다.

7.3 작업 3: 소프트웨어 기능을 서브 시스템 그리고 또는 기능으로 나눕니다.

이해하기 쉽고 쉽게 통합할 수 있는 관리 가능한 그룹으로 소프트웨어를 분해하는 것이 중요합니다. 대부분의 경우 요구사항 조직에 대한 상위의 보기를 제공하기 위해 컨텍스트 다이어그램 또는 유스케이스가 사용됩니다.

대형 시스템의 경우, 소프트웨어는 하위 시스템으로 나눌 수 있습니다. 소규모 시스템 및 하위 시스템의 경우 소프트웨어는 종종 기능으로 나뉘며 각 기능에는 특정 기능이 포함되어 있습니다.

앞서 언급했듯이 기능을 구성하는 한 가지 방법은 안전 및 시스템 엔지니어와 협력하여 제공되는 안전 및 시스템 기능을 정의하는 것입니다. 이 입력은 각 기능이 의도한대로 작동하는데 필요한 소프트웨어를 판별하고 의도하지 않은 영향을 방지하기 위해 필요한 보호 기능을 판별하는데 사용됩니다.

요구사항을 구성하는 다른 방법이 있습니다. 선택한 접근 방법에 관계없이 변경을 재사용하고 최소화된 영향은 일반적으로 기능을 분리할 때 고려해야 할 중요한 특성입니다.

7.4 작업 4: 요구사항 우선 순위 결정

프로젝트는 종종 일정이 까다로우며 반복 또는 나선형 수명주기 모델을 사용하여 개발되기 때문에 어떤 요구사항을 먼저 정의하고 구현해야 하는지 우선 순위를 결정해야 합니다. 우선 순위는 시스템 팀 및 고객과 조정되어야 합니다. 활성화 소프트웨어 (예: 부팅,

실행 및 입력/출력) 후에는 시스템 기능 또는 안전에 중요한 소프트웨어 기능 또는 매우 복잡한 소프트웨어 기능이 최우선 순위를 가져야 합니다. 종종 우선 순위는 고객이 정의한 긴급성 및 전반적인 시스템 기능성의 중요성에 따라 결정됩니다. 적절하게 우선 순위를 매기려면 (1) 긴급/중요 (중요도가 높음), (2) 긴급하지 않음/중요 (중간 우선 순위), (3) 긴급/중요하지 않음 (낮은 우선 순위), (4) 긴급하지 않음/중요하지 않음 (구현할 필요가 없음). 규모가 크고 복잡한 프로젝트의 경우 우선 순위를 결정할 때 여러 가지 요인을 고려해야 합니다. 일반적으로 우선 순위 결정 프로세스는 가능한 간단하고 와부요인으로부터 자유롭게 유지하는 것이 바람직합니다. 서브 시스템, 기능의 우선 순위는 프로젝트 관리 계획에서 확인되어야 합니다. 고객의 피드백과 프로젝트 필요에 따라 프로젝트가 진행됨에 따라 우선 순위를 재조정해야 할 수도 있습니다.

7.5 작업 5: 요구사항 문서화

요구사항 작성의 어려움 중 하나는 세부 수준을 결정하는 것입니다. 때로는 시스템 요구사항이 매우 상세해서 소프트웨어 요구사항에서 선호하는 것보다 상세 세부사항을 강요합니다. 다른 경우에는 시스템 요구사항이 너무 애매하고 소프트웨어 요구사항 작성자가 추가로 작업하고 분해해야 합니다. 세부 수준은 판단해야 합니다. 그러나 요구사항은 소프트웨어가 수행할 것이지만 구현 세부사항에 들어가지 않을 것이라고 충분히 설명해야 합니다. 소프트웨어 상위 요구사항을 작성할 때 소프트웨어 상세 요구사항을 포함하는 설계 계층이 여전히 발생한다는 것을 기억하는 것이 중요합니다. 소프트웨어 상위 요구사항은 설계 노력에 대한 적절한 세부사항을 제공해야 하지만 설계에 반영되지 않아야 합니다.

7.5.1 기능 요구사항 문서화

SWRD 의 대부분의 요구사항은 기능 요구사항 (거동 요구사항이라고도 함)입니다. 기능 요구사항은 소프트웨어가 예상하는 입력, 소프트웨어가 생성하는 출력 및 입력과 출력 사이에 존재하는 관계의 세부사항을 정확하게 정의합니다. 즉, 거동 요구사항은 소프트웨어와 환경 (즉, 하드웨어, 사람 및 기타 소프트웨어) 간의 인터페이스의 모든 측면을 설명합니다.

기본적으로 기능 요구사항은 소프트웨어가 수행하는 작업을 정의합니다. 앞에서 설명한 것처럼 일반적으로 하위 시스템 또는 기능별로 구성되며 자연어 텍스트와 그래픽을 조합하여 문서화됩니다.

기능 요구사항을 문서화할 때 다음 개념을 고려해야 합니다.

- 요구사항을 논리적 그룹으로 구성합니다.

- 소프트웨어 전문가가 아닌 고객 및 사용자가 이해할 수 있도록 합니다.

- 설계자에게 명확한 문서 요구사항 (잠재적인 도전 영역을 확장하기 위해 주석 또는 메모 사용). 내부 행동이 아닌 외부 소프트웨어 행동에 초점을 둔 문서 요구사항 (설계를 위해 저장).

- 테스트할 수 있는 문서 요구사항.

- 수정할 수 있는 접근 방식을 사용합니다 (요구사항 번호 지정 및 구성 포함).

- 요구사항의 출처를 확인합니다.

- 텍스트와 그래픽을 일관되게 사용합니다.

- 각 요구사항을 식별합니다.

- 중복성을 최소화합니다. 요구사항을 다시 작성할 때마다 불일치 가능성이 높아집니다.

- 요구사항 표준과 합의한 기술 및 템플릿을 따릅니다. 표준, 기술 또는 템플릿이 특정 필요를 준수 시키지 못하는 경우 계획, 표준 또는 절차에 대한 업데이트 또는 포기가 필요한지 여부를 결정합니다.

- 요구사항 관리 도구를 사용하는 경우 동의 형식을 따르고 모든 해당 필드를 사전에 완료합니다.

- 좋은 요구사항의 특성 구현.

- 조기 피드백을 얻고 팀 전체의 일관성을 보장하기 위해 팀원과 협조합니다.

- 안전 요구사항을 확인합니다. 이는 안전성 평가와 직접적으로 관련이 있고 ARP4754A 준수를 지원하는 요구사항입니다.

- 요구사항을 도출하고 그 존재 이유 (즉, 이유 또는 정당화)를 포함시킵니다. (파생된 요구사항은 나중에 논의됩니다.)

- 강건성 요구사항을 포함시키고 식별합니다. 강건성이란 "잘못된 입력, 연결된 소프트웨어 또는 하드웨어 컴포넌트의 결함 또는 예기치 않은 작동 조건에 직면했을 때 시스템이 올바르게 작동하는 정도"입니다.

각 요구사항에 대해 잠재적인 비정상적인 조건 (예: 유효하지 않은 입력 또는 유효하지 않은 상태)이 존재하는지 여부를 고려하고 각 조건에 대해 정의된 동작이 있는지 확인합니다.

7.5.2 비 기능 요구사항 문서화

기능적이지 않은 (비 거동) 요구사항은 "최종 소프트웨어에서 제시할 전반적인 품질이나 속성을 정의하는" 요구사항입니다. 기능을 설명하지는 않지만 고객이 기대하고 설계 결정을 내리기 때문에 이러한 요구사항을 문서화하는 것이 중요합니다. 이러한 요구사항은 제품이 얼마나 잘 작동하는지를 설명하기 때문에 중요합니다. 여기에는 작동 속도, 사용 용이성, 고장률 및 응답, 비정상 조건 처리와 같은 특성이 포함됩니다. 본질적으로 비 기능 요구사항에는 설계자가 이해해야 하는 제약 조건이 포함됩니다.

비기능 요구사항이 기능 또는 기능에 따라 다를 경우 기능과 함께 지정해야 합니다. 비 기능 요구사항이 모든 기능에 적용되는 경우 일반적으로 별도의 절에 포함됩니다. 비기능적 요구사항은 요구사항의 별도 절 또는 일종의 속성으로 식별해야 합니다. 일반적으로 코드를 추적하지 않으며 테스트 전략에 영향을 미치기 때문입니다. 비 기능 요구사항은 여전히 검증될 필요가 있지만 테스트 가능한 기능을 나타내지 않기 때문에 분석보다는 테스트 또는 검사로 확인되는 경우가 많습니다.

다음은 비 기능 요구사항으로 식별되는 일반적인 요구사항 유형 중 일부입니다.

가) 성능 요구사항은 가장 일반적인 비 기능 요구사항입니다. 여기에는 응답 시간, 계산 정확도, 타이밍 기대치, 메모리 요구사항 및 처리량과 같은 설계자를 돕는 정보가 포함됩니다.

나) 기능의 일부가 아닌 안전 요구사항은 기능 외 요건으로 문서화됩니다. 예를 들면 다음과 같습니다.

a. 데이터 보호 - 데이터 손실 또는 손상 방지.

b. 안전 규정 – 준수해야 하는 특정 규제 지침 또는 규칙을 지정합니다.

c. 가용성 - 소프트웨어를 사용할 수 있고 완전히 작동할 수 있는 시간을 정의합니다.

d. 신뢰성 - 시스템 안정성을 지원하기 위해 소프트웨어의 일부 측면을 사용할 때 식별합니다.

e. 안전성 마진 - 예를 들어 타이밍 또는 메모리 마진 요구사항과 같은 안전성을 지원하는데 필요한 마진 또는 허용 오차를 정의합니다.

f. 파티셔닝 - 파티셔닝 무결성이 유지되도록 합니다.

g. 서비스 저하 - 소프트웨어가 정상적으로 성능이 저하되거나 장애 발생시 작동하는 방식을 설명합니다.

h. 강건성 - 비정상적인 상태에서 소프트웨어가 어떻게 반응할지 식별합니다.

i. 무결성 - 손상 또는 부적절한 실행에서 데이터를 보호합니다.

j. 지연성 - 잠재 고장 방지.

다) 안전을 지원하거나, 시스템의 신뢰성을 보장하거나, 독점 정보를 보호하기 위해 보안 요구사항이 필요할 수 있습니다.

라) 효율성 요구사항은 시스템이 프로세서 용량, 메모리 또는 통신을 얼마나 잘 활용하는지 측정하는 것입니다. 성능 요구사항과 밀접한 관련이 있지만 소프트웨어의 다른 중요한 특성을 식별할 수 있습니다.

마) 유용성 요구사항은 소프트웨어를 사용자 친화적으로 만드는데 필요한 특성을 정의합니다. 여기에는 인적 요소 고려사항이 포함됩니다.

바) 유지관리 요구사항은 소프트웨어를 쉽게 수정하거나 수정해야 할 필요성을 설명합니다. 여기에는 초기 개발, 통합 및 소프트웨어 생산이 완료된 후에 유지관리가 포함됩니다.

사) 이식성 요구사항은 소프트웨어를 다른 환경 또는 대상 컴퓨터로 쉽게 이동해야 할 필요성을 해결합니다.

아) 재사용 가능성 요구사항은 다른 응용 프로그램 또는 시스템에 소프트웨어를 사용할 필요성을 정의합니다.

자) 테스트 가능성 요구사항은 시스템 또는 소프트웨어 개발 테스트, 통합 테스트, 고객 테스트, 항공기 테스트 및 생산 테스트를 포함하여 테스트를 위해 소프트웨어에 필요한 기능을 설명합니다.

차) 상호 운용성 요구사항은 소프트웨어가 다른 컴포넌트와 얼마나 데이터를 교환할 수 있는지를 문서화합니다. 특정 상호 운용성 표준이 적용될 수 있습니다.

카) 유연성 요구사항은 초기 개발 및 제품 수명 기간에 소프트웨어에 새로운 기능을 쉽게 추가할 필요성을 설명합니다.

7.5.3 인터페이스 문서화

인터페이스에는 사용자 인터페이스 (예: 디스플레이 시스템), 하드웨어 인터페이스 (특정 장치의 통신 프로토콜), 소프트웨어 인터페이스 (예: 응용 프로그램 프로그래머 인터페이스 또는 라이브러리 인터페이스) 및 통신 인터페이스 (예: 데이터 버스 또는 회로망).

하드웨어, 소프트웨어 및 데이터베이스와의 인터페이스에 대한 요구사항을 문서화해야 합니다. 때때로 SWRD 는 인터페이스 제어 문서를 참조합니다. 경우에 따라 명시적인 SWRD 요구사항, 독립 표준 또는 데이터 사전은 데이터 및 제어 인터페이스를 설명합니다. 인터페이스는 9 장에서 논의되는 데이터 및 제어 결합 분석을 지원하는 방식으로 문서화되어야 합니다. 요구사항에서 참조되는 인터페이스 문서는 요구사항, 테스트, 시스템 작동 및 소프트웨어 유지보수.

7.5.4 각 요구사항 고유 식별

각 요구사항에는 고유한 태그 (숫자, 레이블 또는 식별자라고도 함)가 있어야 합니다. 대부분의 조직은 요구사항을 식별하기 위해 사용해야 합니다. 각각은 하나의 요구사항을 식별하고 태그를 갖습니다. 이 접근 방식을 사용하면 요구사항 엔지니어가 실제로 필요한 것과 구별 또는 지원 정보를 구별할 수 있습니다.

일부 도구는 자동으로 요구사항 태그를 할당하지만 일부 도구는 태그를 수동으로 할당할 수 있습니다. 식별 접근법은 표준에 문서화되어야 하며 면밀히 준수되어야 합니다. 일단 태그가 사용되면 요구사항이 삭제되더라도 다시 할당하면 안됩니다. 또한 각 태그에는 하나의 요구사항만 있는지 확인하는 것이 중요합니다. 즉, 여러 요구사항을 함께 모으지 않는 게 좋습니다. 모호성이 발생하고 테스트 완료를 확인하기가 어려워지기 때문입니다.

7.5.5 이론적 근거 문서화

요구사항의 품질을 향상시키고, 요구사항을 이해하는데 필요한 시간을 줄이며, 정확성을 높이고, 유지보수 시간을 줄이고, 엔지니어에게 소프트웨어 기능을 교육하는데 유용할 수 있으므로 요구사항에 이론적 근거를 포함시키는 것이 좋습니다.

이론적 근거를 작성하는 과정은 독자의 요구사항 이해를 향상시키고 작성자가 더 나은 요구사항을 작성하는데 도움이 됩니다.

여기 보충 설명에서는 다음을 포함하여 근거를 쓰는 것에 대한 권장사항을 제공합니다.

- 요구사항 개발이 요구되는 이유와 왜 특정한 가치가 포함되는지 설명하기 위해 요구사항 개발 전반에 대한 이론적 근거를 제공합니다.

- 이론적 근거에서 요구사항을 지정하지 않습니다. 이론적 근거의 정보가 요구되는 시스템 행동에 필수적이라면, 그것은 이론적 근거가 아닌 요구사항의 일부분이어야 합니다. 요구사항의 존재 이유가 명확하지 않은 경우 근거를 제시합니다.

- 시스템이 의존하는 환경 가정에 대한 근거를 포함시킵니다.

- 각 요구사항의 가치와 범위에 대한 근거를 제공합니다.

- 각 이론적 설명을 짧게 하고 설명된 요구사항과 관련성을 유지합니다.

- 생각의 연속성을 잃지 않도록 가능한 빨리 근거를 포착합니다.

7.5.6 소스에 대한 추적 요구사항

각 요구사항은 하나 이상의 상위 요구사항 (요구사항이 분해된 상위 요구사항)을 추적해야 합니다. 요구사항 엔지니어는 소프트웨어에 할당된 각 시스템 요구사항이 소프트웨어 요구사항에 의해 완벽하게 구현되는지 확인해야 합니다.

추적성 이력은 요구사항이 작성될 때 문서화되어야 합니다. 나중에 추적하여 수정하는 것은 사실상 불가능합니다. 많은 요구사항 관리 도구는 추적 데이터를 포함할 수 있지만 도구는 추적 관계를 자동으로 알지 못합니다. 개발자는 요구사항을 추적할 수 있도록 숙달되어야 합니다. 추적 외에도 요구사항은 상세 요구사항 및 테스트 케이스까지 추적할 수 있는 방식으로 작성되어야 합니다.

7.5.7 불확실성 및 가정 식별

요구사항 정의 중에 알려지지 않은 정보가 있는 것이 일반적입니다.

TBD (To be defined) 또는 다른 명확한 표기법으로 식별될 수 있습니다. TBD 를 처리할 책임이 있는 사람과 완료시기를 식별하는 메모 또는 각주를 포함하는 것이 좋습니다. 모든 TBD 는 요구사항이 정식으로 검토되고 구현되기 전에 해결되어야 합니다. 마찬가지로, 모든 가정 (시스템, 하드웨어, 검증 또는 안전)이 해당 팀에 의해 확인되고 검증될 수 있도록 문서화되어야 합니다.

7.5.8 데이터 사전 시작

일부 프로젝트는 데이터 사전을 사용하지 않으려고 합니다. 그러나 데이터 사전은 데이터 집약적인 시스템에 매우 유용합니다. 대부분의 데이터 사전은 설계 중에 완료됩니다.

그러나 요구사항 정의 중에 공유 데이터 (데이터 의미, 유형, 길이, 형식 등 포함)를 문서화하기 시작하는 것이 좋습니다. 데이터 사전은 통합 및 전반적인 일관성을 유지하는데 도움이 됩니다. 또한 데이터의 일관성 없는 이해로 인한 오류 예방에도 도움이 됩니다. 프로젝트 세부사항에 따라 데이터 사전 및 인터페이스 제어 문서가 통합될 수 있습니다.

7.5.9 좋은 요구사항의 특성 구현

소프트웨어 요구사항에는 단일하고, 완전하고 간결하며 일관성 있고 정확하며 구현이 자유롭고 추적 가능하고 모호하지 않고 검증 가능하며 실행 가능해야 하는 동일한 특성이 있어야 합니다. 고품질 소프트웨어 요구사항을 작성하기 위한 추가 제안사항은 다음과 같습니다.

- 문법과 철자가 정확한 간결하고 완전한 문장을 사용합니다.
- 각 요구사항에 대해 하나씩 사용합니다.
- 능동 형태로 사용합니다.
- 그래픽, 굵게 쓰기, 순서 지정, 공백 또는 다른 방법을 사용하여 중요한 항목을 강조합니다.
- 용어를 SWRD 용어집 또는 정의 절에서 확인된 대로 일관되게 사용합니다.
- 모호한 용어를 사용하지 않습니다. 모호한 용어의 예로는 다음을 들 수 있습니다. 실용적, 모듈 식, 달성 가능, 충분하고 시기 적절하고 사용자 친화적인 정도까지 목표로 삼습니다. 이러한 용어가 사용되면 수량화 해야 합니다. 적절한 수준의 요구사항을

작성합니다. 일반적으로 적절한 수준은 하나 또는 몇 가지 테스트로 테스트할 수 있는 수준입니다.

- 요구사항을 일정 수준의 세부 수준으로 유지합니다.

- 그렇지 않으면 또는 제외와 같이 여러 요구사항을 나타내는 단어의 사용을 최소화하거나 피합니다.

- 두 단어를 구분하기 위해 슬래시 (/)를 사용하거나 그리고 또는 같은 표현은 모호성이 나타나기 때문에 사용하지 않아야 합니다.

- 대명사는 신중하게 사용합니다. 일반적으로 명사를 반복하는 것이 좋습니다.

- 많은 사람들이 의미를 혼란스럽게 하는 예를 들면, 즉 같은 부연 설명을 피합니다.

- 요구사항에 대한 근거와 배경을 메모 또는 메모 필드에 포함합니다. 작성자의 의도를 분명하게 하기 때문입니다.

- 부정적인 요구사항은 검증하기가 어렵기 때문에 피해야 합니다.

- 소프트웨어가 비정상적인 입력에 어떻게 반응할 것인지를 생각함으로써 요구사항에 대한 강건성을 구축합니다.

- 비슷하게 들리거나 유사한 말을 피합니다.

7.6 작업 6: 시스템 요구사항에 대한 피드백 제공

소프트웨어 요구사항을 작성하려면 시스템 요구사항을 면밀히 조사해야 합니다. 소프트웨어 팀은 종종 오류, 누락 또는 충돌하는 시스템 요구사항을 찾습니다. 시스템 요구사항에서 발견된 문제는 문제 보고서에 문서화되어 시스템 팀에 전달되어야 하며 조치가 취해졌는지 확인해야 합니다. 많은 프로그램에서 소프트웨어 팀은 시스템 팀이 구두 또는 전자 메일 피드백을 기반으로 시스템 요구사항을 수정했다고 가정합니다. 그러나 인증의 마지막 단계에서 시스템 요구사항이 업데이트 되지 않았음을 알게 되고 이 문제를 피하려면 소프트웨어 팀은 시스템 요구사항에 대한 문제 보고서를 작성하고 각 문제 보고서를 보완하여 시스템 요구사항이 업데이트되었는지 사전에 확인해야 합니다. 이슈를 철저히 준수하지 않으면 시스템 요구사항과 소프트웨어 기능 간에 불일치가 생길 수 있습니다. 요구사항에 대한 추적성이 연결되지 않으면 DO-178C 규정을 준수하지 않는 것으로 간주되므로 인증 프로세스가 지연될 수 있습니다.

8. 요구사항 확인 (검토)

일단 요구사항이 성숙되고 안정되면 검증됩니다. 이는 일반적으로 하나 이상의 동료 검토를 수행함으로써 발생합니다. 검토 과정의 목적은 구현되기 전에 오류를 잡는 것입니다. 따라서 안전성이 중요한 소프트웨어 개발에서 가장 중요하고 가치 있는 활동 중 하나입니다. 제대로 완료되면 검토를 통해 오류를 방지하고 상당한 시간을 절약하며 비용을 절감할 수 있습니다. 동료 검토는 하나 이상의 검토자로 구성된 팀이 수행합니다.

검토 과정을 최적화하기 위해서 두 단계의 동료 검토를 추천합니다:

비공식적인 형식적. 비공식적인 단계가 가장 먼저 이루어지며 성숙한 요구사항을 최대한 빨리 도울 수 있습니다. 적어도 두 명의 개발자가 공동으로 요구사항을 개발하고 지속적으로 서로 협의하고 서로의 작업을 확인하는 팀 개발 개념을 지원합니다. 목표는 공식적인 동료 검토 중에 발견된 문제를 최소화하기 위해 빈번한 비공식 검토를 일찍 수행하는 것입니다.

정식 요구사항 검토 중에 검토자는 (일반적으로 소프트웨어 검증 계획 또는 요구사항 표준에 포함된) 체크리스트를 사용합니다. DO-178C 에 근거하여, 다음 항목은 일반적으로 체크리스트에 포함되어 요구사항 검토 중에 평가됩니다.

- 검토 계획에서 확인된 진입 기준을 준수합니다. 대부분의 경우 시스템 요구사항 릴리스, 소프트웨어 요구사항 표준 릴리스, 소프트웨어 개발 및 검증 계획 릴리스 및 소프트웨어 요구사항의 형상 통제가 필요합니다.

- 상위 소프트웨어 요구사항은 시스템 요구사항을 준수합니다. 이렇게 하면 상위 요구사항이 소프트웨어에 할당된 시스템 요구사항을 완벽하게 구현할 수 있습니다.

- 상위 소프트웨어 요구사항은 시스템 요구사항을 추적합니다. 이것은 양방향 추적입니다: 소프트웨어에 할당된 모든 시스템 요구사항은 시스템 요구사항을 구현하는 상위 요구사항을 가져야 하며 모든 상위 요구사항(파생 요구사항 제외)은 시스템 요구사항을 추적해야 합니다. 6.11 절은 추적성에 대한 추가적인 생각을 제공합니다.

- 상위 소프트웨어 요구사항은 정확하고 모호하지 않으며 일관되고 완전합니다. 여기에는 입력 및 출력이 명확하게 정의되고 정량적인 형태 (측정 단위, 범위, 크기 조정, 정확도 및 도착 빈도 포함)가 포함되며 정상 및 비정상 조건 모두 처리되며 다이어그램은 정확하고 명확하게 표시됩니다.

- 상위 소프트웨어 요구사항은 요구사항 표준을 준수합니다. 요구사항 표준에는 좋은 요구사항의 속성이 포함되어야 합니다.

- 상위 소프트웨어 요구사항을 검증할 수 있습니다. 예를 들어 측정과 관련된 요구사항에는 허용 오차, 식별자/태그 당 하나의 요구사항, 수량화 가능한 조건 및 부정적이지 않은 요구사항이 포함됩니다.

- 상위 소프트웨어 요구사항은 고유하게 식별됩니다. 앞서 언급했듯이 각 요구사항에는 고유 식별자/태그가 있어야 합니다.

- 상위 요구사항은 대상 컴퓨터와 호환됩니다. 목적은 상위 요구사항이 대상 컴퓨터의 하드웨어/소프트웨어 기능, 특히 응답 시간 및 입/출력 하드웨어와 관련이 있는지

확인하는 것입니다. 종종 이것은 요구사항 검토보다 설계 검토 중에 더 적용 가능합니다.

- 제안된 알고리즘은 특히 불연속 영역에서 정확성과 동작을 보장하기 위해 검사되었습니다.
- 파생된 요구사항은 적절하고 적절하게 정당화되며 안전 팀에 제공되어야 합니다.
- 기능 및 작동 요구사항은 각 작동 모드에 대해 문서화됩니다.
- 상위 요구사항에는 성능 기준 (예: 정밀도 및 정확도)이 포함됩니다.
- 상위 요구사항에는 타이밍 요구사항 및 제약 조건이 포함됩니다.
- 상위 요구사항에는 메모리 크기 제약 조건이 포함됩니다.
- 상위 요구사항에는 프로토콜, 형식 및 입력 및 출력 빈도와 같은 하드웨어 및 소프트웨어 인터페이스가 포함됩니다.
- 상위 요구사항에는 고장 탐지 및 안전 모니터링 요구사항이 포함됩니다.
- 상위 요구사항에는 소프트웨어 컴포넌트가 서로 상호 작용하는 방식과 각 파티션의 소프트웨어 Level을 지정하기 위한 파티션 요구사항이 포함됩니다.

공식 검토 중에 요구사항은 전체 또는 기능 그룹으로 확인될 수 있습니다. 검토를 기능별로 나누면, 일관성과 응집력을 위해 통합 그룹을 검토하는 검토가 필요합니다.

검토가 효과적이기 위해서는 적절한 검토자가 필요합니다.

검토자는 소프트웨어 개발자, 시스템 엔지니어, 테스트 엔지니어, 안전 담당자, 소프트웨어 품질보증 엔지니어 및 인증 담당자와 같은 자격을 갖춘 기술 인력을 포함해야 합니다. 모든 검토자가 검토를 수행하기 전에 체크리스트 항목을 읽고 철저히 이해해야 합니다. 검토자가 체크리스트에 익숙하지 않은 경우, 각 체크리스트 항목에 대한 지침 및 예를 제공하여 교육을 제공해야 합니다.

공식 검토의 의견은 문서화되고 분류되어야 합니다 (예: 중대한 사안, 사소한 사안, 편집상의 논평, 중복된 의견, 변경 없음). 의견 제시자는 검토가 끝나기 전에 취해진 조치에 동의해야 합니다. 요구사항 체크리스트는 검토가 끝나기 전에 성공적으로 완료되어야 합니다. 동료 평가 프로세스에 대한 권장사항은 다음과 같습니다.

8.1 동료 검토 (Peer Review) 권장 프렉티스

필수 사항은 아니지만 대부분의 프로젝트는 계획, 요구사항, 설계, 코드, 검증 사례 및 절차, 검증 보고서, 형상 색인, 성취 요약 및 기타 주요 생애주기 데이터를 검증하기 위해 공식적인 동료 검토 프로세스를 사용합니다. 정식 팀은 종종 개인이 놓칠 수 있는 오류를 발견할 수 있습니다. 동일한 동료 검토 프로세스가 여러 수명주기 데이터 항목에 걸쳐 사용될 수 있습니다 (요구사항에 국한되지 않음). 즉, 검토 프로세스를 표준화하여 체크리스트, 검토할 데이터 및 검토자가 실제 검토를 위해 변경되도록 할 수 있습니다. 이 절에서는 동료 검토 프로세스에 통합하기 위해 권장되는 몇 가지 방법을 설명합니다.

- 검토자가 일정을 잡거나 데이터를 제공하고 검토 의견을 모으고 통합하며 검토 회의를 검토하고 검토 체크리스트가 완료되었는지 확인하고 완료 전에 모든 검토 의견을 처리했는지 확인합니다.

- 검토할 데이터가 형상 관리하에 있는지 확인합니다. 비공식적 또는 개발과정의 형상 관리일 수 있지만 통제되어야 하며 버전은 동료 검토 기록에서 식별되어야 합니다.

- 검토할 데이터와 동료 검토 기록의 관련 버전을 식별합니다.

- 동료 검토의 날짜, 초대된 검토자, 의견을 제공한 검토자 및 각 검토자가 검토에 소비한 시간을 식별합니다. 검토자 정보는 독립성과 실사의 증거를 제공하는데 중요합니다.

- 필요에 따라 또는 계약 또는 절차에 따라 고객을 참여시킵니다.

- 검토를 위해 체크리스트를 사용하고 모든 검토자가 체크리스트 및 검토중인 데이터에 대한 적절한 표준에 대해 교육받았는지 확인합니다. 체크리스트는 일반적으로 승인된 계획 또는 표준에 포함되거나 참조됩니다.

- 검토 패키지 (라인 또는 절 번호로 평가할 데이터, 체크리스트, 검토 형식 및 검토에 필요한 다른 데이터 포함)를 검토자에게 제공하고 필수 검토자 및 선택 검토자를 식별합니다.

- 각 검토자 (예: 한 사람이 추적 가능성을 검토할 수 있는 사람, 한 사람이 표준을 준수하는지 검토하는 등)에 대한 책임을 할당합니다. 필요한 검토자가 체크리스트의 모든 측면을 다루고 있고, 검토자가 작업을 수행하며, 검토자가 할당된 작업에 적합한지 확인합니다. 필수 검토자가 필요 없거나 자신의 업무를 수행할 수 없는 경우 동등 자격을 가진 다른 사람이 검토를 수행해야 하거나 검토 일정을 다시 잡아야 합니다.

- 검토자에게 지침 (예: 마감일, 회의 날짜, 역할, 초점 영역, 미해결 문제, 파일 위치, 참조 문서 등)을 제공합니다.

- 검토자에게 충분한 주의와 검토 수행 시간을 줍니다. 필요한 검토자가 더 많은 시간이 필요할 경우 검토 일정을 변경합니다.

- 적절한 수준의 독립성을 확보합니다. DO-178C 부속서 A 표는 독립성이 요구될 때 소프트웨어 Level 으로 식별합니다. 10 장에서는 검증의 독립성에 대해 설명합니다.

- 공인된 평가자를 활용합니다. 핵심 기술 검토자는 데이터 (예: 테스터 및 설계자)와 하나 이상의 독립 개발자 (독립성이 필요한 경우)를 사용할 사용자를 포함합니다. 요구사항 검토를 위해서는 시스템 및 안전 담당자가 참여하는 것이 좋습니다. 검토는 사람들이 수행하는 만큼 좋을 것이므로, 기술적인 역할을 위해 가장 우수하고 가장

유능한 사람들을 사용하는 프로젝트의 수명에 보답합니다. 후임 엔지니어는 지원 역할을 수행하여 학습할 수 있습니다.

- 소프트웨어 품질 보증 및 인증 연락 담당자 및 기타 필요한 지원 인력을 초대합니다.

- 팀 규모를 적당한 수로 유지합니다. 이는 주관적이며 검토중인 데이터의 중요성과 소프트웨어 Level 에 따라 달라질 수 있습니다.

- 검토자가 의견을 문서화할 수 있는 방법을 제공합니다 (스프레드 시트 또는 주석 도구가 일반적임). 검토자 이름, 문서 식별 및 버전, 문서의 절 또는 행 번호, 주석 번호, 주석 및 주석 분류 (중요, 사소한, 사설 등)는 일반적으로 검토자가 입력하는 데이터입니다.

- 중요하지 않은 의견이나 질문을 토론하기 위해 회의 일정을 정합니다. 일부 회사는 회의 수를 제한하고 논쟁의 여지가 있는 주제에 대해서만 회의를 사용합니다. 회의가 열리지 않는다면 모든 검토자의 동의를 얻을 수 있는 방법이 있는지 확인합니다.

- 회의가 있다고 가정하고, 데이터 작성자에게 검토 시간을 제공하고 회의 전에 각 의견에 대한 응답을 제안합니다. 회의 시간은 대면 상호 작용이 필요한 중요하지 않은 항목에 초점을 맞추어야 합니다.

- 팀이 지리적으로 퍼져 있는 경우 전자 네트워킹 기능 (예: WebEx, NetMeeting 또는 Live Meeting)과 원격 화상 회의를 사용하여 적절한 사람들을 참여시킵니다.

- 문제를 논의하는데 걸리는 시간을 제한합니다. 일부 회사는 2 분의 규칙을 적용합니다. 2 분 이상 필요한 모든 토론은 이후 토론을 위해 표로 만들어집니다. 할당된 시간 내에 항목을 확인할 수 없는 경우 적절한 이해관계자와의 후속 미팅을 설정합니다. 중재자는 토론을 일정에 맞추기 위해 도움을 줍니다.

- 에스컬레이션 경로, 리드 중재인 또는 제품 통제 보드와 같은 논란이 되는 문제를 논의하기 위한 프로세스를 식별합니다.

- 검토 체크리스트를 작성합니다. 몇 가지 가능한 접근법을 사용할 수 있습니다: 체크리스트는 각 팀 구성원이 동료 평가 회의 중에 팀에서, 또는 자격 있는 검토자가 완료할 수 있습니다. 모든 검토 의견이 처리될 때까지 검사 목록을 성공적으로 완료하는 것은 일반적으로 불가능합니다.

- 검토가 끝나기 전에 모든 문제를 해결하고 처리해야 합니다. 문제를 해결해야 하지만 검토를 마무리하기 전에 해결할 수 없는 경우 문제 보고서가 생성되어야 합니다. 검토 기록에 문제 보고 번호를 포함시켜 문제가 최종 해결되거나 적절하게 처리되도록 해야 합니다.

- 큰 문서를 더 작은 패키지로 나누고 고 위험 영역을 먼저 검토합니다. 모든 개별 패키지를 검토한 후에는 숙련된 엔지니어 또는 팀이 통합 검토를 수행하여 모든 패키지가 일관되고 정확한지 확인해야 합니다.

- 인증 기록이므로 검토 기록 및 체크리스트를 저장하고 검색하는 체계적인 접근 방식을 취해야 합니다.

9 요구사항 관리

9.1 요구사항 관리의 기본 사항

소프트웨어 개발의 중요한 부분은 요구사항 관리입니다. 요구사항을 작성할 때 계획과 이행 간에는 변동이 발생합니다. 조직된 요구사항 관리 프로세스는 피할 수 없는 변화를 관리하는데 필수적입니다. 요구사항 관리에는 "프로젝트가 진행됨에 따라 요구사항 계약의 무결성, 정확성 및 통화를 유지하기 위한 모든 활동"이 포함됩니다.

요구사항을 관리하려면 다음을 수행해야 합니다.

- 수정할 수 있는 요구사항을 개발합니다. 앞서 언급한 것처럼 수정가능성은 좋은 요구사항의 특징입니다. 수정 가능한 요구사항은 적절한 수준의 세분화되고 구현이 없으며 명확하게 식별되고 추적 가능합니다.

- 요구사항을 기준으로 삼는다. 기능 및 비 기능 요구사항은 모두 기준으로 삼아야 합니다. 베이스라인은 일반적으로 요구사항이 동료 검토를 거친 후에 발생합니다. 대형 프로젝트의 경우 SWRD 의 절 또는 전체 요구사항에 대한 버전 제어가 유용합니다.

- 베이스라인의 모든 변경 사항을 관리합니다. 이는 일반적으로 문제 보고 프로세스 및 변경 통제 보드를 통해 발생합니다. 요구사항의 변경사항은 변경 통제위원회에서 확인하고 승인하며 구현하고 재검토합니다.

- 승인된 프로세스를 사용하여 요구사항을 업데이트합니다. 요구사항에 대한 업데이트는 계획에 정의된 것과 동일한 요구사항 프로세스를 사용해야 합니다. 즉, 표준을 따르고, 품질 속성을 구현하고, 리뷰를 수행하는 등의 작업을 하는 것입니다. 외부 감사관과 품질보증 엔지니어는 수정의 철저함을 면밀히 관찰하는 경향이 있습니다.

- 요구사항을 재검토합니다. 변경 사항이 구현되면 변경 사항에 영향을 받는 변경 사항 및 요구사항을 다시 검토해야 합니다. 여러 요구사항이 변경되면 팀 검토가 적절할 수 있습니다. 변경되거나 영향을 받는 요구사항의 수가 작고 간단하면 개인이 검토를 수행할 수 있습니다. 적절한 수준의 독립성은 여전히 필요합니다.

- 추적 상태. 각 요구사항의 상태를 추적해야 합니다. 요구사항 변경의 일반적인 상태는 제안, 승인, 구현, 검증, 삭제 또는 거부입니다. 종종 상태는 두 가지 상태 시스템을 갖지 않도록 문제 보고 프로세스를 통해 관리됩니다. 문제 보고 프로세스에는 일반적으로 개방형 (요구사항 변경 제안), 작업 중 (변경 승인), 구현 (변경됨), 확인 (변경 검토), 취소 (변경 승인 안 됨) 등의 상태가 포함됩니다.

10. 추적성

DO-178C 는 시스템과 소프트웨어 상위 요구사항, 소프트웨어 상위 요구사항과 소프트웨어 상세 요구사항, 소프트웨어 상세 요구사항과 코드, 요구사항과 테스트 케이스, 테스트 케이스와 테스트 절차, 테스트 절차와 시험 결과. 이 절에서는 (1) 추적성의 중요성과 이점, (2) 상향식 및 상향식 추적성, (3) DO-178C 가 추적성에 대한 설명, 그리고 (4) 피해야 할 도전 과제를 검토합니다.

10.1 추적 가능성의 중요성 및 이점

요구사항, 설계, 코드 및 테스트 데이터 간의 추적성은 DO-178C 목적 준수에 필수적입니다. 훌륭한 추적성에는 많은 이점이 있습니다.

이점 1: 인증 기관 감사를 통과하려면 추적성이 필요합니다. 추적성은 소프트웨어 프로젝트 및 DO-178C 준수에 매우 중요합니다. 우수한 추적성이 없다면 인증 기관이 확신할 수 없기 때문에 개발 보증에 대한 전체 주장이 붕괴됩니다. DO-178C 의 많은 목적과 개념 및 우수한 소프트웨어 엔지니어링은 추적 가능성의 개념을 토대로 합니다.

이점 2: 이력 추적성은 규정이 준수된다는 확신을 줍니다.

이력 추적은 적절하게 수행될 때 모든 요구사항이 구현되고 검증되기 때문에 추적 가능성이 중요합니다. 이는 규정에서 의도된 기능이 구현되었다는 증거가 필요하기 때문에 규정 준수를 직접 지원합니다.

이점 3: 영향 분석 및 유지 관리를 변경하려면 추적 가능성이 필수적입니다. 요구사항, 설계 및 코드의 변경은 소프트웨어 개발에 필수적이므로 엔지니어는 소프트웨어 및 지원 수명주기 데이터를 변경하는 방법을 고려해야 합니다. 변경이 발생하면 추적 가능성은 영향을 받는 데이터를 식별하고 업데이트 해야 하며 재 검증을 필요로 합니다.

이점 4: 추적 가능성은 프로젝트 관리에 도움이 됩니다. 최신 추적성 데이터는 프로젝트 관리자가 구현 및 검증된 내용과 수행해야 할 작업을 파악하는데 도움이 됩니다.

이점 5: 추적 가능성은 완료를 결정하는데 도움이 됩니다. 우수한 양방향 추적 체계를 통해 엔지니어는 각 데이터 항목을 완료한 시기를 알 수 있습니다. 또한 아직 구현되지 않았거나 드라이버 없이 구현된 데이터 항목을 식별합니다. 단계 (예: 설계 또는 테스트 케이스 개발)가 완료되면, 추적성 데이터는 소프트웨어 수명주기 데이터가 완전하고 이전 단계의 데이터와 일치하며 다음 단계의 입력으로 사용될 준비가 되었음을 보여줍니다.

10.2 양방향 추적성

모든 요구사항 및 유일한 요구사항 구현 목표를 달성하기 위해서는 순방향 추적성 (하향식)과 역방향 추적성 (상향식)의 두 가지 유형의 추적성이 필요합니다. 양방향 추적성은 발생하는 것이 아니라 개발 프로세스 전반에 걸쳐 고려되어야 합니다. 실행을 위한 최선의 방법은 개발의 각 단계에서 양방향 추적성을 구현하고 점검하는 것입니다

- 소프트웨어 요구사항을 검토하는 동안 시스템 요구사항과 소프트웨어 요구사항 사이의 하향식 및 상향식 추적을 확인합니다.

- 설계 설명을 검토하는 동안 상위 소프트웨어 요구사항과 하위 소프트웨어 요구사항 간의 양방향 추적을 확인합니다.

- 코드 검토 중에 상세 소프트웨어 요구사항과 소스 코드 간의 양방향 추적을 확인합니다.

- 테스트 케이스 및 절차를 검토하는 동안 테스트 케이스와 요구사항 (상위 및 상세 모두)과 테스트 케이스와 테스트 절차 간의 양방향 추적을 확인합니다.

- 테스트 결과를 검토하는 동안 테스트 결과와 테스트 절차 간의 양방향 추적을 확인합니다.

검토 중에는 양방향을 고려해야 합니다. 한 방향만 완료되었다고 해서 반드시 추적이 양방향임을 의미하지는 않습니다. 예를 들어, 소프트웨어에 할당된 모든 시스템 요구사항은 상위 소프트웨어 요구사항을 추적할 수 있습니다. 그러나 시스템 요구사항까지 추적하지 않는 일부 상위 소프트웨어 요구사항이 있을 수 있습니다. 파생된 요구사항은 부모가 없는 유일한 요구사항이어야 합니다.

추적 활동은 추적의 완전성을 찾는 것이 아니라 추적의 기술적 정확성을 평가해야 합니다. 예를 들어 시스템 요구사항과 하위 항목 (상위 소프트웨어 요구사항) 간의 추적을 평가할 때 다음 질문을 고려합니다.

- 고급 소프트웨어 요구사항이 시스템 요구사항을 완벽하게 구현합니까?

- 시스템 요구사항 중 상위 소프트웨어 요구사항에 반영되지 않은 부분이 있습니까?

- 이 요구사항 간의 관계가 정확하고 완전합니까?

- 누락된 흔적이 있습니까?

- 상위 소프트웨어 요구사항이 여러 시스템 요구사항을 추적하는 경우 요구사항 그룹의 관계가 정확하고 완전합니까?

- 요구사항의 각 단계별 세분화가 적절한가요?
  예를 들어, 상위 소프트웨어 요구사항에 대한 시스템의 비율이 적절합니까? 마법 번호는 없지만 1:1 또는 1:10 이상의 많은 요구사항은 세분화 문제를 나타낼 수 있습니다.

- 다 대 다 흔적이 있는 경우 적절합니까?

10.3 DO-178C 및 추적성

DO-178B 는 추적성 활동을 검증 활동으로 규정하였지만, 추적성 정보를 문서화하는 방법에 대해서는 다소 모호했습니다. 대부분의 신청자는 확인 보고서의 일부로 추적 정보를 포함합니다. 그러나 일부는 개발된 데이터 자체 (즉, 요구사항, 설계, 코드 및 테스트 사례 및 절차)를 포함합니다. DO-178C 는 추적 정보가 문서화된 곳에서 여전히 유연합니다. 그러나 요구사항, 설계, 코드 및 테스트를 개발하는 동안 추적 데이터라는 자료가 필요합니다.

DO-178C 절 5.5 는 소프트웨어 개발 중에 발생하는 추적 활동을 식별합니다. (1) 소프트웨어에 할당된 시스템 요구사항과 상위 소프트웨어 요구사항, (2) 상위 소프트웨어 요구사항 및 상세 소프트웨어 요구사항, (3) 상세 소프트웨어 요구사항 및 소스 코드 간의 양방향 추적이 명시적으로 요구됩니다. DO-178C 표 A-2 는 추적 데이터를 추적 활동의 증거 및 개발 프로세스의 결과로 식별합니다.

마찬가지로 DO-178C 6.5 절에서는 검증 과정에서 추적 활동을 설명하고 (1) 소프트웨어 요구사항과 테스트 케이스, (2) 테스트 케이스와 테스트 절차, (3) 테스트 절차와 테스트 결과 간의 양방향 추적이 필요합니다. DO-178C 표 A-6 은 테스트 프로세스의 출력으로서 추적 데이터를 식별합니다.

DO-178 에서는 양방향 추적성을 암시하고 본질적으로 요구했지만 양방향 추적성이라는 용어는 포함하지 않았습니다. DO-178B section 6 은 전 방향 추적성 (6.3.1.f, 6.3.2.f, 6.3.4.f, 6.3.4.1 절)에 대해 논한 반면, DO-178B 표 A-3 (objective 6) A-4 (목표 6), A-5 (목표 5) 및 A-7 (목표 3 및 4)은 역방향 추적성을 암시합니다. 따라서 인증 기관에서 이 두 가지 요구사항을 모두 준수해야 합니다. 그러나 DO-178C 는 이 분야에서 더 명백합니다. DO-178C 는 특히 추적 데이터의 개발과 양방향 추적성의 필요성을 확인합니다.

10.4 추적 가능성 문제

소프트웨어 엔지니어링의 다른 모든 것들과 마찬가지로, 추적성을 구현하기 위해서는 많은 어려움이 있습니다. 일반적인 문제 중 일부는 다음과 같습니다.

위협 1: 적극적인 추적성. 대부분의 소프트웨어 엔지니어는 문제를 해결하고 설계 또는 코드를 만드는 것을 좋아합니다. 그러나 그 중 소수만이 업무와 관련된 서류 및 기록 보관을 즐깁니다. 정확하고 완전한 추적성을 가지려면 개발이 진행됨에 따라 추적성을 문서화해야 합니다. 즉, 소프트웨어 상위 요구사항이 작성되면 시스템 요구사항에 대한 추적이 기록되어야 합니다. 설계가 문서화될 때 상위 요구사항에 대한 추적을 기록해야 합니다. 코드가 개발됨에 따라 상세 요구사항에 대한 추적을 문서화해야 합니다.

데이터 작성자가 추적을 사전에 수행하지 않으면 데이터에 익숙하지 않은 사람이 원래 개발자의 사고 프로세스, 컨텍스트 또는 의사 결정을 알지 못하기 때문에 나중에 수행하기가 어렵습니다. 추측이나 가정을 하도록 강요 받을 수 있습니다. 또한, 추적이 사실 이후에 수행되면 양방향 추적성에 누락이 생기는 경향이 있습니다. 달리 말하면, 일부 요구사항은 부분적으로 구현될 수 있으며 요구사항에 포함되지 않은 일부 기능이 구현될 수 있습니다. 요구사항을 적절하게 수정하는 대신 사후에 정리 엔지니어가 부분적으로 추적하여 파생될 수 있는 많은 요구사항을 호출하거나 (부모가 없기 때문에) 일반 요구사항을 추적할 수 있습니다. 경험이 부족한 엔지니어가 사후 추적을 수행할 때 특히 그렇습니다.

위협 2: 추적 데이터를 최신으로 유지. 일부 프로젝트는 초기 추적 데이터를 작성하는데 매우 효과적입니다. 그러나 변경이 이루어지면 업데이트하지 못합니다. 추적 가능성은 데이터가 수정될 때마다 평가되고 적절히 업데이트 되어야 합니다. 현재 및 정확한 추적 데이터는 요구사항 관리 결정 및 변경 영향 평가에 중요합니다.

위협 3: 양방향 추적하기. 한 방향으로의 추적이 완료되면 모든 것이 완료되었다고 생각할 수 있습니다. 그러나 앞에서 설명한 것처럼 앞으로 추적이 완료되었다고 해서 뒤로 추적이 있다는 의미는 아닙니다. 반대의 경우도 마찬가지입니다. 추적 데이터는 하향식 (앞으로) 및 상향식 (후방) 관점 모두에서 고려해야 합니다.

위협 4: 다 대 다 흔적. 이것은 부모 요구사항이 여러 자녀 및 자녀 요구사항 추적을 여러 부모에게 추적할 때 발생합니다. 다 대다 추적이 정확하고 적절한 상황이 분명히 있지만, 다 대다 추적의 과다가 문제의 증상이 되는 경향이 있습니다. 종종 문제는 요구사항이 잘 조직되어 있지 않거나 추적이 사실 이후에 수행되었다는 것입니다. 다 대 다 흔적에 대한 인증 지침은 없지만 개발자와 인증 기관에게 혼란을 줄 수 있으며 종종 정당화하고 유지하기가 어렵습니다. 다 대다 추적은 가능한 최소화해야 합니다.

위협 5: 파생된 것과 그렇지 않은 것을 결정합니다. 파생된 요구사항은 어려울 수 있습니다. 한 번 이상 작성자는 상위 요구사항이 없어 프로젝트가 요구사항을 추가하기를 원하지 않기 때문에 파생된 플래그가 설정된 프로젝트를 평가했습니다. 파생된 요구사항은 신중하게 사용해야 합니다.

이들은 상위 요구사항을 놓치기 위한 플러그가 아니지만 상위에서는 중요하지 않은 설계 세부사항을 나타냅니다. 상위에서 누락된 기능을 보완하기 위해 파생된 요구사항을 추가해서는 안됩니다. 파생된 요구사항의 부정확한 분류를 피하는 한 가지 방법은 각 요구사항이 필요한 이유와 파생된 것으로 분류된 이유를 정당화하는 것입니다. 요구사항을 설명하거나 정당화할 수 없는 경우 필요하지 않거나 상위 요구사항이 될 수 있습니다. 있어야 할 곳에 없는 파생된 모든 요구사항은 안전 팀에서 평가해야 하며 모든 코드는 요구사항을 추적할 수 있어야 합니다. 파생 코드라는 범주는 없습니다.

위협 6: 약한 링크. 흔히 추적되는지 파생되는지에 대해 논쟁의 여지가 있는 요구사항이 있을 수 있습니다. 그것들은 상위 요구사항과 관련될 수 있지만 상위 요구사항의 직접적인 결과는 아닙니다. 추적을 포함하기로 결정한 경우 상위 및 상세 요구사항 간의 관계에 대한 이론적 근거를 포함하는 것이 좋습니다. 약한 링크가 포함된 이유에 대한 간략한 설명을 제공함으로써 요구사항의 모든 사용자가 연결을 더 잘 이해하고 향후 변경 사항의 영향을 평가하는데 도움이 됩니다. 또한 이 메모는 명백한 관계가 아닌 내용을 설명함으로써 인증 및 소프트웨어 유지관리 노력을 지원합니다. 설명은 장황하지 않아도 됩니다. 짧은 문장 또는 두 문장이 보통 적당합니다. 요구사항이 파생된 것으로 분류되더라도 영향 분석 및 변경 관리를 나중에 변경하는데 도움이 될 수 있으므로 관계를 언급하는 것이 좋습니다 (즉, 수정 가능성 지원).

위협 7: 암시적 추적성. 일부 프로젝트는 암시적 추적성의 개념을 사용합니다. 예를 들어, 추적은 명명 규칙 또는 문서 레이아웃에 의해 가정될 수 있습니다. 이러한 접근 방식은 인증 기관에서 인정했습니다. 새로운 과제는 추적 데이터에 대한 DO-178C 의 요구사항입니다. 암시적 추적성이 내장되어 별도의 추적 자료는 발생하지 않습니다. 따라서 암시적 추적성은 신중하게 처리해야 합니다. 다음은 몇 가지 제안사항입니다.

- 개발자가 기대치를 알 수 있도록 표준 및 계획에 추적 규칙을 포함시킵니다.
- 암시적 추적성이 정확하고 완전한 지 확인하기 위해 추적의 검토를 문서화합니다.
- 소프트웨어 계획에서 접근 방식을 확인하고 인증 기관의 승인을 얻습니다.
- 일관성을 유지합니다. 절에 암시적 및 명시적 추적을 혼합하지 않습니다 (잘 문서화되어 있지 않은 경우).

위협 8: 강건성 테스트 흔적. 때때로 개발자 또는 테스터는 강건성 테스트가 요구사항을 추적할 필요가 없다고 주장합니다. 의도된 기능을 입증하기보다는 소프트웨어를 해독하려고 하기 때문입니다. 그들은 테스터를 단지 요구사항으로 제한함으로써 소프트웨어의 약점을 놓칠 수도 있다고 주장합니다.

테스터는 테스트를 통해 생각할 때 요구사항에 국한해서는 안됩니다. 그러나 테스터는 요구사항을 추적하지 않는 강건성 테스트를 작성하기 보다는 요구사항이 불완전한 시기를 식별해야 합니다. 테스터는 종종 요구사항에 반영되어야 하는 누락된 시나리오를 식별합니다. 테스터가 요구사항 및 설계 검토에 참여하여 잠재적인 요구사항 약점을 사전에 식별하는 것이 좋습니다. 마찬가지로 개발자는 테스트 검토에 참여하여 요구사항 격차를 빠르게 채우고 테스터가 요구사항을 이해할 수 있도록 할 수 있습니다.

부록 5. 설계 보충설명

1. 소프트웨어 설계 개요

DO-178C 는 설계 분야의 다른 소프트웨어 개발 문서를 참조합니다. DO-178C 는 소프트웨어 설계에 소프트웨어 아키텍처와 LLR (Low Level Requirements, 상세 요구사항)이 포함되어야 합니다.

소프트웨어 아키텍처는 일반적으로 이해되는 설계 부분입니다. 그러나 LLR 이라는 용어는 상당한 혼란을 불러오기도 했습니다. 왜냐하면 소프트웨어 개발 단계에서 요구사항 단계와 설계 단계는 구분되는 것이 일반적인데 DO-178C 에서는 소프트웨어 설계 단계에서 LLR 을 기술하기 때문입니다. 하지만 이러한 측면도 다른 시각에서 보면 상위 요구사항에서 정의한 요소에 대해 상세 요구사항으로 정의하는 것은 설계 측면의 활동이라고 봐야 할 것입니다.

이러한 설계는 소프트웨어 구현 단계의 청사진 역할을 합니다.

소프트웨어 구성 방법 (아키텍처)과 원하는 기능 (LLR)을 수행하는 방법을 모두 설명합니다. DO-178C 설계 지침을 이해하려면 소프트웨어 설계의 두 가지 요소 인 아키텍처와 LLR 을 이해하는 것이 중요합니다.

1.1 소프트웨어 아키텍처

DO-178C 는 소프트웨어 아키텍처를 "소프트웨어 요구사항을 구현하기 위해 선택된 소프트웨어의 구조"로 정의합니다.

아키텍처는 설계 프로세스의 중요한 부분입니다. 아키텍처를 문서화하는 동안 명심해야 할 몇 가지 사항은 다음과 같습니다.

첫째, DO-178C 를 준수하려면 아키텍처가 요구사항과 호환되어야 합니다. 따라서 호환성을 확보하기 위한 몇 가지 방법이 필요합니다. 흔히 추적성 또는 요구사항과 아키텍처 간의 매핑이 사용됩니다.

둘째, 아키텍처는 명확하고 일관된 형식으로 문서화되어야 합니다. 코드를 구현하기 위해 설계를 사용할 코더와 미래에 소프트웨어와 설계를 유지할 개발자를 고려하는 것이 중요합니다. 아키텍처는 정확하게 구현 및 유지관리하기 위해 명확하게 정의되어야 합니다.

셋째, 필요에 따라 업데이트되고 반복적으로 구현될 수 있는 방식으로 아키텍처를 문서화해야 합니다. 이것은 반복 또는 진화 개발 노력, 형상 선택사항 또는 안전 접근법을 지원하는 것일 수 있습니다.

넷째, 서로 다른 아키텍처 스타일이 존재합니다. 대부분의 스타일에서 아키텍처에는 컴포넌트와 커넥터가 포함됩니다. 그러나 이러한 컴포넌트와 커넥터의 유형은 사용된 아키텍처 접근 방식에 따라 다릅니다. 대부분의 실시간 항공 소프트웨어는 기능적 구조를 사용합니다. 이 경우 컴포넌트는 기능을 나타내고 커넥터는 기능 간의 인터페이스를 나타냅니다 (데이터 형식 또는 제어 형식).

1.2 소프트웨어 상세 요구사항

DO-178C 는 LLR 을 다음과 같이 정의합니다. "상위 요구사항, 파생된 요구사항 및 추가 제한 없이 소스 코드를 직접 구현할 수 있는 설계 제한에서 개발된 소프트웨어 요구사항"

LLR 은 상위 요구사항 (HLR)을 코드를 직접 작성할 수 있는 수준으로 분해합니다. DO-178C 는 본질적으로 상세한 엔지니어링 사고 프로세스를 코딩 단계가 아닌 설계 단계에 적용합니다. 설계가 제대로 문서화되면 코딩 작업이 상대적으로 간단해야 합니다.

2 가지 레벨의 소프트웨어 요구사항 (상위와 상세)에 대한 요구가 심하게 논의되었습니다. 다음은 LLR 을 계획하고 작성할 때 명심해야 할 10 가지 개념입니다.

개념 1: LLR 은 설계 세부사항입니다. LLR 은 설계의 일부이기 때문에 단어에 대한 선택이 오해를 불러일으키기도 합니다. 코더를 구현하기 위한 단계로 생각하는 것이 도움이 됩니다. 때때로 LLR 은 의사 코드 또는 모델로 표현되기도 합니다.

개념 2: LLR 은 고유하게 식별되어야 합니다. LLR 은 HLR 까지 추적되어야 하고 코드를 작성해야 하기 때문에 LLR 을 고유하게 식별해야 합니다.

개념 3: LLR 은 소프트웨어 품질 속성을 가져야 합니다. 그러나 LLR 은 무엇(what)이 아닌 방법(how)에 중점을 둡니다. LLR 은 구현 세부사항이며 HLR 에 문서화 된 기능을 수행하기 위해 소프트웨어가 구현되는 방법에 대한 세부사항을 다루어야 합니다.

개념 4: LLR 을 입증할 수 있어야 합니다. DO-178C 에서 요구사항이란 단어가 유지된 이유 중 하나는 Level A, B 및 C 의 경우 LLR 을 테스트해야 한다는 것입니다. 요구사항을 작성할 때 고려해야 할 중요한 사항입니다.

개념 5: 때로는 LLR 이 전혀 필요하지 않을 수도 있습니다. 일부 프로젝트에서 HLR 은 충분히 상세화 되어있어서 직접 HLR 을 코드화할 수 있습니다. 이것은 예외가 아니라 규칙입니다. 그러나 이 방법은 권장되지 않습니다. HLR 은 기능에 중점을 두어야 하지만 LLR 은 구현에 초점을 맞추어야 합니다. 그러나 HLR 이 충분히 상세하게 (즉, 무엇을 어떻게 혼합했는지), DO-178C 5.0 절은 소프트웨어 요구사항의 단일 레벨을 허용합니다 (단 하나의 레벨이 상위 레벨과 하위 레벨 모두를 준수할 수 있다면). 요구사항 목표 (즉, DO-178C 표 A-2 목적 1, 2, 4 및 5, 표 A-3 및 표 A-4). 또한 소프트웨어 아키텍처와 결합된 요구사항의 단일 레벨의 내용은 DO-178C 절 11.9 (소프트웨어 요구사항) 및 11.10 (소프트웨어 설계)에서 식별된 지침을 다루어야 합니다.

개념 6: 경우에 따라 LLR 이 필요하지 않을 수도 있습니다. 몇 가지 프로젝트에서 HLR 은 대부분의 영역에서 코드를 작성하는데 충분한 세부사항을 갖지만 일부 영역에서는 추가 구체화가 필요할 수 있습니다. 즉, 일부 HLR 은 LLR 로 분해될 필요가 있고 일부 HLR 은 LLR 로 분해될 필요가 있습니다. 이 접근법이 사용되는 경우 HLR 및 LLR 중 어떤 요구사항이 명확해야 합니다.

개념 7: 중요한 소프트웨어는 상세한 LLR 을 필요로 하는 경향이 있습니다. 소프트웨어의 중요성이 높을수록 구조적 범위에 대한 기준이 더욱 엄격해집니다.

개념 8: 도출 된 LLR은 조심스럽게 다루어야 합니다. 설계 단계에서 식별된 일부 파생 LLR이 있을 수 있습니다. DO-178C 는 파생된 요구사항을 다음과 같이 정의합니다. "(a) 상위 레벨 요구사항을 직접 추적할 수 없고 (b) 시스템 요구사항 또는 상위 소프트웨어 요구사항에서 지정한 동작을 넘어서는 동작 지정 ". 도출된 LLR 은 HLR 의 모자란 부분을 보충하기 위한 것이 아니라 요구사항 단계에서 아직 알려지지 않은 구현 세부사항을 나타냅니다. 파생된 LLR 은 HLR 까지 추적하지 않지만 코드를 추적합니다. 파생된 LLR 은 문서화되어야 하고 파생된 것으로 확인되어야 하며, 왜 필요한지에 대해 정당화되고 시스템 또는 안전성 가정을 위반하지 않도록 안전성 평가 팀에 의해 평가되어야 합니다. 안전 팀을 지원하기 위해 설계의 세부사항에 익숙하지 않은 사람이 요구사항을 이해하고 안전 및 전체 시스템 기능에 미치는 영향을 평가할 수 있도록 정당성 또는 근거를 작성해야 합니다.

개념 9: LLR 은 일반적으로 텍스트이지만 모델로 표현될 수 있습니다. LLR 은 테이블 및 그래픽이 있는 텍스트 형식으로 표현되어 필요에 따라 세부 정보를 전달합니다. LLR 은 모델로 포착될 수 있습니다. 이 경우 모델은 설계 모델로 분류되며 DO-331 의 지침이 적용됩니다.

개념 10: LLR 은 의사 코드로 표현될 수 있습니다. 때때로 LLR 은 의사 코드로 표현되거나 의사 코드로 보완됩니다. "의사코드 수준이 상세 요구사항의 일부로 사용되는 경우 어떤 이슈가 발생합니까?" 라는 제목의 DO-248C FAQ # 82 는 의사 코드를 LLR 로 사용하는 것과 관련된 인증 문제를 제공합니다. LLR 이 의사 코드로 표현될 때 다음과 같은 사항이 존재합니다.

• 이 접근법은 의도하지 않고 누락된 기능을 탐지하기 어려울 수 있는 HLR 과 LLR 사이의 세분화를 벗어날 수 있습니다.

• 이 접근법은 데이터 커플링 및 제어 커플링 분석을 포함하여 검증에 영향을 주는 아키텍처 세부사항이 충분하지 않을 수 있습니다.

• LLR 의 고유한 식별이 어려울 수 있습니다.

• HLR 과의 양방향 추적이 어려울 수 있습니다.

코드와 의사 코드가 매우 유사하기 때문에 상세 테스트를 사용하여 구조적 범위를 수행하는 것은 일반적으로 적합하지 않습니다. 이러한 테스트 프로세스는 오류를 효과적으로 검출하지 못하거나 누락된 기능을 식별하거나 의도하지 않은 기능을 찾지 못합니다.

1.3 설계 패키지

설계 패키지는 프로젝트마다 다릅니다. 일부 프로젝트는 아키텍처와 LLR 을 통합하는 반면 다른 프로젝트는 완전히 별도의 문서로 구성합니다. 일부 프로젝트는 동일한 문서에 포함 시키지만 다른 절에 배치합니다. DO-178C 는 패키지 선호도를 지정하지 않습니다. 그것은 종종 사용된 방법론에 달려 있습니다. 패키지 결정에 관계없이 아키텍처와 요구사항 간의 관계는 명확해야 합니다. 설계 (LLR 포함)는 소프트웨어를 구현하는 사람들이 사용합니다. 따라서 코더는 설계가 문서화 될 때 명심해야 합니다.

2. 설계 접근법

설계자가 소프트웨어 아키텍처 및 동작을 모델링 하는데 사용되는 다양한 기술이 있습니다. 항공 소프트웨어에서 사용되는 두 가지 설계 접근법은 구조 기반 및 객체 지향입니다. 일부 프로젝트는 두 가지 접근 방식의 개념을 결합합니다.

2.1 구조 기반 설계 (전통적)

구조 기반 설계는 실시간 임베디드 소프트웨어에 일반적이며 다음 표현 중 일부 또는 모두를 사용합니다.

- 데이터 컨텍스트 다이어그램 - 소프트웨어의 기능적 동작을 설명하고 소프트웨어의 데이터 입/출력을 보여주는 최상위 다이어그램입니다.

- 데이터 흐름도 - 소프트웨어가 수행하는 프로세스의 그래픽 표현으로 프로세스 간 데이터 흐름을 보여줍니다. 그것은 데이터 컨텍스트 다이어그램의 분해입니다. 데이터 흐름도는 일반적으로 여러 수준으로 표현되며 각 수준은 더 자세히 설명됩니다. 데이터 흐름 다이어그램에는 프로세스, 데이터 흐름 및 데이터 저장소가 포함됩니다.

- 프로세스 사양 (PSPEC) - 데이터 흐름 다이어그램을 통합하고 주어진 입력에서 프로세스 출력을 생성하는 방법을 보여줍니다.

- 컨텍스트 다이어그램 제어 - 시스템과 해당 환경 사이의 제어 인터페이스를 설정하여 시스템 제어를 보여주는 최상위 다이어그램.

- 제어 흐름 다이어그램 - 데이터 흐름이 아니라 시스템을 통한 제어 흐름이 확인되는 것을 제외하고는 데이터 흐름 다이어그램과 동일한 다이어그램입니다.

- 제어 사양 (CSPEC) - 제어 흐름도를 작성하고 주어진 입력으로부터 프로세스 출력을 생성하는 방법을 보여줍니다.

- 의사 결정 테이블 (진리 테이블이라고도 함) - 주어진 입력을 기반으로 의사 결정의 조합을 보여줍니다.

- 상태 전이 다이어그램 - 시스템이 상태를 변경하도록 하는 상태와 이벤트를 보여줌으로써 시스템의 동작을 보여줍니다. 일부 설계에서는 다이어그램 대신 상태 전이 테이블로 표시될 수 있습니다.

- 응답 시간 사양 – 지정해야 하는 외부 응답 시간을 보여줍니다. 이벤트 중심, 연속 또는 주기적 응답 시간이 포함될 수 있습니다. 입력 이벤트, 출력 이벤트 및 각 외부 입력 신호에 대한 응답 시간을 식별합니다.

- 순서도 - 소프트웨어 작업 순서와 결정 순서를 그래픽으로 나타냅니다.

- 구조도 - 시스템을 모듈로 분할하여 계층 구조, 조직 및 통신을 보여줍니다.

- 호출 트리 (호출 그래프라고도 함) - 소프트웨어 모듈, 함수 또는 프로시저 간의 호출 관계를 보여줍니다.

- 데이터 사전 - 시스템을 통해 흐르는 데이터 및 제어 정보를 정의합니다. 일반적으로 각 데이터 항목에 대해 이름, 설명, 요율, 범위, 해상도, 단위, 사용된 방법 등의 정보가 포함됩니다.

- 텍스트 세부 정보 - 구현 세부 정보 (예: LLR)를 설명합니다.

- 작업 다이어그램 - 작업의 특성 (예: 산발적 또는 주기적), 작업 절차, 각 작업의 입력/출력 및 운영 체제와의 모든 상호 작용 (예: 세마포어, 메시지 및 대기열(큐, queue))을 보여줍니다.

-

2.2 객체 지향 설계

객체 지향 설계 기술은 다음과 같은 표현을 사용할 수 있습니다.

- 유스케이스 - 특정 상황에서 사용자가 시스템과 상호 작용하는 방식을 그래픽 및 텍스트로 설명하는 요구사항을 동반합니다. 액터 (시스템을 사용하는 사람 또는 장치)를 식별하고 액터가 시스템과 상호 작용하는 방법을 설명합니다.

- 액티비티 다이어그램 - 시나리오 내의 상호 작용 흐름을 그래픽으로 표현하여 유스케이스를 보완합니다. 시스템이 수행하는 동작 사이의 제어 흐름을 보여줍니다. 액티비디 다이어그램은 흐름도와 유사하지만 액티비디 다이어그램은 동시 흐름을 보여줍니다.

- 스윔 레인 다이어그램 - 액티비티 다이어그램의 변형입니다. 유스케이스에 의해 기술된 액티비티의 흐름을 보여 주며 동시에 어떤 액터가 액티비티에 의해 기술된 액션을 담당하는지 나타냅니다. 기본적으로 각 액터의 활동을 병렬 방식으로 보여줍니다.

- 상태 다이어그램 - 앞서 설명한 상태 전이 다이어그램과 마찬가지로 객체 지향 상태 다이어그램은 시스템의 상태, 해당 상태에 따라 수행되는 작업 및 상태 변경으로 이어지는 이벤트를 표시합니다.

- 상태 차트 - 계층 구조 및 동시성 정보가 추가된 상태 다이어그램의 확장입니다.

- 클래스 다이어그램 - 시스템의 정적 또는 구조적 뷰를 제공하여 클래스 (속성, 작업 및 관계 및 다른 클래스와의 연관성 포함)를 모델링 하는 Unified Modeling Language (UML) 접근 방식.

- 시퀀스 다이어그램 - 작업을 수행하기 위해 객체 간에 메시지가 전송되는 시간 및 순서를 포함하여 작업 실행 중 객체 간의 통신을 보여줍니다.

- 객체 관계 모델 - 클래스 간의 연결을 그래픽으로 나타냅니다.

- 클래스 책임 협업 모델 - 요구사항과 관련된 클래스를 식별하고 구성하는 방법을 제공합니다. 각 클래스는 종종 인덱스 카드라고 하는 상자로 표현됩니다. 각 상자에는 클래스 이름, 클래스 책임 및 협업자가 포함됩니다.

책임은 클래스와 관련된 속성 및 작업입니다. 협업자는 책임을 완수하기 위해 다른 클래스에 정보를 제공해야 하는 클래스입니다. 협업은 정보 요청 또는 일부 조치 요청입니다.

3. 좋은 설계의 특성

DO-178C 는 설계 문서화에 유연성을 제공합니다. 많은 다른 서적에서 사용할 수 있는 설계 기법에 대해 자세하게 설명하기보다는 훌륭한 소프트웨어 설계가 가진 특성을 고려해 봅니다.

특징 1: 추상화. 좋은 설계는 추상 개념을 구현합니다.

여러 수준에서. 추상화는 구현의 세부사항을 숨기는 동안 의미와 비슷한 표현으로 프로그램 (또는 데이터)을 정의하는 프로세스입니다. 추상화는 설계자가 한 번에 몇 가지 개념에 집중할 수 있도록 세부사항을 줄이고 요인을 제거하기 위해 노력합니다. 추상화가 개발의 각 계층적 수준에서 적용될 때, 각 수준은 해당 수준과 관련된 세부사항을 처리할 수 있습니다. 절차적 및 데이터 추상화가 모두 바람직합니다.

특징 2: 모듈화. 모듈식 설계는 소프트웨어가 요소, 모듈 또는 하위 시스템 (종종 컴포넌트라고 함)으로 논리적으로 분할되는 것입니다. 컴포넌트는 단일 코드 모듈 또는 관련 코드 모듈 그룹일 수 있습니다. 전체 시스템은 기능 또는 기능을 분리하여 나눕니다. 각 컴포넌트는 특정 기능이나 기능에 중점을 둡니다. 피쳐와 기능을 작고 관리 가능한 컴포넌트로 분리함으로써 전반적인 문제를 해결하는 것을 덜 어렵게 만듭니다.

설계가 적절하게 모듈화되면 각 컴포넌트의 목적을 이해하고 각 컴포넌트의 정확성을 확인하며 컴포넌트 간의 상호 작용을 이해하고 소프트웨어 구조 및 작동에 대한 각 컴포넌트의 전반적인 영향을 평가하는 것이 매우 간단합니다.

특징 3: 강한 응집력. 시스템을 진정으로 모듈화하기 위해 설계자는 각 컴포넌트의 기능적 독립성을 위해 노력합니다. 이것은 응집력과 결합력에 의해 수행됩니다. 좋은 설계는 강한 응집도와 느슨한 결합을 위해 노력합니다. "응집력은 컴포넌트를 함께 유지하는 접착제로 간주될 수 있습니다." DO-178C는 부품의 응집력에 대한 평가가 필요하지 않지만 설계의 전반적인 품질에 영향을 미치므로 설계 시 고려해야 합니다. 응집력은 컴포넌트의 강도를 측정하고 컴포넌트의 활동을 함께 묶는 체인처럼 작동합니다. 7개의 응집층을 정의하고 아래로 내려갈수록 응집력이 약화됩니다.

- 기능적 응집: 모든 요소는 단일 기능에 기여합니다. 각 요소는 하나의 작업만 실행하는데 기여합니다.

- 순차적 응집: 컴포넌트는 한 요소의 출력이 다음 요소의 입력으로 사용되는 일련의 요소로 구성됩니다.

- 커뮤니케이션적 응집: 컴포넌트의 요소는 동일한 입력 또는 출력 데이터를 사용하지만 순서는 중요하지 않습니다.

- 절차적 응집: 요소는 주어진 순서대로 실행되어야 하는 서로 관련이 없는 활동과 관련되어 있습니다.

- 시간적 응집: 요소는 기능적으로 독립적이지만 활동은 시간적으로 관련이 있습니다 (즉, 동시에 수행됩니다).

- 논리적 응집: 요소에는 논리적으로 관련된 작업이 포함됩니다. 논리적 응집력 있는 컴포넌트에는 동일한 종류의 여러 활동이 포함됩니다. 사용자가 필요한 것을 선택합니다.

- 우연적 응집: 요소는 우연히 컴포넌트로 그룹화 됩니다. 요소들 사이에는 의미 있는 관계가 없습니다.

특징 4: 커플링이 느슨합니다. 커플링은 두 컴포넌트 사이의 상호 의존성 정도입니다. 좋은 설계는 불필요한 관계를 제거하고 필요한 관계의 수를 줄이며 필요한 관계의 긴장을 완화하여 커플링을 최소화합니다. 느슨한 커플링은 컴포넌트가 이해되고 이해하기 쉽기 때문에 컴포넌트가 수정될 때 파급 효과를 최소화하는데 도움이 됩니다. 따라서 느슨한 커플링이 효과적이고 모듈식 설계에 필요합니다.

DO-178C는 두 가지 유형의 커플링을 정의합니다.

- 데이터 커플링: "소프트웨어 컴포넌트의 독점적 제어가 아닌 데이터에 대한 소프트웨어 컴포넌트의 의존성"

- 제어 커플링: "하나의 소프트웨어 컴포넌트가 다른 소프트웨어 컴포넌트의 실행에 영향을 미치는 방식 또는 정도"

그러나 소프트웨어 엔지니어링에서는 가장 까다로운 커플링에서 시작하여 가장 느린 것으로 시작하는 다음과 같은 6 가지 유형의 커플링을 식별합니다:

- 내용 커플링: 한 컴포넌트가 다른 컴포넌트의 내부를 참조하기 때문에 하나의 컴포넌트가 다른 컴포넌트의 작동에 직접적인 영향을 줍니다.

- 공통 커플링: 두 개의 컴포넌트가 동일한 전역 데이터 영역을 참조합니다. 즉, 컴포넌트는 자원을 공유합니다.

- 외부 커플링: 컴포넌트는 파일 또는 데이터베이스와 같은 외부 매체를 통해 통신합니다.

- 제어 연결 (DO-178C 정의와 동일하지 않음): 하나의 컴포넌트는 필요한 제어 정보를 전달하여 다른 컴포넌트의 실행을 지시합니다.

- 스탬프 연결: 두 컴포넌트는 동일한 데이터 구조를 참조합니다. 이를 데이터 구조 커플링이라고도 합니다.

- 데이터 결합 (DO-178C 정의와 동일하지 않음): 두 컴포넌트는 기본 매개 변수 (예: 동종 테이블 또는 단일 필드)를 전달하여 통신합니다.

불행히도 DO-178C 는 데이터 커플링 및 제어 커플링이라는 용어에 과부하가 걸립니다. 데이터 커플링의 DO-178C 사용은 데이터, 스탬프, 공통 및 외부 결합의 주류 소프트웨어 엔지니어링 개념과 유사합니다. 제어 커플링의 DO-178C 사용은 제어 및 내용 커플링의 소프트웨어 공학 개념에 의해 다루어집니다.

잘 설계된 소프트웨어 제품은 느슨한 커플링 및 강력한 응집력을 위해 노력합니다. 이러한 특성을 구현하면 프로그래머 간의 의사소통을 단순화하고 컴포넌트의 정확성을 보다 쉽게 입증하고 컴포넌트가 변경될 때 컴포넌트 전반에 미치는 영향과 파급 효과를 줄이며 컴포넌트를 보다 이해하기 쉬우며 오류를 줄일 수 있습니다.

특성 5: 정보 은닉. 정보 은닉은 추상화, 응집 및 커플링과 밀접한 관련이 있습니다. 그것은 모듈성과 재사용성에 기여합니다. 정보 은닉의 개념은 "모듈 [컴포넌트]는 모듈 [컴포넌트] 내에 포함된 정보 (예: 알고리즘 및 데이터)가 그러한 정보가 필요 없는 다른 모듈 [컴포넌트]에서 액세스할 수 없도록 지정 및 설계되어야 함을 나타냅니다."

특성 6: 복잡성 감소. 좋은 설계는 더 큰 시스템을 작고 잘 정의된 하위 시스템 또는 기능으로 분해함으로써 복잡성을 줄이기 위해 노력합니다. 이것은 추상화, 모듈화 및 정보 은닉의 다른 특성과 관련이 있지만 설계자는 양심적인 노력이 필요합니다. 설계는 간단하고 이해하기 쉬운 방식으로 문서화되어야 합니다. 복잡성이 너무 큰 경우 설계자는 기능의 책임을 몇 가지 작은 기능으로 나누기 위한 대체 방법을 찾아야 합니다. 지나치게 복잡한 설계는 변경이 필요할 때 오류와 중요한 영향을 초래합니다.

특징 7: 반복 가능한 방법론. 우수한 설계는 요구사항에 따라 반복되는 방법의 결과입니다. 반복 가능한 방법은 의도된 것을 효과적으로 전달하는 잘 정의된 표기법과 기술을 사용합니다. 방법론은 설계 표준에서 확인되어야 합니다.

특징 8: 유지보수성. 설계를 문서화할 때 프로젝트의 전반적인 유지보수를 고려해야 합니다. 유지보수성을 고려한 설계에는 최소한의 영향으로 재사용 (전체 또는 부분), 부하 및 수정되는 소프트웨어를 설계하는 것이 포함됩니다.

특징 9: 강건성. 설계의 전반적인 강건성은 설계 단계에서 고려되어야 하며 설계 설명에 명확하게 문서화되어야 합니다. 강건한 설계 고려 사항으로는 비 공인 기능, 인터럽트 기능 및 의도하지 않은 인터럽트 처리, 오류 및 예외 처리, 오류 응답, 의도하지 않은 기능의 검출 및 제거, 전원 손실 및 복구 (예: 콜드 및 웜 스타트), 재설정, 대기 시간, 처리량, 대역폭, 응답 시간, 자원 제한, 파티셔닝 (필요한 경우), 사용되지 않은 코드의 비활성화 (비활성화된 코드 사용시) 및 허용 오차가 포함됩니다.

특성 10: 설계 결정 문서화. 설계 프로세스 중 결정에 대한 근거는 문서화되어야 합니다. 이를 통해 적절한 확인이 가능하며 유지관리가 지원됩니다.

특징 11: 안전 기능 문서화. 안전을 지원하는데 사용되는 모든 설계 기능을 명확하게 문서화해야 합니다. 예로는 워치독 타이머, 교차 채널 비교, 합리성 검사, 기본 제공 테스트 처리 및 무결성 검사 (순환 중복 검사 또는 체크썸)가 있습니다.

특성 12: 보안 기능 문서화. 해킹의 복잡성이 증가함에 따라 설계에는 취약점으로부터 보호와 공격에 대한 탐지 메커니즘이 포함되어야 합니다.

특징 13: 검토. 설계 단계에서 비공식적인 기술 검토가 수행되어야 합니다. 이러한 비공식 검토 중에 검토자는 설계의 품질과 적합성을 심각하게 평가해야 합니다. 가장 좋은 솔루션을 얻으려면 일부 설계 (또는 그 중 일부)을 버려야 할 수도 있습니다.

특성 14: 테스트 가능성. 소프트웨어는 테스트할 수 있도록 설계되어야 합니다. 테스트 가능성은 소프트웨어를 얼마나 쉽게 테스트할 수 있는지 입니다. 검증 가능한 소프트웨어는 가시적이며 제어 가능합니다. 테스트 가능한 소프트웨어의 특징은 다음과 같습니다.

- 조작성 - 소프트웨어는 요구사항 및 설계에 따라 필요한 작업을 수행합니다.

- 관찰 가능성 - 실행 중에 소프트웨어 입력, 내부 변수 및 출력을 관찰하여 테스트가 통과하는지 또는 실패 하는지를 확인할 수 있습니다.

- 제어 기능 - 주어진 입력을 사용하여 소프트웨어 출력을 변경할 수 있습니다.

- 분해성 - 소프트웨어는 필요에 따라 독립적으로 분해 및 테스트할 수 있는 컴포넌트로 구성됩니다.

- 단순성 - 소프트웨어는 기능적 단순성, 구조적 단순성 및 코드 단순성을 갖추고 있습니다. 예를 들어, 간단한 알고리즘은 복잡한 알고리즘보다 더 테스트 가능합니다.

- 안정성 - 소프트웨어가 변경되지 않거나 약간만 변경됩니다.

- 이해 용이성 - 좋은 설명서는 테스터가 소프트웨어를 이해하고 더 철저하게 테스트할 수 있도록 도와줍니다.

- 소프트웨어를 테스트 가능하게 만드는데 도움이 되는 몇 가지 기능은 다음과 같습니다.

- 오류 또는 오류 로깅. 소프트웨어의 이러한 기능은 테스터에게 소프트웨어 동작을 더 잘 이해할 수 있는 방법을 제공할 수 있습니다.

- 진단. 코드 무결성 검사 또는 메모리 검사와 같은 진단 소프트웨어는 시스템의 문제를 식별하는데 도움이 될 수 있습니다.

- 테스트 포인트. 이들은 테스트에 유용할 수 있는 소프트웨어에 후크를 제공합니다.

- 인터페이스에 대한 액세스. 이는 인터페이스 및 통합 테스트에 도움이 될 수 있습니다. 테스트 엔지니어와 설계자 간의 조정은 소프트웨어의 테스트 가능성을 높여줍니다. 특히, 테스트 엔지니어는 설계 검토 중에 가능하면 가능한 빨리 참여해야 합니다.

특징 15: 원하지 않는 기능을 피합니다. 일반적으로 안전에 중요시되는 설계에서는 다음을 금지합니다.

- 재귀 함수 실행 - 직접 또는 간접적으로 자신을 호출할 수 있는 함수. 극도의 주의와 특정 설계 작업을 수행하지 않으면 재귀 프로시저를 사용하여 예기치 않게 스택 공간이 많이 사용될 수 있습니다.

- 자체 수정 코드는 일반적으로 명령 경로 길이를 줄이거나 성능을 향상 시키거나 반복적으로 유사한 코드를 줄이기 위해 실행 중 자체 지침을 변경하는 코드입니다.

- 시스템 초기화 중에 결정적 방식으로 할당이 한 번만 수행되지 않는 동적 메모리 할당. DO-332 는 동적 메모리 할당에 대한 우려를 설명하고 지침을 제공합니다.

4. 설계 검증

소프트웨어 요구사항과 마찬가지로 소프트웨어 설계를 검증해야 합니다. 일반적으로 동료 검토를 통해 수행됩니다. 동료 검토에 대한 권장사항은 설계 검토에도 적용됩니다. 설계 검토 중에 LLR 과 아키텍처가 모두 평가됩니다. 설계 검증을 위한 DO-178C 표 A-4(Table

A-4 Verification of Outputs of Software Design Process) 목표는 다음과 같이 나열되고 설명됩니다.

- DO-178C 표 A-4 목적 1: "상세 요구사항은 상위 요구사항을 준수합니다." 이것은 LLR 이 HLR 을 완전하고 정확하게 구현하도록 보장합니다. 즉, HLR 에서 식별된 모든 기능이 LLR 에서 식별됩니다.

- DO-178C 표 A-4 목적 2: "상세 요구사항은 정확하고 일관성이 있습니다." 이것은 LLR 에 오류가 없으며 HLR 뿐만 아니라 자체적으로도 일관성이 있음을 보장합니다.

- DO-178C 표 A-4 목표 3: "상세 요구사항은 대상 컴퓨터와 호환됩니다." 이것은 LLR 의 대상 종속성을 확인합니다.

- DO-178C 표 A-4 목표 4: "상세 요구사항을 입증할 수 있습니다." 이것은 일반적으로 LLR 의 테스트 가능성에 초점을 둡니다. 레벨 A ~ C 의 경우 LLR 을 테스트해야 합니다. 그러므로 LLR 의 초기 개발 단계에서 검증 가능성을 고려할 필요가 있습니다.

- DO-178C 표 A-4 목표 5: "상세 요구사항은 표준을 준수합니다." 검토 과정에서 LLR 은 표준 준수 여부를 평가 받습니다.

- DO-178C 표 A-4 목표 6: "상세 요구사항은 상위 요구사항에 추적 가능" 이것은 표 A-4 목적 1 과 밀접하게 관련됩니다. HLR 과 LLR 간의 양방향 추적성은 LLR HLR 검토 도중 추적의 정확성도 검증됩니다. 불분명한 흔적은 평가되어야 하고, 이론적 근거에서 수정되거나 설명되어야 합니다.

- DO-178C 표 A-4 목표 7: "알고리즘은 정확합니다." 모든 수학적 알고리즘은 적절한 배경을 가진 사람이 알고리즘의 정확성을 확인하기 위해 검토해야 합니다. 철저하게 검토된 이전 시스템에서 알고리즘을 재사용하고 알고리즘을 변경하지 않으면 이전 개발의 검토 증거를 사용할 수 있습니다. 그러한 검증 증거의 재사용은 계획에 명시되어야 합니다.

- DO-178C 표 A-4 목표 8: "소프트웨어 아키텍처는 상위 요구사항과 호환됩니다." 흔히 요구사항과 아키텍처 간의 호환성을 확인하는데 도움이 되는 추적 또는 매핑이 있습니다.

- DO-178C 표 A-4 목표 9: "소프트웨어 아키텍처가 일관성이 있습니다." 이 검증 목표는 소프트웨어 아키텍처의 컴포넌트가 일관되고 정확함을 보장합니다.

- DO-178C 표 A-4 목표 10: "소프트웨어 아키텍처는 대상 컴퓨터와 호환됩니다." 이것은 아키텍처가 소프트웨어가 구현되는 특정 대상에 적합함을 확인합니다.

- DO-178C 표 A-4 목표 11: "소프트웨어 아키텍처를 검증할 수 있습니다." 아키텍처를 개발할 때는 테스트 가능성을 고려해야 합니다.

- DO-178C 표 A-4 목표 12: "소프트웨어 아키텍처는 표준을 준수합니다." 아키텍처를 개발할 때는 설계 표준을 따라야 합니다. Level A, B 및 C 의 경우 아키텍처와 LLR 모두 설계 표준을 준수하는지 평가됩니다.

- DO-178C 표 A-4 목표 13: "소프트웨어 파티셔닝 무결성이 확인되었습니다." 파티셔닝을 사용하는 경우 파티셔닝을 설계에서 확인하고 검증해야 합니다.

- 체크리스트는 일반적으로 엔지니어가 설계를 철저히 평가할 수 있도록 설계 검토 중에 사용됩니다. DO-178C 표 A-4 목표는 설계 표준 및 검토 체크리스트를 위한 좋은 출발점을 제공합니다.

부록 6. 코딩 보충설명

1. 개요

코딩은 설계 설명에서 소스 코드를 개발하는 프로세스입니다. 구축이나 프로그래밍이라는 용어는 코딩이 단순한 기계적인 단계가 아니라 건물이나 교량 건설처럼 숙고와 기술이 필요하다는 의미를 지니기 때문에 종종 선호됩니다. 그러나 DO-178C 는 처음부터 끝까지 코딩이라는 용어를 사용합니다. DO-178C 는 대부분의 구축 활동이 코딩이 아닌 설계의 일부라는 철학을 따른다. 그러나 DO-178C 는 설계자가 코드를 작성하는 것을 금지하지 않습니다. 누가 코드 구성 세부사항을 결정했는지에 관계없이 소스 코드 개발의 중요성을 훼손해서는 안됩니다.

요구사항과 설계는 중요하지만 컴파일 되고 링크된 코드는 실제로 작동합니다.

2. 코딩

코딩 프로세스는 실제로 안전 중심 시스템에서 끝나는 실행 가능 이미지로 변환될 소스 코드를 생성하기 때문에 소프트웨어 개발 프로세스에서 매우 중요한 단계입니다. 이 절에서는 코딩을 위한 DO-178C 지침, 안전에 중요한 소프트웨어를 개발하는데 사용되는 일반적인 언어 및 안전에 필수적인 영역에서의 프로그래밍 권장사항에 대해 설명합니다. C, Ada 및 어셈블리 언어는 임베디드 안전성이 중요한 시스템에서 가장 일반적으로 사용되는 언어이기 때문에 간단히 살펴봅니다. 다른 언어들도 간략하게 언급되었지만 자세한 것은 없습니다. 이 절에서는 몇 가지 코드 관련 특별 주제인 라이브러리 및 ACG (Auto Code Generator)에 대해서도 언급합니다.

매개변수 또는 형상 데이터의 주제는 코딩과 밀접한 관련이 있습니다.

2.1 DO-178C 코딩 지침의 개요

DO-178C 는 소스 코드의 계획, 개발 및 검증에 대한 지침을 제공합니다.

첫째, 계획 단계에서 개발자는 특정 프로그래밍 언어, 코딩 표준 및 컴파일러를 식별합니다 (DO-178C 4.4.2 절). 계획 단계에서 회사 별 코딩 표준으로 고려해야 할 몇 가지 코딩 권장사항을 제공합니다.

둘째, DO-178C 는 코드 개발에 대한 지침을 제공합니다 (DO-178C 5.3 절). DO-178C 는 코딩 프로세스의 주 목적은 "추적 가능하고 검증 가능하며 일관성이 있으며 상세 요구사항을 올바르게 구현"하는 소스 코드를 개발하는 것이라고 설명합니다. 이 목적을 달성하기 위해 소스 코드는 설계 설명 (상세 요구사항 및 아키텍처 포함) 만 구현하고 상세 요구사항을 추적하며 식별된 코딩 표준을 준수해야 합니다. 코딩 단계의 출력은 소스 코드 및 추적 데이터입니다.

셋째, 정확성, 일관성, 설계 준수, 표준 준수 등을 보장하기 위해 소스 코드가 검증됩니다.

2.2 안전에 중요한 소프트웨어에 사용되는 언어

현재 항공기 안전에 중요한 시스템에는 C, Ada 및 어셈블리 등 세 가지 기본 언어가 사용됩니다. 다른 언어 (FORTRAN 및 Pascal 포함)를 사용하는 있는 일부 개발 완료된 프로젝트도 있습니다. C++은 일부 프로젝트에서 사용되었지만 일반적으로 심각하게 제한되어 있으므로 C 와 같습니다. Java 및 C#은 여러 도구 개발 작업에 사용되어 매우 잘 작동합니다. 그러나 지금까지는 안전에 중대한 시스템을 구현할 때 아직 사용할 준비가 되어 있지 않습니다. 다른 언어가 사용되거나 제안되었습니다. C, Ada 및 어셈블리가 가장 많이 사용되므로 다음 절에서 간단하게 설명합니다.

2.2.1 어셈블리 언어

어셈블리 언어는 컴퓨터, 마이크로 프로세서 및 마이크로 컨트롤러에 사용되는 저수준 프로그래밍 언어입니다. 이 도구는 기계 코드의 기호 표현을 사용하여 주어진 CPU (중앙 처리 장치)를 프로그래밍합니다. 언어는 일반적으로 CPU 제조업체에서 정의합니다. 따라서 고급 언어와 달리 어셈블리는 플랫폼 간에 이식할 수 없습니다. 그러나 종종 프로세서 제품군 내에서 이식 가능합니다. 어셈블러로 알려진 유틸리티 프로그램은 어셈블리 문을 대상 컴퓨터의 기계 코드로 변환하는데 사용됩니다. 어셈블러는 어셈블리 명령어와 데이터를 기계 명령어와 데이터에 일대일 매핑합니다. 어셈블러에는 원 패스와 투 패스의 두 가지 유형이 있습니다. 원 패스 어셈블러는 소스 코드를 한번 살펴보고 모든 심볼이 이를 참조하는 명령어 앞에 정의되어 있다고 가정합니다. 원 패스 어셈블러에는 속도 이점이 있습니다. 투 패스 어셈블러는 첫 번째 패스에서 모든 심볼과 그 값을 가진 테이블을 만든 다음 두 번째 패스에서 테이블을 사용하여 코드를 생성합니다. 어셈블러는 심볼의 주소를 계산할 수 있도록 최소한 첫 번째 패스에서 각 명령어의 길이를 결정할 수 있어야 합니다. 투 패스 어셈블러의 장점은 프로그램 소스 코드의 모든 위치에서 심볼을 정의할 수 있다는 점입니다. 이를 통해 프로그램을 보다 논리적이고 의미 있는 방식으로 정의할 수 있으며 투 패스 어셈블러 프로그램을 읽고 유지하기가 더 쉽습니다.

일반적으로 어셈블리는 가능하면 피해야 합니다. 유지관리가 어려우며 데이터 유형이 극히 약하며 흐름 제어 메커니즘이 제한적이거나 전혀 없고 읽기가 어렵고 일반적으로 이식 가능하지 않습니다. 그러나 인터럽트 처리, 하드웨어 테스트 및 오류 검출, 인터페이스 및 프로세서 및 주변 장치, 성능 지원 (예: 중요한 영역의 실행 속도)을 비롯하여 필요한 경우가 있습니다.

2.2.2 Ada

Ada 는 1983 년 Ada-83 으로 처음 소개되었습니다. ALGOL 과 Pascal 언어의 영향을 받았으며 최초의 컴퓨터 프로그래머로 여겨지는 Ada Lovelace 의 이름을 따서 붙여졌습니다. Ada 는 원래 미국 국방성 (Department of Defense)의 요청에 따라 개발되었으며 몇 년 동안 국방부에 의해 위임되었습니다. Ada 가 도착하기 전에 DoD 프로젝트에 사용된 언어는 문자 그대로 수백 가지였습니다. DoD 는 임베디드, 실시간 및 미션 크리티컬 애플리케이션을 지원하기 위해 언어를 표준화하고자 했습니다. Ada 에는 강력한 타이핑, 패키지 (모듈성 제공), 런타임 검사, 병렬 처리를 허용하는 작업, 예외 처리 및 제네릭 등의 기능이 포함되어 있습니다. Ada 95 와 Ada 2005 는 객체 지향 프로그래밍 기능을 추가합니다. Ada 언어는 ISO (International Standards Organization), ANSI (American National Standards Institute) 및 IEC (International Electrical Technical Commission) 표준화 노력을 통해 표준화되었습니다. 대부분의 ISO/IEC 표준과 달리 Ada 언어 정의는 프로그래머와 컴파일러 제조사가 자유롭게 사용할 수 있습니다.

Ada 는 일반적으로 안전에 최선을 다하는 사람들에 의해 선호됩니다. "할당되지 않은 메모리, 버퍼 오버 플로우 오류, 배열 액세스 오류 및 기타 감지 가능한 버그에 대한 액세스를 방지하기 위해 런타임 검사를 지원합니다." Ada 는 또한 다른 언어로 런타임까지 감지할 수 없거나 소스 코드에 명시적 검사를 추가해야 하는 많은 컴파일 타임 검사를 지원합니다.

1997 년에 국방부는 Ada 를 사용하라는 명령을 효과적으로 제거했습니다. 그때까지 사용된 언어의 전체 수가 줄어들었고 남아있는 언어가 품질이 좋은 제품을 만들기에 충분할 만큼 성숙했습니다 (즉, 미숙한 언어가 아닌 수백 개의 언어가 사용 가능했습니다).

2.2.3 C

C 는 역사상 가장 인기 있는 프로그래밍 언어 중 하나입니다. 원래 Bell Telephone Laboratories 의 Dennis Ritchie 가 UNIX 운영 체제에서 사용하기 위해 1969 년에서 1973 년 사이에 개발되었습니다. 1973 년이 언어는 강력하여 UNIX 운영 체제 커널의 대부분이 C 로 다시 작성되었습니다. 이로 인해 UNIX 가 비-어셈블리 언어로 구현된 첫 번째 운영 체제 중 하나가 되었습니다. C 는 메모리에 낮은 수준의 액세스를 제공하며 기계 명령어에 잘 매핑되는 구조를 가지고 있습니다. 따라서 최소한의 런타임 지원이 필요하며 이전에 어셈블리로 코딩 된 응용 프로그램에 유용합니다.

어떤 사람들은 C 를 고수준 언어라고 부르기를 주저합니다. 대신 중급 언어라고 부르는 것을 선호합니다. 구조화된 데이터, 구조화된 제어 흐름, 기계 독립성 및 운영자와 같은 고급 언어 기능을 갖추고 있습니다. 그러나, 또한 저수준 구조 (예: 비트 조작)를 가지고 있습니다.

C 는 모든 실행 코드를 포함하는 함수를 사용합니다. C 는 타입이 약하며 중첩된 블록의 변수를 숨기고 포인터를 사용하여 컴퓨터 메모리에 액세스할 수 있으며 예약된 키워드가

비교적 적고 복잡한 기능 (예: 입출력 [I/O], 수학 함수)에 라이브러리 루틴을 사용합니다. 문자열 조작), 여러 복합 연산자 (예: +=, -=, *=, ++ 등)를 사용합니다.

C 프로그램의 텍스트는 자유로운 형식이며 세미콜론을 사용하여 명령문을 종료합니다.

C 는 강력한 언어입니다. 강력한 기능을 사용하면 극한의 주의가 필요합니다. 자동차 산업 소프트웨어 신뢰성 협회의 C 표준 (MISRA-C)은 C 를 안전하게 구현하기 위한 훌륭한 지침을 제공하며 회사 별 코딩 표준에 대한 입력으로 자주 사용됩니다.

2.3 언어와 컴파일러 선택하기

안전에 중대한 프로젝트 또는 프로젝트에 사용될 언어 및 컴파일러를 선택할 때 여러 측면을 고려해야 합니다.

고려 사항 1: 언어 및 컴파일러의 기능. 언어와 컴파일러는 자신의 직업을 수행할 수 있어야 합니다. 한때 Ada 의 안전한 하위 집합을 구현하는 컴파일러를 개발한 회사에서 일했습니다. 그들은 레벨 A 개발 도구로서의 자격을 얻기 위해 노력과 비용을 들였습니다.

그러나 Ada 하위 집합은 실제 세계에서 프로젝트를 지원할 만큼 충분히 광범위하지 않았습니다. 그러므로, 그것은 업계에서 활용되지 못했습니다. 대부분의 프로젝트에서 중요한 일부 기본 언어 기능은 다음과 같습니다.

• 코드의 가독성 - 대소문자 구분 및 혼합, 예약어 및 수학 기호의 이해 가능성, 유연한 형식 규칙 및 명확한 명명 규칙 등을 고려합니다.

• 컴파일 타임에 오타 및 일반적인 코딩 오류와 같은 오류를 감지할 수 있는 기능.

• 메모리 소모 검사, 예외 처리 구조 및 수학 오류 처리 (예: 숫자 오버플로, 배열 바운드 위반 및 0 나누기)를 포함하여 런타임에 오류를 탐지하는 기능.

• 플랫폼 간 이식성

• 캡슐화 및 정보 은닉을 포함하여 모듈성을 지원하는 능력.

• 강력한 데이터 입력.

• 잘 정의된 제어 구조.

• 현재 또는 향후 프로젝트에서 RTOS 를 사용하는 경우 실시간 운영 체제 (RTOS)와의 인터페이스 지원.

• 멀티 태스킹 및 예외 처리와 같은 실시간 시스템 요구를 지원하는 기능.

• 다른 언어 (예: 어셈블리)와의 인터페이스 기능.

• 개별적으로 컴파일 및 디버깅할 수 있는 기능.

- RTOS를 사용하지 않으면 하드웨어와 상호 작용할 수 있는 능력.

고려 사항 2: 소프트웨어 중요도. 임계가 높을수록 더 많은 언어가 제어되어야 합니다. 레벨 D 프로젝트는 Java 또는 C #으로 인증할 수 있지만 레벨 A 프로젝트는 결정성 및 언어 성숙도가 높아야 합니다. 일부 컴파일러 제조업체는 범용 언어의 실시간 그리고 또는 안전에 중대한 하위 집합을 제공합니다.

고려 사항 3: 개인 경험. 프로그래머들은 그들이 가장 익숙한 언어로 생각하는 경향이 있습니다. 엔지니어가 Ada 전문가인 경우 C로 전환하기가 어려울 것입니다. 마찬가지로 어셈블리를 프로그래밍하려면 특수 기술 세트가 필요합니다. 프로그래머는 여러 언어로 프로그래밍할 수 있지만 능숙해지고 각 언어의 기능과 함정을 완전히 이해하는 데는 시간이 걸립니다.

고려 사항 4: 언어의 안전 지원. 언어와 컴파일러는 해당 안전 요구사항은 물론 DO-178C 목적을 준수할 수 있어야 합니다. 수준 A 프로젝트는 의도하지 않은 코드가 생성되지 않는다는 것을 증명하기 위해 컴파일러 출력을 확인해야 합니다. 이를 통해 조직은 일반적으로 성숙하고 안정적이며 잘 정립된 컴파일러를 선택하게 됩니다.

고려 사항 5: 언어 도구 지원. 개발 노력을 지원하는 도구를 갖는 것이 중요합니다. 다음은 고려해야 할 몇 가지 사항입니다.

- 컴파일러는 오류를 감지하고 안전 요구사항을 지원할 수 있어야 합니다.

- 신뢰할 수 있는 링커가 필요합니다.

- 좋은 디버거가 중요합니다. 디버거는 선택한 대상 컴퓨터와 호환되어야 합니다.

- 언어의 테스트 가능성을 고려해야 합니다. 테스트 및 분석 도구는 언어에 따라 다르며 때로는 컴파일러에 따라 다릅니다.

고려 사항 6: 다른 언어와의 인터페이스 호환성. 대부분의 프로젝트는 최소한 하나 이상의 고급 언어와 어셈블리를 사용합니다. 선택한 언어 및 컴파일러는 다른 활용 언어의 어셈블리 및 코드와 상호 작용할 수 있어야 합니다. 일반적으로 어셈블리 파일은 고급 언어의 컴파일 된 코드와 연결됩니다.

고려 사항 7: 컴파일러 트랙 레코드. 일반적으로 국제 표준 (예: ANSI 또는 ISO)과 호환되는 컴파일러가 필요합니다. 컴파일러의 하위 집합만 사용하더라도 사용되는 기능이 해당 언어를 올바르게 구현하는지 확인하는 것이 중요합니다. 대부분의 안전에 중점을 둔 소프트웨어 개발자는 입증된 실적으로 성숙한 컴파일러를 선택합니다. 레벨 A 프로젝트의 경우, 컴파일러 생성 코드가 소스 코드와 일치함을 보여줄 필요가 있습니다. 모든 컴파일러가 이러한 기준을 준수할 수 있는 것은 아닙니다.

고려 사항 8: 선택된 대상과의 호환성. 대부분의 컴파일러는 특정 대상입니다.

선택한 컴파일러 및 환경은 사용된 프로세서 및 주변 장치와 호환되는 코드를 생성해야 합니다. 일반적으로 메모리 액세스 (데이터, 코드, 힙 및 스택 작업 제어), 주변 장치 인터페이스 및 제어, 인터럽트 처리 및 특수 기계 작업 지원과 같은 프로세서 및 장치에 액세스하는 다음과 같은 기능이 필요합니다.

고려 사항 9: 다른 대상에 대한 이식성. 대부분의 회사는 언어와 컴파일러를 선택할 때 코드의 이식성을 고려합니다. 대다수의 항공 프로젝트는 새로운 코드를 개발하기 보다는 기존 소프트웨어 또는 시스템을 기반으로 합니다. 시간이 갈수록 프로세서는 더 유능 해지고 오래된 프로세서는 쓸모 없게 됩니다. 따라서 다른 대상과 다소 호환될 언어 및 컴파일러를 선택하는 것이 중요합니다. 이것은 항상 예측 가능한 것은 아니지만 적어도 고려되어야 합니다. 예를 들어 어셈블리는 일반적으로 이식 가능하지 않으므로 프로세서가 변경될 때마다 코드를 수정해야 합니다. 동일한 프로세서 제품군을 사용하는 경우 변경 사항은 최소화될 수 있지만 여전히 고려해야 합니다. Ada와 C는 이식성이 높지만 대상 종속성이 있을 수 있습니다. Java는 이식성이 뛰어나도록 개발되었지만 이전에 논의한 바와 같이 현재 안전 중심 영역에서는 사용할 준비가 되어 있지 않습니다.

2.4 프로그래밍에 대한 일반적인 권장사항

이 절은 포괄적인 프로그래밍 가이드가 아닙니다. 여기서 제시하는 권장사항은 모든 언어에 적용할 수 있으며 회사 코딩 표준에서 고려될 수 있습니다.

권장사항 1: 좋은 설계 기법을 사용합니다. 설계는 코드의 청사진입니다. 따라서 훌륭한 소프트웨어를 생성하려면 좋은 설계가 중요합니다. 프로그래머는 요구사항과 설계의 단점을 보완하지 않아야 합니다.

권장사항 2: 좋은 프로그래밍 실습을 장려합니다. 좋은 프로그래머는 많은 사람들이 불가능하다고 생각하는 것을 할 수 있다는 것에 자부심을 가지고 있습니다. 그들은 정기적으로 작은 기적을 시작합니다. 그러나 프로그래머는 그 이상 할 수 있습니다.

좋은 프로그래밍 실습을 장려하기 위해 다음 권장사항이 제공됩니다.

1. 팀웍을 장려합니다. 팀워크는 나쁜 습관과 읽을 수 없는 코드를 필터링 하는데 도움이 됩니다. 페어링 프로그래밍 (패어링 프로그래머가 코딩을 수행하는 경우), 일일 또는 주 단위의 비공식 검토 또는 멘토 - 연수생 배치를 포함하여 팀웍을 구현하는 데는 여러 가지 방법이 있습니다.

2. 코드 워크스루를 잡습니다. 정식 검토는 본질적으로 높은 소프트웨어 수준에 필요합니다. 그러나 소규모 팀의 프로그래머가 공식 리뷰를 덜 받는 것은 큰 이점입니다. 일반적으로 적어도 두 명의 다른 프로그래머가 모든 코드 줄을 검토하도록 하는 것이 좋습니다. 이 검토 과정에는 여러 가지 이점이 있습니다.

첫째, 동급생들 사이에 건강한 경쟁을 제공합니다. 아무도 동료들 앞에서 어리석은 모습을 보이기를 원하지 않습니다.

둘째, 리뷰는 코딩 방법을 표준화 하는데 도움이 됩니다.

셋째, 지속적인 개선을 위해 리뷰가 도움이 됩니다. 프로그래머가 다른 사람이 문제를 해결하는 방법을 보게 되면, 프로그래머는 그 문제를 자신의 트릭 가방에 구현할 수 있습니다.

넷째, 리뷰는 재사용 성을 증가시킬 수 있습니다. 함수들 사이에서 사용할 수 있는 루틴이 있을 수 있습니다. 마지막으로 누군가가 팀을 떠난다면 리뷰는 약간의 연속성을 제공합니다.

3. 좋은 코드 예제를 제공합니다. 이것은 팀을 위한 훈련 매뉴얼로 기능할 수 있습니다. 일부 회사는 최상의 코드 목록을 유지합니다. 목록이 좋은 예제로 업데이트 되었습니다. 이는 교육 도구를 제공하고 프로그래머가 목록에 포함시킬 수 있는 좋은 코드를 개발하도록 장려합니다.

4. 코딩 표준을 준수해야 합니다. DO-178C 는 A ~ C 수준의 코딩 표준을 준수해야 합니다. 표준을 변경하기가 어려울 때까지 공식 코드 검토가 완료될 때까지 표준을 무시하는 경우가 많습니다. 프로그래머는 표준에 대한 교육을 받아야 하며 이를 준수해야 합니다. 이것은 합리적인 기준을 적용할 수 있음을 의미합니다.

5. 팀 전체에 코드를 제공합니다. 사람들은 다른 사람들이 자신의 일을 보게 될 것이라는 것을 알게 되면 그것을 정리하는 경향이 더 커집니다.

6. 좋은 코드를 보상합니다. 좋은 코드를 생성하는 사람들을 인식합니다. 코드 품질 결정은 종종 동료의 의견, 검토 과정에서 발견된 결함 수, 코드 개발 속도 및 프로젝트 전체에서 코드의 전반적인 안정성 및 성숙도를 기반으로 결정됩니다. 보상은 그들이 원하는 어떤 것이어야 합니다. 동시에 사람들은 측정 대상을 최적화하는 경향이 있으므로 보상은 신중하게 다루어야 합니다. 예를 들어 생성된 코드 행에 성능을 적용하면 실제로 비효율적 인 프로그래밍을 장려할 수 있습니다.

7. 팀이 자신의 업무에 대해 책임을 지도록 권장합니다. 각 팀원이 자신의 업무에 대해 책임지도록 합니다. 실수를 인정하고 비난을 피합니다. 변명은 팀에게 해롭기 때문에 변명 대신 해결책 제시하도록 합니다.

8. 전문성 개발을 위한 기회를 제공합니다. 교육 및 프로그래머의 전문성 개발을 촉진하는 모든 것을 지원합니다.

권장사항 3: 소프트웨어 품질 저하를 피합니다. 소프트웨어 저하는 소프트웨어의 장애가 증가할 때 발생합니다. 깨끗한 코드에서 복잡한 코드로의 진행은 천천히 시작됩니다. 먼저, 나중에 주석을 추가하기 위해 대기하기로 결정합니다. 세부사항을 무시하면 코드가 손상됩니다. 뭔가 이상하게 보일 때, 그것을 처리하고 무시하지 않습니다. 처리할 시간이 없다면 코드 검토 전에 다루어야 할 문제 목록을 작성하고 해결합니다.

권장사항 4: 유지보수성을 염두에 두십시오. 코더의 대부분은 첫 번째 프로젝트 또는 유지보수 작업에서 코드를 검토하고 수정하는 데 소비됩니다. 따라서 코드는 기계와 인간을 위해 작성되어야 합니다. 이 절에서 제공되는 많은 제안사항은 유지보수 가능성을 도와줍니다. 가독성과 잘 정돈된 프로그램 구조가 우선시되어야 합니다. 분리된 코드는 유지보수성도 지원합니다.

권장사항 5: 사전에 코드를 생각합니다. 가장 문제가 되는 코드는 프로그래머가 코드를 빨리 작성해야 할 때 발생합니다. 요구사항과 설계는 미성숙이거나 존재하지 않으며 프로그래머는 코드를 만들어냅니다. 강건한 설계 문서는 프로그래머에게 좋은 출발점을 제공합니다.

그러나 어떤 종류의 중간 단계 없이 직접 설계에서 코드로 이동할 수 있는 제품은 거의 없습니다. 이 단계는 공식 또는 비공식이 될 수 있습니다. 설계의 일부가 되거나 코드 자체의 주석이 될 수 있습니다.

PPP(Pseudocode Programming Process)는 의사 코드를 사용하여 루틴을 코딩, 검토 및 테스트하기 전에 루틴을 설계 및 점검합니다. PPP 는 루틴의 특정 조작을 설명하기 위해 영어와 유사한 명령문을 사용합니다. 이 문은 언어에 독립적이므로 의사 코드는 모든 언어로 프로그래밍할 수 있으며 의사 코드는 코드 자체보다 추상화 수준이 높습니다. 의사 코드는 목표 언어로 구현되기보다는 의도를 전달합니다. 의사 코드는 세부 설계의 일부가 될 수 있으며 종종 코드 자체보다 정확성을 검토하는 것이 더 쉽습니다. PPP 의 흥미로운 점은 의사 코드가 소스 코드 자체의 개요가 될 수 있으며 코드에서 주석으로 유지될 수 있다는 것입니다. 또한 의사 코드는 코드 자체보다 업데이트하기 쉽습니다. PPP 는 루틴이나 클래스를 만들 수 있는 많은 방법 중 하나에 불과하지만 매우 효과적 일 수 있습니다.

의사 코드를 LLR 로 사용하면 DO-248C 질문과 대답 (FAQ) # 82 에서 논의된 것처럼 일부 인증 문제가 발생할 수 있습니다.

권장사항 6: 코드를 읽을 수 있게 만듭니다. 코드 가독성은 매우 중요합니다. 이는 코드를 이해하고, 검토하고, 유지 관리하는 능력에 영향을 줍니다. 이는 검토자가 코드를 이해하고 요구사항을 준수하는지 확인하는데 도움이 됩니다. 또한 프로그래머가 다른 프로젝트로 전환한 후에도 코드 유지 관리에 필요합니다.

일부 프로그래머는 암호를 작성하기 위해 보안 작업을 합니다. 그러나 이는 회사에 대한 책임입니다. 코드를 인간과 컴퓨터 용으로 작성해야 합니다. 읽을 수 있는 코드를 작성하는 것은 이해력, 검토 가능성, 오류 율, 디버그 기능, 수정 가능성, 품질 및 비용에 영향을 미칩니다. 이 모든 것이 실제 프로젝트의 중요한 요소입니다. 가독성에 큰 영향을 주는 코딩에는 두 가지 측면이 있습니다.

(1) 레이아웃

(2) 주석. 다음은 최소한으로 고려해야 할 레이아웃 및 의견 권장사항에 대한 요약입니다. 이 장의 "권장 도서" 절에는 고려해야 할 기타 참고 자료가 나와 있습니다.

1. 코드 레이아웃 권장사항

a. 코드의 논리적 구조를 보여줍니다. 일반적으로 논리적으로 종속되는 명령문 아래의 명령문을 들여 씁니다. 연구에 따르면 들여쓰기가 이해력을 높이는데 도움이 됩니다. 2 개에서 4 개까지의 들여 쓰기가 일반적으로 선호되는데, 그 이상이면 이해력이 감소하기 때문입니다.

b. 공백을 사용합니다. 공백에는 그룹화된 코드 블록 또는 관련 명령문 절 사이의 빈 줄과 코드의 논리적 구조를 보여주기 위한 들여 쓰기가 포함됩니다. 예를 들어 루틴을 코딩 할 때 루틴 헤더, 데이터 선언 및 본문 사이에 빈 줄을 사용하는 것이 좋습니다.

c. 레이아웃 실습의 수정 가능성을 고려합니다. 스타일과 레이아웃 실습을 결정할 때, 수정하기 쉬운 것을 사용합니다. 일부 프로그래머는 헤더를 보기 좋게 만들기 위해 특정 수의 별표를 사용하기를 원합니다. 그러나 수정하는데 불필요한 시간과 자원이 필요할 수 있습니다. 프로그래머들은 시간을 낭비하는 것을 무시하는 경향이 있습니다. 따라서 레이아웃 실습이 실용적이어야 합니다.

d. 서로 밀접하게 관련된 요소를 유지합니다. 예를 들어, 명령문이 줄 바꿈을 하고, 읽을 수 있는 위치에서 끊어지고 두 번째 줄을 들여 쓰기 때문에 쉽게 볼 수 있습니다. 마찬가지로, 관련 설명을 함께 보관합니다.

e. 한 줄에 하나의 문장만 사용합니다. 많은 언어가 단일 행에 여러 명령문을 허용합니다. 그러나 읽기가 어려워집니다. 한 줄에 하나의 문장으로 가독성, 복잡성 평가 및 오류 탐지가 촉진됩니다.

f. 길이 제한. 일반적으로 명령문은 80 자를 넘지 않아야 합니다. 80 자 이상의 행은 읽기가 어렵습니다. 이것은 어려운 규칙은 아니지만 가독성을 높이기 위해 권장되는 일반적인 방법입니다.

g. 데이터 선언을 명확하게 만듭니다. 명확하게 데이터를 선언하려면 다음과 같이 제안됩니다. 한 줄에 하나의 데이터 선언을 사용하고, 처음 사용된 위치에 가까운 변수를 선언하고, 유형별로 순서를 선언합니다.

h. 괄호를 사용합니다. 괄호는 두 개 이상의 용어가 포함된 표현식을 명확히 하는데 도움이 됩니다.

2. 코드 주석 권장사항

코드 주석 처리는 종종 부족하거나 부정확하거나 비효율적입니다. 다음은 코드에 효과적으로 주석을 달기 위한 몇 가지 권장사항입니다.

a. "이유"에 대해 설명합니다. 일반적으로 주석은 어떻게 수행되었는지에 대한 설명이 있어야 합니다. 의견은 코드의 목적과 목표(또는 의도)를 요약해야 합니다. 코드 자체가 어떻게 수행되는지 보여줍니다. 주석을 사용하여 독자가 따르는 것을 준비합니다. 일반적으로 각 코드 블록에 대해 하나 또는 두 개의 문장이 적절합니다.

b. 명백한 것을 언급하지 마십시오. 좋은 코드는 자체 문서화해야 합니다. 즉, 설명 없이 읽을 수 있어야 합니다. "잘 작성된 많은 프로그램의 경우 코드는 자체 문서"입니다. 주석을 사용하여 코드에서 명확하지 않은 내용 (예: 목적 및 목표)을 문서화합니다. 마찬가지로 코드를 다시 반향 하는 주석은 유용하지 않습니다.

c. 주석 루틴. 주석을 사용하여 루틴, 입력 및 출력 및 모든 중요한 가정의 목적을 설명합니다. 루틴의 경우 주석이 설명하는 코드에 가깝게 두는 것이 좋습니다. 주석이 모두 루틴 맨 위에 포함되어 있으면 코드를 읽기가 어려울 수 있으며 주석이 코드로 업데이트되지 않을 수 있습니다. 일상적으로 루틴을 간략하게 설명하고 일상적인 내용을 설명하는 것이 바람직합니다. 루틴이 전역 데이터를 수정하는 경우 설명하는 것이 중요합니다.

d. 전역 데이터에 주석을 사용합니다. 전역 데이터는 신중하게 사용해야 합니다. 그러나, 그들이 사용될 때, 그들이 제대로 사용되었는지 확인하기 위해 주석을 달아야 합니다. 데이터의 용도와 필요한 이유를 포함하여 선언할 때 전역 데이터에 주석을 답니다. 일부 개발자는 전역 데이터에 대한 명명 규칙 (예: g_ 시작 변수)을 사용하기로 결정하기도 합니다. 명명 규칙을 사용하지 않으면 전역 데이터의 올바른 사용을 보장하기 위해 주석이 매우 중요합니다.

e. 잘못된 코드를 보완하기 위해 주석을 사용하지 마십시오. 나쁜 코드는 피해야 합니다.

f. 주석은 코드와 일치해야 합니다. 코드가 업데이트되면 주석도 업데이트됩니다.

g. 가정을 문서화합니다. 프로그래머는 가정을 문서화하고 이를 가정으로 명확하게 식별해야 합니다.

h. 놀라움을 유발할 수 있는 것을 문서화합니다. 명확하지 않은 코드는 재 작성이 필요한지 판단하기 위해 평가되어야 합니다. 코드가 적절한 경우 그 이유를 설명하기 위해 주석이 포함되어야 합니다. 예를 들어, 성능 문제로 인해 때로는 영리한 코드가 실행되는 경우가 있습니다. 그러나 이것이 예외가 되어야 하며 규칙이 아니어야 합니다. 이러한 코드는 주석으로 설명해야 합니다.

i. 주석을 해당 코드와 정렬합니다. 각 주석은 설명하는 코드와 일치해야 합니다.

j. 최종 줄 주석을 피합니다. 일반적으로 주석을 코드 행 끝에 추가하는 대신 다른 행에 삽입하는 것이 가장 좋습니다. 가능한 예외는 긴 코드 블록에 대한 데이터 선언 및 블록 종료 노트입니다.

k. 각 주석 앞에 빈 줄을 붙입니다. 이것은 전반적인 가독성을 높이는 데 도움이 됩니다.

l. 유지보수 할 수 있도록 주석을 작성합니다. 주석은 유지하기 쉬운 스타일로 작성되어야 합니다. 때로는 일을 멋지게 만드는 노력에서 유지하기가 어려울 수도 있습니다. 코더는 대시를 계산하고 별 (별표)을 정렬하는 데 귀중한 시간을 소비해서는 안됩니다.

m. 적극적으로 의견을 말합니다. 주석 처리는 코딩 프로세스의 필수적인 부분이어야 합니다. 제대로 사용하면 프로그래머가 코드를 구성하는데 사용하는 코드의 윤곽이 될 수도 있습니다. 주석을 작성하기가 어렵다면 좋은 코드가 아니기 때문에 수정해야 할 수도 있습니다.

n. 과소 평가하지 않습니다. 너무 적은 주석이 나쁠 수 있는 것처럼, 너무 많이 할 수 있습니다. 나는 오버코드 된 코드를 거의 보지 못하지만, 그렇게 할 때 불필요한 중복으로 인한 경향이 있습니다. 주석은 코드를 반복해서는 안되며 코드가 필요한 이유를 설명해야 합니다. IBM 의 연구 결과에 따르면 10 개 문장마다 하나의 주석이 주석 처리의 선명도로 나타납니다. 주석의 수에 너무 많이 집중하지 않도록 주의하고 주석이 코드가 왜 존재하는지를 설명하는지 평가합니다.

권장사항 7: 복잡성을 관리하고 최소화합니다. 복잡성을 관리하고 최소화하는 것은 소프트웨어 개발에서 가장 중요한 기술 주제 중 하나입니다. 요구사항 및 설계 수준에서 복잡성 문제를 해결하지만 코드 복잡성도 신중하게 모니터링하고 제어해야 합니다.

권장사항 8: 방어 프로그래밍을 연습합니다. DO-248C, FAQ # 32 는 다음과 같이 기술합니다: "방어 프로그래밍 연습은 조작과 오류로 인한 고장을 일으킬 수 있는 구조, 구조 및 관행의 사용을 제한함으로써 코드가 의도하지 않거나 예측할 수 없는 작업을 실행하지 못하도록 하는 기술입니다". DO-248C 는 프로그래밍 과정에서 입력 데이터 오류, 비 결정론, 복잡성, 인터페이스 오류 및 논리적 오류를 피할 것을 권장합니다. 방어 프로그래밍은 바람직하지 않은 결과를 피하고 예기치 않은 이벤트를 방지하기 위해 코드의 전반적인 강건성을 높입니다.

권장사항 9: 소프트웨어가 결정적인지 확인합니다. 안전에 필수적인 소프트웨어는 결정론적이어야 합니다. 따라서 비 결정주의로 이어질 수 있는 코딩 방법은 피하거나 조심스럽게 제어해야 합니다 (예: 자체 수정 코드, 동적 메모리 할당/할당 취소, 동적 바인딩, 포인터의 광범위한 사용, 다중 상속 또는 다형성). 잘 정의된 언어, 입증된 컴파일러, 제한된 최적화 및 제한된 복잡성은 결정론에도 도움이 됩니다.

권장사항 10: 일반적인 오류를 사전에 해결합니다. 전체 오류에 대한 로그를 유지하여 전체 팀의 교육 및 인식 제고에 도움을 줄 수 있으며 이를 피하는 방법에 대한 지침도 유용할 수 있습니다. 예를 들어, 인터페이스 오류가 자주 발생합니다. 인터페이스의 복잡성을 최소화하고, 단위와 정밀도를 일관성 있게 사용하고, 전역 변수의 사용을 최소화하고, 불일치한 인터페이스 가정을 확인하기 위해 단정을 사용하여 해결할 수 있습니다. 다른 예로, 정확도 및 변환 문제 (고정 소수점 스케일링 등)를 검사하고, 루프 수 오류를 관찰하고, 부동 소수점 수에 대해 적절한 정밀도를 사용하여 일반적인 논리 및 계산 오류를 피할 수 있습니다.

권장사항 11: 개발 중에 단정문을 사용합니다. ASSERTION 은 절대 발생해서는 안 되는 조건을 확인하는데 사용될 수 있지만 오류 처리 코드는 발생할 수 있는 조건에 사용됩니다. 다음은 ASSERTION 에 대한 몇 가지 지침입니다.

• ASSERTION 은 일반적으로 컴파일 타임에 꺼지기 때문에 ASSERTION 은 실행 가능 코드를 포함해서는 안됩니다.

• 결코 일어날 수 없는 것처럼 보인다면, 주장하지 말아야 합니다.

• ASSERTION 은 사전 및 사후 조건을 확인하는데 유용합니다.

• 실제 오류 처리를 대체하기 위해 ASSERTION 을 사용해서는 안됩니다.

권장사항 12: 오류 처리를 구현합니다. 오류 처리는 발생할 수 있는 조건에 대해 오류 처리가 사용된다는 점을 제외하고는 ASSERTION 과 유사합니다. 오류 처리는 잘못된 입력 데이터를 검사합니다. ASSERTION 은 잘못된 코드 (버그)를 확인합니다. 데이터가 항상 올바른 형식이나 허용되는 값으로 제공되지는 않습니다. 따라서 무효 입력에서 보호해야 합니다. 예를 들어, 범위 허용 오차 그리고 또는 손상에 대한 외부 소스의 값을 확인하고, 버퍼 및 정수 오버 플로우를 찾고 루틴 입력 매개 변수의 값을 확인합니다.

오류에 대한 가능한 여러 가지 응답이 있습니다. 예를 들어 중간 값 반환, 다음 유효한 데이터 대체, 이전 시간과 동일한 응답 반환, 가장 가까운 올바른 값 대체, 파일에 경고 메시지 기록, 오류 처리 루틴을 호출하거나, 오류 메시지를 표시하거나, 오류를 로컬에서 처리하거나, 시스템을 종료할 수 있습니다. 분명히 오류에 대한 대응은 소프트웨어의 중요성과 전반적인 아키텍처에 따라 달라질 것입니다. 프로그램 전체에서 일관되게 오류를 처리하는 것이 중요합니다. 또한 상위 수준 코드가 하위 수준 코드에서 보고한 오류를 실제로 처리하는지 확인합니다. 예를 들어, 응용 프로그램 (상위 수준 코드)은 실시간 운영 체제 (하위 수준 코드)에서 보고한 오류를 처리해야 합니다.

권고사항 13: 예외 처리를 구현합니다. 예외는 프로그램의 추가 실행을 의미 없는 오류 또는 오류 조건입니다. 예외가 발생하면 예외 처리 루틴을 호출해야 합니다.

예외 처리는 런타임 문제를 처리하는 가장 효과적인 방법 중 하나입니다. 그러나 언어는 예외를 구현하는 방법에 따라 다르며 일부는 예외 구성을 전혀 포함하지 않습니다. 예외가 언어의 일부가 아닌 경우 프로그래머는 코드의 오류 조건 검사를 구현해야 합니다. 예외에 대한 다음 팁을 고려합니다.

• 프로그램은 예외적인 조건 (즉, 다른 코딩 방법으로는 처리할 수 없는 예외)에 대해서만 예외를 던져야 합니다.

• 예외는 조치가 필요한 오류에 대해 프로그램의 다른 부분에 통보해야 합니다.

• 오류 조건은 전달할 때가 아니라 가능하면 로컬로 처리해야 합니다.

- 예외는 올바른 추상화 수준에서 발생해야 합니다.

- 예외 메시지는 예외를 초래한 정보를 식별해야 합니다.

- 프로그래머는 라이브러리와 루틴이 던지는 예외를 알아야 합니다.

- 프로젝트에는 예외 사용에 대한 표준 접근 방식이 있어야 합니다.

권장사항 14: 루틴, 변수 사용, 조건부, 루프 및 제어에 대한 일반적인 코딩 방법을 사용합니다. 코딩 표준은 루틴 (함수 또는 프로시저와 같은), 변수 사용 (예: 명명 규칙 및 전역 데이터 사용), 조건부, 제어 루프 및 제어 문제 (예: 재귀, goto 사용, 네스팅(nesting), 심도(depth), 복잡도).

권장사항 15: 알려진 문제 발생자를 피합니다. 코딩 프로세스에서 잘못될 수 있는 모든 것을 철저히 목록으로 작성하는 것은 불가능합니다.

그러나 다음과 같이 알려진 몇 가지 문제가 있으며 문제를 피하는 습관이 있습니다.

1. 포인터의 사용을 최소화합니다. 포인터는 프로그래밍에서 오류가 발생하기 쉬운 영역 중 하나입니다. 포인터를 해결하는 합리적인 방법을 찾을 수 있습니다.면 확실히 권장됩니다. 그러나 이것이 항상 옵션은 아닙니다. 포인터를 사용하면 사용법을 최소화해야 하며 조심해서 사용해야 합니다.

2. 상속과 다형성의 사용을 제한합니다.

3. 동적 메모리 할당을 사용할 때는 주의합니다. 대부분의 인증 프로젝트는 동적 메모리 할당을 금지합니다. DO-332 (객체 지향 보충 자료)은 사용된 경우 이를 안전하게 처리하는 방법에 대한 몇 가지 권장사항을 제공합니다.

4. 커플링을 최소화하고 응집력을 최대화합니다. 코드 컴포넌트 간의 데이터 결합과 제어를 최소화하고 응집력이 강한 컴포넌트를 개발하는 것이 바람직합니다. 설계는 이 개념을 바탕으로 구현에 대한 방향이 설정되고 실제로 이를 구현하는 사람은 프로그래머가 될 것입니다. 따라서 다시 강조 할 필요가 있습니다. 커플링을 최소화하기 위해 모듈 상호 작용을 제한합니다. 모듈이 상호 작용할 필요가 있을 때, 상호 작용이 필요한 이유와 그것이 이루어지는 방식이 명확해야 합니다.

5. 전역 데이터의 사용을 최소화합니다. 전역 데이터는 모든 설계 절에서 사용할 수 있으므로 작업 진행에 따라 개개인이 수정할 수 있습니다. 이미 언급했듯이 느슨한 결합을 지원하고 보다 결정론적인 코드를 개발하기 위해서는 전역 데이터를 최소화해야 합니다. 전역 데이터의 잠재적인 문제점 중 일부는 다음과 같습니다.

데이터가 부주의하게 변경되고, 코드 재사용이 방해되며, 전역 데이터의 초기화 순서가 불확실해질 수 있고, 코드가 모듈화되지 않게 됩니다. 전역 데이터는 절대적으로 필요한 경우에만 사용해야 합니다. 또한 전역 데이터에 대한 액세스를 제어하기 위해 일종의 잠금 또는 보호를 구현하는 것이 유용합니다. 또한 전역 데이터 이름, 설명, 유형, 단위, 독자 및 작성자가 있는 정확하고 최신의 데이터 사전이 중요합니다. 데이터 결합을 분석할 때 전역 데이터에 대한 정확한 문서화가 필수적입니다.

6. 재귀를 신중하게 사용하거나 사용하지 않습니다. 일부 코딩 표준은 특히 중요한 소프트웨어 수준의 경우 재귀를 완전히 금지합니다. 재귀가 사용되는 경우 중요도가 더 낮을 수 있으므로 무제한 재귀로 인한 스택 오버런을 방지하기 위해 명시적 안전 장치를 설계에 포함해야 합니다. DO-178C section 6.3.3.d 는 "무한 재귀 알고리즘"의 방지를 장려합니다. DO-248C FAQ # 39 는 다음과 같이 설명합니다: "무한 반복 알고리즘은 자체를 직접 호출 (자기 재귀)하거나 간접적으로 자체 (상호 재귀)를 호출하는 알고리즘이며 이전에 이 작업을 수행 할 수 있는 횟수를 제한하는 메커니즘이 없습니다". FAQ 는 반복적 인 알고리즘이 재귀 호출의 수에 대한 상한을 필요로 하고 상한을 수용할 수 있는 적절한 스택 공간이 있습니다.는 것을 보여 주어야 한다는 것을 설명합니다.

7. 재진입 기능은 신중하게 사용해야 합니다. 재귀와 마찬가지로 많은 개발자가 재진입 코드 사용을 금지합니다. 허용되는 경우 다중 스레드 코드의 경우와 같이 요구사항을 직접 추적할 수 있어야 하며 전역 변수에 값을 할당하면 안됩니다.

8. 자기 수정 코드를 피합니다. 자체 수정 코드는 실행 시 명령 스트림을 수정하는 프로그램입니다. 자체 수정 코드는 오류가 발생하기 쉽고 읽기, 유지 관리 및 테스트하기가 어렵습니다. 따라서 피해야 합니다.

9. goto 문을 사용하지 마십시오. 대부분의 안전에 필수적인 코딩 표준은 읽기 어렵고 적절한 코드 기능을 증명하기가 어려우며 스파게티 코드를 생성할 수 있기 때문에 goto 를 사용하지 못하게 합니다. 그것이 사용된다면 그것은 조심스럽게 그리고 매우 조심스럽게 사용되어야 합니다.

10. 이러한 권장사항을 따르지 않는 경우를 정당화합니다.

이는 단지 권장사항이며 이러한 권장사항 중 하나 이상을 위반하는 경우가 있을 수 있습니다.

그러나 이러한 권장사항 은 수년간의 실행 및 국제 인증 기관과의 조정을 기반으로 한다는 점도 유의해야 합니다. 이러한 권장사항을 따르지 않으려는 경우 기술적으로 정당화하고 인증 기관과 협의해야 합니다.

권장사항 16: 요구사항이나 설계에 문제가 명시될 때 피드백을 제공합니다. 코딩 단계에서 프로그래머는 요구사항이나 설계로 확인 된 문제에 대한 피드백을 제공하는 것이 좋습니다.

설계 및 코딩 단계는 밀접하게 관련되어 있으며 때때로 중복됩니다. 일부 프로젝트에서는 설계자가 프로그래머이기도 합니다. 설계자와 프로그래머가 분리된 경우 프로그래머를 요구사항 및 설계 검토에 포함시키는 것이 유용합니다. 이를 통해 프로그래머는 요구사항과 설계를 이해하고 조기 피드백을 제공할 수 있습니다.

코딩이 시작되면 프로그래머가 요구사항 및 설계 문제를 식별하고 적절한 조치가 취해지도록 체계적인 방법이 있어야 합니다. 문제 보고 프로세스는 일반적으로 요구사항이나 설계 관련 문제를 기록하는데 사용됩니다. 그러나 확인된 문제에 대한 사전 대응이 필요합니다. 그렇지 않으면 요구사항, 설계 및 코드가 일치하지 않을 위험이 있습니다.

권장사항 17: 코드를 능동적으로 디버깅합니다. 코딩 단계에서 디버그 및 개발 테스트 (예: 단위 테스트 및 정적 코드 분석)가 이루어져야 합니다. 공식적인 테스트가 끝날 때까지 기다리지 말고 코드 오류를 찾습니다.

2.5 특수 코드 관련 항목

2.5.1 코딩 표준

계획 절차 중에 코딩 표준이 개발되어 선택한 프로그래밍 언어가 프로젝트에서 사용되는 방법을 정의합니다. 완벽한 코딩 표준을 작성하고 팀에게 표준 사용 방법을 교육하는 것이 중요합니다. 일반적으로 표준은 회사 전체의 여러 프로젝트에서 사용되기 때문에 회사는 코딩 표준에 상당한 시간을 소비합니다.

표준과 함께 각 규칙 또는 권장사항의 근거를 예제와 함께 포함하는 것이 좋습니다. 프로그래머들은 제안이 왜 존재하는지 이해한다면 표준을 적용하기가 더 쉽습니다.

너무 자주 코드는 표준에 주의를 기울이지 않고 작성됩니다.

그런 다음 코드 검토 중에 중요한 문제가 발견되고 코드를 다시 작성해야 합니다. 코더가 처음부터 표준을 이해하고 적용하는지 확인하는 것이 더 효율적입니다.

2.5.2 컴파일러가 제공하는 라이브러리

대부분의 컴파일러 제조업체는 프로그래머가 코드에서 기능을 구현하는데 사용할 컴파일러를 라이브러리에 제공합니다 (예: 수학 함수). 이러한 라이브러리 함수가 호출되면 다른 공수 소프트웨어와 마찬가지로 DO-178C 목표를 준수해야 하며 항공 소프트웨어의 일부가 됩니다. 이 주제에 대한 CAST (Certificate Authority Software Team) 지위는 "컴파일러 제공 라이브러리"라는 제목의 CAST-21 문서에 문서화되어 있습니다. 기본적으로 라이브러리 코드는 DO-178C 목표를 준수해야 합니다 (즉, 요구사항이 필요합니다. 설계 및 라이브러리 기능 테스트). 일반적으로 제조업체는 지원 아티팩트를 포함하여 자체 라이브러리를 개발하거나 컴파일러가 제공한 라이브러리 코드를 역 공학하여 요구사항, 설계 및 테스트 사례를 개발합니다. 지원되는 아티팩트 (요구사항, 설계, 소스 코드, 테스트 등)가없는 함수는 라이브러리에서 제거되거나 의도적으로 비활성화되어야 합니다 (제거가 선호되므로 함수가 라이브러리의 다음 사용시 실수로 활성화되지 않습니다). 많은 회사가 전체 라이브러리를 개발하므로 여러 프로젝트에서 사용할 수 있습니다. 라이브러리를 재사용 할 수 있게 하려면 라이브러리 요구사항, 설계 및 테스트 데이터를 다른 항공 소프트웨어에서 분리하는 것이 좋습니다. 프로젝트에 따라 컴파일러 설정 차이, 프로세서 차이 등으로 인해 라이브러리를 후속 프로젝트에서 다시 테스트해야 할 수 있습니다. C 또는 D 수준 응용 프로그램의 경우 라이브러리 기능을 보여주기 위해 테스트 및 서비스 기록을 사용할 수 있습니다. 인증 기관의 동의를 얻으려면 PSAC (Software Aspects of Certification) 계획에서 라이브러리에 대한 접근 방법을 설명하는 것이 좋습니다.

2.5.3 자동 코드 생성기

이 장은 대부분 손으로 짠 소스 코드에 초점을 맞춥니다. ACG 를 사용하는 경우 ACG 를 개발할 때 여기에서 제시하는 많은 고려사항을 고려해야 합니다. 또한 ACG 에서 생성된 코드를 검토하지 않을 때 필요할 수 있는 도구 검증 프로세스에 대한 몇 가지 추가 정보를 제공합니다.

3 소스 코드 확인

DO-178C 표 A-5 목적 1-6 과 6.3.4 절은 소스 코드 검증을 다룬다. 이러한 목표의 대부분은 코드 동료 검토에 만족합니다. 각각의 DO-178C 표 A-5 목표는 예상되는 내용에 대한 간략한 요약과 함께 다음과 같습니다.

• DO-178C 표 A-5 목적 1: "소스 코드는 상세 요구사항을 준수합니다." 이 목적을 달성하려면 소스 코드와 상세 요구사항을 비교하여 코드가 요구사항을 정확하게 구현하고 요구사항만 정확하게 구현하도록 해야 합니다.

이 목적은 추적성이 호환성 결정에 도움이 되기 때문에 표 A-5 목적 5 와 밀접하게 관련됩니다.

• DO-178C 표 A-5 목적 2: "소스 코드는 소프트웨어 아키텍처를 준수합니다." 이 목적의 목적은 소스 코드가 아키텍처와 일치하는지 확인하는 것입니다. 이 목표는 아키텍처와 코드의 데이터 및 제어 흐름이 일관성을 유지하도록 보장합니다. 일관성은 데이터를 지원하고 커플링 분석을 제어하는 데 중요합니다.

• DO-178C 표 A-5 목적 3: "소스 코드 검증 가능"이 목표는 코드 자체의 테스트 가능성에 초점을 맞춥니다. 테스트를 지원하려면 코드를 작성해야 합니다.

• DO-178C 표 A-5 목표 4: "소스 코드는 표준을 준수합니다." 이 목적의 목적은 코드가 계획에서 식별된 코딩 표준을 준수하는지 확인하는 것입니다. 일반적으로 동료 검토 그리고

또는 정적 분석 도구를 사용하여 코드가 표준을 만족하는지 확인합니다. 도구를 사용하는 경우 자격이 필요할 수 있습니다.

• DO-178C 표 A-5 목적 5: "소스 코드는 상세 요구사항에 따라 추적 가능" 이 목표는 소스 코드와 상세 요구사항 간의 추적 성의 완전성과 정확성을 확인합니다. 추적성은 양방향이어야 합니다. 모든 요구사항을 구현해야 하며 하나 이상의 요구사항을 추적하지 않는 코드가 없어야 합니다. 일반적으로 상세 요구사항은 소스 코드 기능 또는 절차를 추적합니다.

• DO-178C 표 A-5 목표 6: "소스 코드는 정확하고 일관성이 있습니다." 이 목표는 까다로운 과제입니다. 이를 준수하려면 정확성과 일관성을 찾기 위해 코드를 검토해야 합니다.

그러나 목적 참조는 "스택 사용, 메모리 사용, 고정 소수점 산술 오버플로 및 해상도, 부동 소수점 산술, 자원 경합 및 제한, 최악의 실행 타이밍, 예외 처리, 초기화되지 않은 변수 사용, 캐시 관리, 사용되지 않는 변수 및 작업 또는 인터럽트 충돌로 인한 데이터 손상 "이 포함됩니다. 이 확인 작업에는 코드 검토 이상의 작업이 포함됩니다.

부록 7. 통합 프로세스 보충설명

1. 개발 통합

통합은 실행 가능 객체 코드를 작성하고 (컴파일러 및 링커 사용) 대상 컴퓨터에 로딩하는 프로세스입니다 (로더 사용). 총괄 프로세스는 때로는 사소한 것으로 간주되지만, 안전에 중요한 소프트웨어를 개발할 때 매우 중요한 프로세스입니다.

DO-178C 는 통합의 두 가지 측면을 제시합니다.

첫 번째는 개발 노력의 통합입니다. 즉, 컴파일, 링크 및 로드 프로세스.

두 번째는 소프트웨어/소프트웨어 통합과 소프트웨어/하드웨어 통합을 포함하는 테스트 작업 중 통합입니다.

통합은 일반적으로 호스트의 기능 영역 내에 소프트웨어 모듈을 통합한 다음 호스트의 여러 기능 영역을 통합한 후 소프트웨어를 대상 하드웨어에 통합함으로써 시작됩니다. 통합의 효과는 테스트 노력을 통해 입증됩니다. 여기서는 개발 노력 중에 통합을 고려합니다

1.1 빌드 프로세스

실행 가능 객체 코드를 개발하기 위해 소스 코드를 사용하는 프로세스를 빌드 프로세스라고 합니다. 코딩 단계의 출력에는 소스 코드와 컴파일 및 링크 지침이 포함됩니다.

그림 8 빌드 프로세스

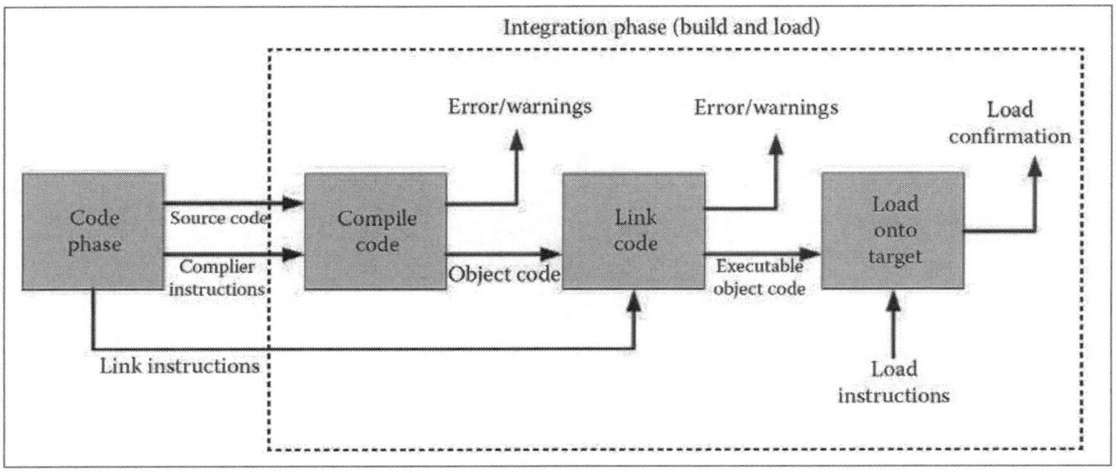

Integration phase (build and load)

Error/warnings   Error/warnings   Load confirmation

Code phase — Source code / Complier instructions → Compile code — Object code → Link code — Executable object code → Load onto target

Link instructions

Load instructions

컴파일 및 링크 지침은 빌드 지침에 설명되어 있습니다. 빌드 지침은 안전에 중요한 작업에 사용될 실행 가능 이미지를 빌드 하는데 사용되는 프로세스를 문서화하기 때문에 반복 가능한 단계로 잘 문서화되어야 합니다. DO-178C 절 11.16.g 은 빌드 명령어가 SCI (Software Configuration Index)에 포함될 것을 제안합니다.

빌드 지시자는 종종 여러 스크립트 (예: makefile)가 포함됩니다. 이러한 스크립트는 실행 가능 이미지의 개발에 중요한 역할을 하므로 소스 코드와 마찬가지로 형상 통제 하에 정확성을 검토해야 합니다. 하지만 컴파일 및 링크 데이터의 검토는 계획 단계에서 간과되는 경우가 많습니다. 일부 조직은 소스 코드에 큰 주의를 기울이지 만 빌드 프로세스를 가능하게 하는 스크립트는 무시합니다. 소스 코드 DO-178C 절 11.11 을 설명할 때: "이 데이터는 소스 언어로 작성된 코드로 구성됩니다. 소스 코드는 통합 시스템 또는 장비를 개발하기 위해 총괄 프로세스에서 데이터를 컴파일, 링크 및 로드 하는데 사용됩니다.

따라서 컴파일 및 링크 데이터는 소스 코드와 함께 신중하게 관리해야 합니다. 이를 위해서는 데이터 검증 및 형상 관리가 필요합니다. 소프트웨어 레벨은 검증 및 형상 관리의 범위를 결정합니다.

빌드 프로세스는 잘 통제된 개발 환경에 의존합니다.

개발 환경에는 빌드 환경의 모든 도구 (버전 포함), 하드웨어 및 설정 (컴파일러 또는 링커 설정 포함)이 나열됩니다.

DO-178C 는 이 정보가 SLECI (Software Life Cycle Environment Configuration Index)에서 문서화되어야 한다고 제안합니다.

배포용 소프트웨어를 구축하기 전에 대부분의 회사는 깨끗한 빌드가 필요합니다. 이 경우 빌드 기계는 모든 소프트웨어를 제거하여 정리됩니다. 그런 다음 빌드 시스템에 클린 빌드 절차를 사용하여 승인된 소프트웨어가 로드 됩니다. 이 깔끔한 빌드는 승인된 환경이 사용되고 빌드 환경이 재 생성될 수 있음을 보장합니다. 빌드 시스템이 제대로 구성된 후에는 소프트웨어 빌드 지침에 따라 배포용 소프트웨어를 생성합니다. 깨끗한 빌드 절차는 일반적으로 SLECI 또는 SCI 에 포함되거나 참조됩니다.

가끔 간과되는 빌드 프로세스의 한 측면은 컴파일러 및 링커 경고 및 오류 처리입니다. 빌드 지침에서는 컴파일 및 링크 후에 경고 및 오류를 조사해야 합니다. 빌드 지침은 또한 수용 가능한 경고인지 또는 경고를 분석하여 허용 가능한지를 결정하는 프로세스를 식별해야 합니다.

오류는 일반적으로 허용되지 않습니다. 빌드 프로세스는 종종 거의 매일 빌드를 수행하는 엔지니어에게 의존합니다. 이러한 일반적인 결함을 해결하려면 절차를 작성하지 않은 사람과 일반적으로 반복을 확인하는 절차를 실행하지 않는 사람이 있는 것이 좋습니다.

절차 리뷰를 작성하기 위해 이 작업을 일부 수행하는 것이 좋습니다.

1.2 로드 프로세스

로드 프로세스는 실행 가능 이미지를 대상에 로드 하는 것을 제어합니다. 일반적으로 실험실, 공장 및 항공기에 대한로드 절차가 있습니다 (소프트웨어가 현장에서 로드 가능한 경우). 적재 절차는 문서화되고 통제되어야 합니다. DO-178C 절 11.16.k 에서는 소프트웨어를 대상 하드웨어에 로드 하는데 사용되는 절차와 방법을 SCI 에 문서화해야 한다고 설명합니다.

로드 지침은 전체 로드를 확인하는 방법, 불완전한 로드를 식별하는 방법, 손상된 로드를 처리하는 방법 및 로드 프로세스 중에 오류가 발생할 경우 수행할 작업을 식별해야 합니다.

항공기 시스템의 경우 많은 제조업체가 ARINC 615A 프로토콜과 높은 무결성 순환 중복 검사를 사용하여 소프트웨어가 대상에 올바르게 로드 되었는지 확인합니다.

2. 개발 통합 검증

개발 총괄 프로세스의 검증에는 일반적으로 총괄 프로세스가 완전하고 정확한지 확인하기 위한 다음과 같은 활동이 포함됩니다.

• 컴파일 데이터, 링크 데이터 및 데이터로드 (예: 빌드 및 로드 자동화에 사용되는 스크립트)를 검토합니다.

• 명령의 독립적 실행을 포함하여 빌드 및 로드 지침을 검토하여 완전성과 반복성을 보장합니다.

• 링크 데이터, 로드 데이터 및 메모리 맵을 분석하여 하드웨어 주소가 정확하고 메모리가 겹치지 않으며 누락된 소프트웨어 컴포넌트가 없는지 확인합니다. 이는 DO-178C 표 A-5 목표 7 을 다루고 있으며, "소프트웨어 총괄 프로세스의 출력은 완전하고 정확합니다" 라고 되어 있습니다.

이(성과물)은 산업통산자원부의 재원으로 한국산업기술진흥원(KIAT)의 지원을 받아 수행된 연구임. (P0017124 2023 산업혁신인재성장지원사업)

DO-178C기반 항공 소프트웨어 개발 개론

발 행 | 2023년 12월 08일
저 자 | 나종화
펴낸이 | 한건희
펴낸곳 | 주식회사 부크크
출판사등록 | 2014.07.15.(제2014-16호)
주 소 | 서울특별시 금천구 가산디지털1로 119 SK트윈타워 A동 305호
전 화 | 1670-8316
이메일 | info@bookk.co.kr

ISBN | 979-11-410-5848-7

www.bookk.co.kr